ZULMA REYO

ALQUIMIA INTERIOR

Tradução:
Silvia Branco Sarzana

10ª ediç[illegible]

Ground EDITORA
livros para uma nova consciência

Dados de Catalogação na Publicação (CIP) Internacional
(Câmara Brasileira do Livro, SP, Brasil)

Reyo, Zulma.
Alquimia interior / Zulma Reyo ; tradução Silvia Branco Sarzana. -- 2. ed. -- São Paulo : Ground, 1989.

ISBN 85-7187-009-8

1. Espírito e corpo - Terapias 2. Meditações 3. Metafísica 4. Teosofia I. Título.

CDD-615.851
-110
-181.45
-299.934

89-1373

Índices para catálogo sistemático:

1. Meditação transcendental : Filosofia 181.45
2. Metafísica : Filosofia 110
3. Teosofia : Religião 299.934
4. Terapia espiritual : Terapêutica 615.851

AO AMADO SAINT GERMAIN
POR SUA PACIÊNCIA COMIGO POR TANTO TEMPO:
Rendo homenagem em profunda humildade.

À minha mãe, Rosina,
que me trouxe de volta às práticas da Luz,
minha eterna gratidão.

A meu filho, Max,
cujo saber inato me trouxe de volta ao mundo,
minha vida.

Aos meus alunos,
que me mostraram o poder do amor humano,
meu respeito.

Meu reconhecimento e minha gratidão a todos
os que acreditam no Poder da Luz.

Título original: *The Path of Inner Alchemy*

10ª edição: 1994

Supervisão Gráfica: Nadia Basso
Tradução: Silvia Branco Sarzana
Copidesque: Silvio Neves Ferreira
Diagramação e Revisão (*coord.*): Fernando de Benedetto Gião
Silvio Neves Ferreira
Denise Santos
Ilustrações: Mário Diniz (capa e miolo)
Maria Morales
Cristina Tati
Arte-final: Silene Miranda
Eder Santos

Editora Ground Ltda.
Rua Pamplona, 935 - Conj. 12
Jardim Paulista
Tels.: 288-7139 / 287-3016
Fax: 283-0476
Cep 01405-001 - São Paulo - SP

Sumário

Agradecimentos

Devo realmente a publicação deste manuscrito a Mirna Grzich, minha querida irmã na Luz. Seu trabalho pioneiro com o movimento Nova Era, no Brasil, sua fé inquebrantável na obra e sua confiança em mim depositadas — para não falar do tempo e energia gastos resolvendo interesses meus — permitiram que a visão da Alquimia Interior se manifestasse aqui no Brasil.

Gostaria de agradecer a todas as pessoas que direta ou indiretamente fizeram com que eu pudesse concretizar esse trabalho, desde aquelas que primeiro me trouxeram aqui até àquelas que souberam vencer os obstáculos internos e externos, até chegar a poder ancorar a essência fraternal de Alquimia Interior no Brasil. De todas essas pessoas que foram atraídas pela vivência das leis da Luz, muito poucas suportaram as pressões da Verdade tão corajosamente como a equipe de pessoas que hoje está comigo executando esse trabalho.

"Desde uma distância protetora digna de um anjo guardião, uma das mais sinceras almas afins tem sido a editora original deste livro, Dina Venâncio, cuja pureza permitiu-lhe acreditar na validade deste texto inicialmente. Por ela e por todos os que têm olhos para ver e ouvidos para ouvir, eu tenho uma especial gratidão.

"Aos artistas que executaram esta obra, aos músicos (e a Valter Pini em especial), amigos na Luz, aos livros e manuscritos que me guiaram e abriram caminhos interiores... devo a visão da própria obra:

- *Na Inglaterra, a Valerie Mackenzie e aos jacintos.*
- *À mãe Índia, minha mestra, e ao "sangha" de lá.*
- *A Marc Brinkerhoff e seus suaves* insights *dos elementais.*

- *A Phyllis Moline, seus ensinamentos e sua visão.*
- *À série de Olive Pixley sobre práticas essênicas da Luz, atualmente esgotada.*
- *E, finalmente, mas nem por isso menos importante, aos sr. e sra. Guy W. Ballard, por sua coragem e trabalho realizado com o ensinamento dos Mestres Ascencionados. A este último devo a inspiração e as vibrações, que agora permanecem eternamente comigo.*

NOTA DA AUTORA

Desejo esclarecer que não pertenço a nenhuma organização ou grupo. Algumas das práticas ou métodos aqui incluídos foram retirados de sistemas tanto antigos quanto modernos.

Espero ter creditado todas as fontes e, se tiver ocorrido alguma omissão, peço desculpas pelo descuido.

ALQUIMIA Empreendimentos
Caixa Postal 57072
Cep 04093-970 - São Paulo/SP

Apresentação

No instante em que eclodiu no homem o fenômeno da consciência individualizada, nele apareceu também, em igual medida, o maior e mais pungente de todos os sentimentos: a saudade do Todo.

Desde então, consciente ou inconscientemente, usando todos os recursos que lhe foram dados pela natureza, fossem eles os recursos do corpo, das emoções, da mente, o homem procura retornar ao Todo.

A primeira conseqüência desse sentimento da separatividade é a desconexão com a identidade profunda, que instala no indivíduo um perene estado de angústia existencial. Uma vez fora do Todo, surge a necessidade imperiosa de reencontrar ou, melhor dizendo, reconstruir aquela identidade. Torna-se absolutamente necessário responder de modo claro à mais importante de todas as perguntas: *Quem sou eu?*

O processo da resposta pode levar uma ou, segundo os ocultistas, muitas e muitas vidas sucessivas. Os antigos alquimistas denominavam a esse processo de *A Grande Obra.*

Ao longo da história da humanidade, inúmeros métodos e técnicas foram criados e desenvolvidos para viabilizar e facilitar essa busca. Na base de todos esses métodos — quando eles são autênticos — há uma mesma Sabedoria consolidada através dos milênios. Segundo essa Sabedoria, o Todo não precisa ser buscado, necessariamente, no mundo exterior, onde a multiplicidade das formas manifestadas podem confundir o buscador, dificultando e mesmo impedindo a consecução da empreitada. O Todo reside no mais profundo de cada um de nós, e é lá que devemos buscá-lo. Ele é a nossa própria essência impessoal, a centelha que alimenta cada consciência individualizada. Mas, para restabelecer a ligação primordial com o Todo, devemos superar toda a ilusão de separatividade criada pela nossa personalidade adquirida. Devemos enfrentar e vencer as armadilhas forjadas pelo nosso ego pessoal, que deveria ser apenas um instrumento do Eu superior, mas que existe sentado num trono usurpado e desse trono pretende comandar todo o reino que cada pessoa na sua inteireza representa. Devemos desfazer a miríade dos condicionamentos que nos foram impostos por atavismo, pela educação, pelo meio familiar e social onde vivemos etc.

A busca de si mesmo exige esforços quase sobre-humanos. Mas não temos outra escolha. Ela é o verdadeiro objetivo da existência e dela, mais cedo ou mais tarde, ninguém pode escapar. Estavam voltados para esse objetivo maior todos aqueles que contribuíram de modo positivo para a evolução da humanidade, fosse essa contribuição na área da ciência, da filosofia, das artes ou da religião. Todos, sem exceção, tentaram solicionar o famoso dilema proposto pela esfinge de Gisé: Decifra-me ou devoro-te.

Se a sabedoria essencial subjacente em todas as chamadas escolas de autoconhecimento é sempre a mesma, os métodos práticos para a realização da Grande Obra não o são. Cada civilização, em cada lugar e em cada momento histórico, teve de criar o seu próprio método, que existe sempre no contexto de precisas coordenadas de espaço e de tempo. Deduz-se daí que nem sempre um método que foi ou é bom para um determinado espaço e um determinado tempo, o é para outros espaços e tempos. Além disso, um mesmo método geral deve levar em conta as diferenças individuais daqueles que o adotam. Esse necessário grau de especialização chega quase sempre a níveis tão altos que muitos mestres autênticos do autoconhecimento afirmam que deve-se partir de um método geral, mas, em última análise, com o correr do tempo, cada indivíduo deve criar o seu próprio método, que será pessoal e intransferível.

Na Índia, a título de exemplo, sob a denominação geral de *yoga* (religação do eu pessoal com o Eu impessoal), surgiram muitíssimas ramificações especializadas. Existe a escola denominada *hatha yoga,* mais voltada para o conhecimento do corpo humano e suas funções, e que por isso apóia-se num número enorme de exercícios físicos; a *bhakti yoga,* que propõe a religação pelo cultivo do amor desinteressado; a *karma yoga,* a transcendência através da ação altruísta; a *raja yoga,* a iluminação espiritual através da meditação; a *janana yoga,* que dá ênfase ao desenvolvimento do intelecto; a *anna yoga,* a saúde do corpo e do espírito pela alimentação correta; a *mantra yoga,* a realização do Eu pelo conhecimento e pelo uso do poder do som e da palavra falada, além de muitas outras escolas.

Diante de uma tal profusão de opções quanto a caminhos espirituais, o indivíduo escolhe quase que por simpatia, procurando descobrir com qual escola sintonizam melhor as suas características e tendências pessoais. A escolha, contudo, é sempre precedida por um período de crise íntima, de inquietude e angústia existencial. Crise essa que deve ser interpretada como um alarme que chama para a Grande Obra. Em todos os casos, porém, o ponto de partida — a inquietude espiritual — e o objetivo final a ser alcançado — o reencontro do Eu — são sempre os mesmos. Apenas os métodos ou caminhos a serem percorridos são parcialmente diferentes.

No mundo ocidental, dadas certas características particulares da natureza do homem ocidental e da nossa cultura, tais como a grande preocupação com a razão e com a função intelectual de síntese, a maioria das escolas de realização espiritual demonstra grande interesse e cuidado com o chamado enfoque integrativo. O indivíduo ao entrar numa dessas escolas é levado a trabalhar simultaneamente em várias áreas: corporal, emocional, afetiva, mental, sexual, instintiva, intuitiva, energética.

A Escola da Alquimia Interior, de estruturação atribuída ao Mestre Saint Germain, e da qual este substancioso trabalho de Zulma Reyo faz parte, apresenta-se como uma poderosa escola de síntese. O aspecto do trabalho energético, em especial, recebe ênfase superlativa, e isso não é certamente um mero acaso.

A autora, bem na linha da ciência moderna, parte do conceito de que tudo no universo não são mais do que diferentes manifestações de uma mesma energia primordial e universal. Albert Einstein provavelmente partilhava dessa idéia. É sua a afirmação de que "matéria é energia condensada, e energia é matéria em estado radiante". É exatamente nesse ponto que convergem a ciência moderna e as mais antigas tradições religiosas, tanto do Oriente quanto do Ocidente.

A abordagem energética é fundamental e imprescindível para qualquer escola que queira se desenvolver no chamado ciclo aquariano. Isso representa também uma religação do contemporâneo com o mais tradicional, evidenciando que esse mais tradicional continua contribuindo para o crescimento do contemporâneo. Mesmo nos dias de hoje, uma escola de conhecimento tradicional como a teosofia — da qual a Escola da Alquimia Interior é um desenvolvimento — vai além da ciência oficial ao postular, por exemplo, a existência de outros princípios ou campos de força além dos já conhecidos (como é o caso do eletromagnetismo, da gravitação e dos campos nucleares). Helena Blavatsky, a grande responsável pela estruturação da teosofia na sua forma moderna, e que foi, declaradamente, discípula de Saint Germain, dizia que esses outros princípios ou campos de força possuíam as mesmas características de universalidade, continuidade e não-materialidade. Dava a entender que tais campos, já suspeitados mas ainda não conhecidos pela ciência, constituíam a matriz de todos os fenômenos psicológicos e espirituais. Esses campos e todo o poder que representam seriam acessíveis ao homem mediante o desenvolvimento de capacidades especificamente humanas que estão mais além do alcance dos cinco sentidos conhecidos.

Dentro dessa mesma linha a Escola da Alquimia Interior traça o panorama de um mundo — dentro e fora do homem — constituído de puras vibrações energéticas. E ao homem, microcosmo energético por excelência, é dado o poder de dominar e usufruir, paulatinamente, de todas essas energias. Ascendendo passo a passo em sua evolução consciente, com o poder da vontade que emana da consciência, e utilizando a mente como o melhor dos instrumentos para a manipulação das energias, cada homem se transformará, um dia, em pura luz branca, a somatória divina de todas as energias.

O livro de Zulma Reyo apresenta notável soma de informações esotéricas organizadas com bom senso didático. Particularmente interessantes são os capítulos sobre anatomia e fisiologia energética, que lançam luz sobre as questões entre nós ainda pouco conhecidas dos corpos sutis do homem, suas características e funções. A autora consegue acoplar também questões teóricas com exercícios práticos, permitindo ao leitor interessado uma vivência mais completa do método proposto de crescimento interior.

Ao lado, porém, de todo esse material teórico e prático referente às técnicas de manipulação das energias sutis através do poder da mente humana, com vistas ao desenvolvimento espiritual, este tratado básico de alquimia interior é permeado por constante preocupação ética. Trata-se de uma característica fundamental da *Grande Obra,* já que somente o sentido ético diferencia a obra divina construtiva da obra demoníaca demolidora. Exatamente como é de tipo ético a única diferença real entre magia branca e magia negra.

Todo e qualquer passo dado no caminho da alquimia interior deve ser dado com o firme propósito de cada vez mais aproximar o praticante do seu Eu superior, da sua essência divina, do seu *Self,* como o chamava o genial psicólogo Carl Jung. Fora isso, todos os esforços serão inúteis, e só levarão ao fortalecimento do ego pessoal neurótico, que é o grande obstáculo que a impedir a consecução da Grande Obra.

Luís Pellegrini

Prefácio

Freqüentemente me parece que estou sempre morrendo e renascendo. Algumas vezes não posso dizer quem fui no ano passado... no mês passado... e contudo algo do que fui então, como há trinta anos, surge para reunir todas as pessoas que tenho sido. Cada uma me proporciona uma habilidade, uma experiência, um abismo, uma energia ou radiação. Vocês poderiam definir essas personalidades psicoespirituais, que se agrupam em mim, como uma característica multitalentosa, versátil e flexível. Aprendi a crescer com ela e a usá-la em meu benefício, até hoje, mesmo nas situações mais difíceis. As lições nunca terminam. Nunca saímos da escola.

Sou o aluno e o professor, mas não sou diferente de vocês. Ensino o que tenho vivido na totalidade de mim mesma, não o que tenho aprendido intelectualmente. Na verdade, raramente leio livros. Ensino o que tenho vivenciado com muitas pessoas de diversas culturas, religiões, países e experiências. Viajo demais. Falo espanhol, inglês, francês e italiano. Tenho ensinado pessoas da Europa, Ásia, do Oriente Médio e das três Américas. E elas têm me ensinado. Não poderia dizer quem se beneficiou mais.

Vivi à margem da vida. Parecia-me que ali era onde estava a força vital. Cresci nos anos sessenta, uma época de estilos de vida alternativos. Em minha infância fui mística e psíquica, viajando de país a país, sem me fixar. Formei-me professora de línguas e tornei-me terapeuta depois de haver entrado para a Terapia Primal, com o Dr. Arthur Janov. Esse processo possibilitou meus primeiros vôos. Ganhei um fantástico conhecimento a partir de revoltas devastadoras e reintegração dos aspectos físico, emocional e mental de mim mesma. Comecei aprendendo a administrar e controlar as diferentes funções psicológicas da psique, o que me levou, posteriormente, a estudos mais profundos do eu e do oculto. Ao penetrar na psicologia do presente, contactei psicologias semelhantes de encarnações passadas. Mudei-me para a Inglaterra e para um segundo estágio intensivo de estudo do eu.

Entrei para o mundo do esoterismo familiarizando-me com Teosofia, Antroposofia, tradições sufi e druídicas no Reino Unido e, mais tarde, no Oriente. Fascinei-me com as filosofias religiosas e suas psicologias; o Oriente em contraste e misturado a pontos de vista ocidentais. Zen... Tao... Hinduísmo... Tantra... A viagem de volta ao Ocidente, quinze anos depois, exigiu novamente uma outra intensa reorientação: aprendizagem com a geração do computador e familiarização com todo o avanço tecnológico. Não tenho certeza se já me readaptei a esta última.

Em termos convencionais, não estou certa de poder responder "Quem" ou "O Que" sou. Embora eu saiba "Quem" e "O que" sou... um estado de conhecimento que se estende por toda a minha vida. Muito cedo eu soube que minha busca particular consistia em ligar o "Que" sou com "Quem" sou. Tenho mente, pensamentos, emoções e sentimentos... De onde vêm? Tenho uma história pessoal. Por que *essa* história em particular? Tenho poderes desde a infância... Por quê? Venho buscando algum sentido fora de minha vida, as energias e ingredientes dentro dela e seus humores... que se estendem para além dos limites da psicologia. E me pergunto: "Sou estranha e diferente? Ou todos têm os seus mistérios como eu? Até que ponto?".

Tenho procurado construir uma ponte entre a realidade interior e a exterior, entre o aspecto racional e o irracional, entre a mente e a não-mente, entre a forma e a ausência de forma, o estado do ser por trás de todas as formas e culturas. Falei muitas linguagens, desde a psicológica até a cultural e a social, para pessoas do campo das artes e das ciências, para intelectuais e místicos. Cada uma tinha sua própria energia, seu próprio estilo. Dentro de cada uma havia a mesma vida. E me encontrei em cada uma delas.

Quando retornei aos Estados Unidos, após todos aqueles anos passados numa espécie de introspecção meditativa, particularmente no Oriente, tive não somente de reaprender o que as pessoas estavam fazendo e sendo aqui no Ocidente, como também de pensar em algo para me autoclassificar. Uma primeira olhadela para a profusão de psicoterapeutas e pesquisadores da Nova Era, no anuário alternativo local, foi esmagadora. O conhecimento posterior de praticantes nos campos relacionados ao meu provou-se ainda mais frustrante. Fui imediatamente classificada, rotulada, catalogada, sem ser ouvida, quanto mais vista! Percebi que muitas pessoas estavam certamente praticando as profissões da Nova Era com pouca, senão nenhuma, compreensão das mesmas. A especialização tinha se estabelecido no mundo do psíquico, do espiritual e do psicológico. Percebi que eu, uma espécie de mulher renascentista de nova geração, pertencia a todos eles e, contudo, a nenhum. No meio de minha frustração, após me render completamente e trabalhar, primeiro como cozinheira vegetariana e, mais tarde, como secretária executiva, tive um *insight* que mudou o curso de minha vida. Todos os meus eus se alinharam. Descobri que estava no caminho da Alquimia.

A Alquimia é a arte-ciência da transmutação do menor para o maior. Vi como sempre tinha buscado uma chave universal que pudesse revelar toda manifestação, física ou não... uma chave que pudesse revelar a forma e dar forma à ausência de forma. Isso era Alquimia!

Seguiram-se outros *insights*, imagens, sentimentos e conhecimento após conhecimento. Lembrei-me de outras vidas, outras épocas. Entrei em contato direto com uma fonte de conhecimento que me deu acesso a informações, que literalmente assaltaram a minha mente. A Alquimia não era apenas um método, era uma perspectiva. A Alquimia era uma janela para o passado remoto e para o futuro imediato. Passagens dimensionais através do tempo e do espaço abriram-se dentro de mim. Sabia que era isso o que tinha que ensinar. Tinha incorporado tanto esse processo que só poderia vê-lo quando conseguisse me colocar à alguma distância dele. E a chave para essa Alquimia e seu método estava dentro de mim mesma, em minha consciência. A Alquimia era um estado de *ser*. Todas as coisas entraram nos seus devidos lugares e, num lampejo, recebi a imagem de meu logos, o símbolo que uso para o Centro de Alquimia Interior.

No símbolo, o triângulo voltado para cima é violeta, representando o fogo alquímico ou transmutador, a purificação necessária para transformar o chumbo em ouro. Este fogo transmutador é fundamental a toda criação. O triângulo invertido é dourado e traz para baixo a luz cósmica, a energia do Sol, ou Sol central, o Eu Divino. A esfera oval ao redor do símbolo é o corpo causal, que vi na cor prata. Notei que a chama violeta atravessava-a também, indicando dimensões além. O Homem estava situado exatamente no centro do símbolo. O Sol central, ou ponto de origem (simbólico da divindade), localizava-se sobre o peito ou coração. Dentro desse Sol central, de uma luminosidade de

SÍMBOLO DA "MAESTRIA"
EM ALQUIMIA INTERIOR

longe muito maior do que a do Sol físico, repousava a eternidade, como um oceano cristalino de fogo sagrado. Denominei a obra de Alquimia Interior para distingui-la da outra, embora, na verdade, fossem... sejam... Uma só.

Este livro é minha dádiva de amor a vocês, exatamente como aquela mensagem foi a dádiva da Vida para mim. Possam vocês crescer e brilhar com ela, até que nos encontremos nos Templos de Cristal além do tempo.

Zulma Reyo

Prefácio à 6ª Edição

As práticas da Luz invocam e atraem vibrações de alta freqüência que nem sempre são registradas pela mente consciente ou a sensibilidade física. Essas freqüências atuam sobre o organismo físico-sutil de tal forma que ativam a maquinaria habitual do indivíduo. Em vez de trazer novas modalidades de existência, a realidade é que essas vibrações tendem a intensificar tudo aquilo que rodeia o indivíduo e que está chamando para ser integrado na luz da consciência. Isso implica que o trabalho que cada pessoa que se interessa pela Luz tem que confrontar é o trabalho consigo mesmo, ao nível biofísico e psicológico primeiro. As práticas da Luz não são e nunca poderiam ser uma substituição da conscientização humana quotidiana.

Quero esclarecer o fato dessa dinâmica neste prefácio à sexta edição deste livro. O CAMINHO DA LUZ É EXTREMAMENTE DIFÍCIL E MUITAS VEZES PENOSO PELO FATO DE CADA INDIVÍDUO TER DE CONFRONTAR *EM SI MESMO* A DITA "FORÇA SINISTRA". Quando não faz isso, ele atrai em e ao redor de si ainda mais ilusão (o que Alice Bailey chama de "fascínio"). Essa ilusão se interpõe entre o indivíduo e a realidade, fortificando as formas-pensamentos do baixo astral que então parecerão como a "realidade". A Nova Era está cheia demais com essas formas-pensamentos que acrescentam uma desconexão e fomentam assim a já intensa violência de nosso tempos.

O que está ocorrendo no Meio Oriente, no Oriente, na favela ou em nosso lar é conseqüência direta da inconsciência individual da humanidade. Este prefácio é um apelo direto ao leitor para que ele não mal-interprete o conteúdo deste livro, e para que ele ou ela, começe sinceramente a fazer a sua parte sem fanatismo, sem autopiedade e sem a complacência que muitas vezes acompanha o sentimento ilusório que o indivíduo poderia evocar.

A Luz inspira; a Luz é linda. O caminho da luz é GLORIOSO, porém... para que essa glória semente e germine na humanidade precisa-se ter coragem, humildade, honestidade e determinação. Por isso, tenho seguido este livro com a publicação dos trabalhos de base do Centro de Alquimia Interior: *Morte & Renascimento* e *Karma & Sexualidade*, dois livros que suplementam a fase de conscientização sobre as raízes que apóiam as asas nascentes do Homem-Deus. A pessoa que quiser sinceramente prosseguir com o caminho da Alquimia Interior é referida a esses livros que são a conseqüência do trabalho vivencial e aplicado da Alquimia Interior nos últimos anos desde a publicação original deste livro.

O termo "Mestre Excelso" é usado nessa tradução do inglês original para indicar tanto o Mestre Interior como aqueles Seres que servem a humanidade dentro da Hierarquia. Esses últimos, são Discípulos ou Iniciados que têm percorrido a profunda vivência humana e que têm permanecido em encarnação *física* para poder assim comunicar-se com a humanidade diretamente. Esses Mestres não precisam de canais psíquicos nem utilizam a dimensão astral para se comunicar. Por isso, o discernimento que marca o verdadeiro aspirante do beato iludido está no nível de discriminação da fantasia, do desejo e da carência pessoal. O Mestre Excelso *real* é contatado direta e internamente quando o indivíduo se serve da *vivência* (não só a mentalização), do Circuito Alquímico (explicado nas págs. 168-169), acompanhado da vivência realistíca do dia-a-dia.

O meu objetivo neste trabalho de Alquimia Interior e dentro de todos os processos que progressivamente abrem a vivência e prática da Luz é de emancipar ao indivíduo tanto de suas falsas necessidades como do oportunismo dos outros que se fazem servidores imprescindíveis da humanidade.

EU SOU A LUZ. O PODER E A GLÓRIA!... dentro de *cada um* que tome a coragem de vivenciá-lo individual e integralmente.

Agradecendo esta oportunidade de ser ouvida, na terna humanidade que nos une e a divindade que nos inspira, "EU SOU..."

Zulma Reyo

Introdução

Visão Geral

HERANÇA

Cada um de nós tem uma música própria para cantar, uma dança própria para dançar. Às vezes, em sua simplicidade, isso é óbvio. Em outras é complexo e confuso, escondido nos recônditos de uma essência ainda desconhecida. Todos nós estamos aqui para fazer algo único, para expressar nossa individualidade e seu desejo pela perfeição e por uma Vida mais gloriosa. Quando descobrimos o que tal expressão significa, sentimos grande alegria e plenitude, e nossa evolução, o ritmo de nossas vidas, parece se acelerar. Ficamos felizes, ligados à Vida, seja vendendo imóveis ou administrando recursos financeiros ou sendo mãe e dona de casa, varrendo o chão e fazendo compras, ou coreografando uma peça da Broadway. Nesse ponto, todo o esforço despendido com elementos dicordantes e díspares faz sentido: ele nos ensina a arte de nos assenhorarmos da vida — o controle do eu. Ocorreu uma integração. As rupturas no mundo exterior parecem coincidir com algum tipo de plenitude interior, uma lição aprendida. E mesmo que não haja nenhum sinal dramático externo, o próprio viver torna-se excitante. Talvez não mais fácil, mas certamente mais gratificante, mais harmonioso. De repente a vida tem um propósito e você tem algo a dizer. Nesse ponto, você se tornou um ativo co-criador com a divindade. A completa maestria é apenas uma questão de tempo.

Vamos encará-la. A vida não é um mar de rosas para ninguém. É dolorosa. Estamos aqui para aprender... alguma coisa. Se temos dinheiro, podemos não ter saúde; se temos saúde, podemos não ter estabilidade emocional. Diante da vida como da morte, tudo se iguala; não há privilegiados. A vida nos fornece um currículo interminável em administração — a gerência e controle de nossos eus e nosso mundo. Aprendemos as leis da vida através de linguagens e símbolos diferentes e, por tentativa e erro, aprendemos seus princípios através de nossas expansões e contrações, através de sistemas energéticos que governam nossos corpos, nossas mentes, nossas emoções, nossas expressões e manifestações físicas... O homem é, de fato, um microcosmo. Os antigos sabiam que "Assim em cima como embaixo". Sabiam que as leis que governam a Vida — interior e exterior — giram ao redor de princípios de vibração... as vibrações que constituem a corrente principal da Alquimia.

Tradicionalmente, a Alquimia está relacionada àquele corpo da literatura gnóstica e a fórmulas que conjuram imagens de demônios, feiticeiras e bruxas, teias de aranha e caldeirões. O alquimista é visto como indivíduo sem idade, misterioso e invencível, no melhor dos casos como Merlin. Por trás das complexidades melodramáticas e dos simbolismos intricados que ocultam os princípios de Alquimia, repousa o sentimento esmagador de uma força enorme, um poder incorporado pelo próprio alquimista em sua habilidade de extrair substância e energias primordiais de seu meio ambiente e gerar, orientar e transmutar essa energia e substância em outras formas. Tem havido muito temor envolvendo a Alquimia, um temor gerado pela ignorância, pela manipulação da superstição e meias verdades contraditórias, legados de tempos antigos, quando as leis interiores que governam a Alquimia foram mal-empregadas. Lembranças subliminares de distorção e temor infiltraram-se até os tempos modernos.

Mas a Alquimia é muito, muito anterior à Idade Média e ao mítico Merlin, remontando ao início dos tempos, quando surgiu a primeira encarnação do homem. Naquela época, a Alquimia era um conhecimento natural e uma habilidade, o *modus operandi*. Naquele tempo, o homem tinha consciência de seu papel extremamente especial como intermediário entre a realidade física e a realidade sutil, entre o humano e o divino. Tinha consciência não apenas de sua natureza dual, como inteligência na matéria, mas também da dualidade de seu sistema energético. Tinha consciência também de seu poder ou capacidade de criar, através da manipulação de energia e substância. Sabia que a chave desse poder estava dentro de seu próprio estado de consciência. A chave para a manifestação, precipitação, desmaterialização, levitação..., de fato, todas as expressões dos poderes naturais do homem residem na compreensão e no uso da consciência. É o próprio estado de consciência que determina o uso das leis que governam energia e matéria. Tais leis são misteriosas apenas na mesma proporção em que os estados de consciência são inexplorados e incompreensíveis ao eu.

NATUREZA DA CONSCIÊNCIA

A consciência é um mecanismo de percepção. Esse mecanismo pode expressar-se de inúmeras maneiras que envolvem vários níveis de compreensão e comportamento. Os budistas delinearam claramente diferentes estados em sua elaborada descrição da jornada da alma no após-vida. Tais estados, ou "bardos", correspondem aos tipos de natureza humana e maximizam características salientes: raiva, inveja, apatia, orgulho e piedade. A verdade é que a consciência pode ser intelectual ou orientada pela sensação, pode ser emocionalmente habituada ou psiquicamente cognitiva, pode até mesmo ser espiritualmente ajustada e alinhada às forças cósmicas. Pode ser uma combinação qualquer. Cada nível de atividade, em nosso espectro humano, corresponde a um estado de consciência — significando o estado do qual a atividade se origina. E cada estado estabelece uma vibração, uma freqüência energética. O homem, em sua faculdade de consciência, é um criador extremamente sensível e altamente complexo, de infinitas possibilidades de existência.

A maneira pela qual a humanidade aborda a vida é puramente casual. Se conseguimos ser bem-sucedidos, isso ocorre quase sempre por acaso — conseguido através de persistência obstinada e metodologias aplicadas a esmo. Não apenas perdemos nossa capacidade de ajuste, mas perdemos também a potência total de nossa energia, de nossa força. Mais do que uma faculdade central (um poder-fonte), existe um estado de dispersão contínua (atividade e ajuste externo), que cria uma fragmentação de nossas faculdades. E através disso percebemos a fragmentação. Não apenas esquecemos que há uma unicidade em relação à Vida, esquecemos a capacidade e o conhecimento de nossa maestria inerente sobre a matéria e a vibração. Como o proverbial príncipe-que-virou-sapo, ficamos presos a um ou outro sistema de nossa própria criação. Não nos lembramos que fomos e sempre seremos criadores. Ficamos fascinados e identificados com nossas criações. Caímos na armadilha de um nível de realidade que concebemos como sendo o todo.

O processo normal da consciência é expandir-se e intensificar-se. Isso pode ocorrer independente da nossa cooperação. Sem a nossa cooperação, nossa disposição para renunciar a nossas ligações e identificações, há dor e sofrimento. Mas dor e sofrimento *não* são parte intrínseca da vida. Com a nossa cooperação, nossa consciência flui como um rio através de diferentes permutações de substância e energia, desimpedido e incessante. A vida é vista como um fluxo, uma contínua atividade de forças. O foco vai sendo desviado dos efeitos (a distração e as ramificações de nossa atenção) para a causa (a consciência central). Quem percebe a mudança é a inteligência suprema, o estado mais alto de consciência.

O processo da vida parece ser a reunião de elementos discrepantes, nos quais nossa força (nossos interesses investidos, nossas ligações e indetificações) é estocada, o que nos mantém divididos. Nesse reservatório de elementos, a força que estava impulsionando a energia para o exterior, passa a coletá-la em sentido contrário, para dentro, em direção a um ponto de origem, aumentando em intensidade. Essa quantidade de movimento no interior do reservatório coletor é todo poderosa. Os místicos e magos o conhecem. Os ocultistas o conhecem. Até Hitler o conhecia! Mas a humanidade ainda não o conhece, preferindo investir de poder a autoridade externa: barbudos papais do céu, gurus, professores, figuras da autoridade, doutrinas, ensinamentos e organizações... Dentro de cada indivíduo repousa a divindade, um estado de consciência a partir do qual tudo é possível. Quando alinhada às verdadeiras leis da vida, qualquer coisa *É* possível. Porque a consciência, como a energia, é neutra. É uma faca de dois gumes. Nas mãos do portador da luz, torna-se poder divino; nas mãos de indivíduos egoístas, transforma-se em caos, desarmonia e destruição.

ALQUIMIA INTERIOR/DIVINA

As fórmulas alquímicas originais foram encobertas por símbolos, para que sua prática fosse protegida contra a má utilização por parte dos impuros. O que chegou até nós, embora imensamente poderoso e capaz de transmutar a matéria, é ainda uma alquimia inferior. A alquimia praticada por nossos ancestrais mais remotos, e da qual ouvimos falar através das civilizações maia e atlante, é uma ação da divindade, um circuito direto com a suprema fonte de vida e luz. Praticar essa alquimia divina é penetrar em freqüências vibratórias mais altas que a que podemos conceber. Essa freqüência altera todos os níveis de realidade abaixo dela. Indo até mesmo além da vibração do próprio ouro, é representada pelas substâncias cristalinas da Terra: as pedras preciosas, desde o cristal até o diamante.

A chave para Alquimia consiste em compreender a energia e a substância. A transformação e a transmutação final são possíveis apenas através da compreensão. Não acontecem acidentalmente. Matéria é energia. Luz é energia... Tudo é energia, em diferentes estados de concentração. A própria vida, como o sabem todos os alquimistas, é substância; e substância é energia. A compreensão mais profunda volta-se para aquela energia mais fundamental: o sagrado sopro resplandente de Deus ou luz cósmica. Há leis que governam todas as manifestações, até mesmo as espirituais. Êxtase... Graça... Milagres... tudo isso ocorre através das ações das imutáveis leis da Luz. O próprio Deus, como os antigos O concebiam (particularmente os maias) é "o Doador de Forma e Medida", "o Doador de Vida". A menos que conheçamos o domínio da causa, a Essência ou Fonte — a divindade — estaremos para sempre embaralhando efeitos e nunca atingiremos a verdadeira maestria.

Não apenas há uma causa para tudo o que existe sob o Sol, como também essa causa é inteligente. Tudo aquilo que se manifesta é uma expressão da força vital energética e é inteligente. A energia responde à atividade humana. Responde ao pensamento e à orientação. Pode ser manipulada. O homem tem um papel único na Criação. É a única espécie que tem o poder de manipular as forças da vida, de criar. É a única espécie que possui qualidades do Criador e do que é criado. A encarnação física é a expressão de um compromisso com o planeta Terra: o homem toma da Terra sua verdadeira substância, reveste-se com ela. Mas o homem não é uma entidade física. É, antes, um visitante dentro da materialidade. É realmente uma inteligência, a luz de consciência com sua potencialidade multidimensional. Uma potencialidade que vai além do seu eu emocional e mental. O homem é uma Presença. Uma Presença Divina dentro da matéria. Saber disso, aceitar essa identificação permite-lhe ligar-se diretamente à voltagem da Fonte. O uso consciente dessa energia obtida pela identificação mais com a natureza Divina do que com a natureza material, dá origem à forma mais elevada de manifestação.

PROPÓSITO E MECÂNICA

O propósito da Alquimia Interior é simples. Procura elevar toda matéria ao nível do espírito, ou da luz. Procura também incorporar a imortalidade — criar um veículo imortal, através do qual possa continuar a expressar maestria. A matéria tem diferentes níveis de densidade e vibração, inclusive o etérico e o psíquico, o som e gradações ultravioletas de luz e cor, oscilando em freqüências infinitas. Além do magnetismo (que inclui forças físicas, mentais, emocionais e psíquicas), são mais intensas e superiores as forças ou pulsações que são acionadas pelo Eu Divino e não pela personalidade. As consistências das coisas, demonstradas pela gravidade e materialidade, são energias positivas (sólidas). A consciência do Eu Divino é o elo entre as polaridades do espírito e da matéria, o negativo e o positivo. Exatamente comc toda força superior controla a inferior, a consciência — expressando se através da Mente Superior — atua através de uma força, que é vi bratoriamente superior a qualquer outra velocidade de natureza física Como tal, é capaz de controlar toda natureza e os processos naturais inclusive a velhice e a morte.

A consciência da Mente Superior é uma faculdade do Eu, que atinge um estado de compreensão que está além do intelecto e abrange todo o conhecimento, porque é fonte de todo conhecimento. Não se ocupa com o método ou processo, mas com a causa, com o Ser. *É* o Eu Divino: "EU SOU". Uma maneira simples de conceber o que é a Mente Superior é vê-la e senti-la como a Suprema Presença de nós mesmos: a consciência do todo e da intensidade de nós mesmos, quando estamos completamente presentes no momento, com todas as nossas faculdades e energias, inclusive a física, focalizadas e acessíveis.

A NECESSIDADE DE TREINAMENTO

O treinamento começa com o eu, com o estudo dos padrões de comportamento e reações, com a compreensão da dinâmica da energia humana e do corpo humano e, finalmente, com o entendimento do processo de purificação e refinamento. A Alquimia que conhecíamos concentrava-se nos reinos vegetal e mineral e nas leis essenciais e manifestas da Física e da Química, através do estudo objetivo. O alquimista tradicional possuía uma capacidade de penetrar na substância e modificar a freqüência de energia. A Alquimia Interior, por outro lado, focaliza-se no estudo do Eu — físico e não-físico. A partir dos domínios da não-materialidade, o Alquimista Interior tenta penetrar toda a manifestação. O resultado final é o mesmo. É necessário um salto metafísico para dentro daquilo que é chamado Fé. Esse salto é o casamento alquímico com a Divindade — a verdadeira fonte de toda a vida e de todo o poder, tanto no macro quanto no microcosmo.

Uma outra maneira de se encarar isso é dizer que a Alquimia medieval utilizava forças elementais, enquanto a Alquimia Interior liga o domínio humano não apenas com elemental, mas também com o princípio angélico. O reino elemental governa toda a substância; o reino angélico governa todo o sentimento. Mas o reino angélico, diferentemente do elemental, não pode ser contaminado, e associar-se a ele conduz a milagres de longe mais elevados do que os registrados pela História, embora seus vestígios possam ser inferidos de exemplos druídicos.

A Alquimia Interior também cria uma ponte com o eu individualizado, entre seu aspecto humano e seu aspecto divino, entre a matéria e o espírito, entre a mente e a Mente Superior.

Ao compreendermos que não somos nem corpo nem mente, mas uma Presença dentro da vida, podemos ver que o invólucro corporal é a expressão física da mente (forma mental) e vice-versa. Simultaneamente ao estudo do comportamento mental, que poderia vincular-se à rememoração dos passos do indivíduo à vida anterior e a outras encarnações, na Alquimia Interior é imperativo que o corpo físico seja mantido em equilíbrio e alinhado com as intensidades de vibração que estão se desenvolvendo: essas intensidades aceleram-se em série e as formas-pensamento solidificadas dissolvem-se no processo de purificação e liberam energia extra para o sistema energético. Coincidente com o processo dual de alinhamento e integração encontra-se a reestruturação da própria mente — elucidando grupos de crenças e modos de percepção ineficientes. Agindo em conjunto com a purificação e com o processo de elucidação está a redescoberta sistemática e a validação de dados impessoais transcendentes relativos à natureza e à mecânica da energia e da substância.

O resultado prático da Alquimia Interior é que ela ensina capacidade de transformar energia destrutiva em energia construtiva. Raiva ou ódio transformam-se em amor; sexualidade e possessividade transformam-se em sensibilidade e liberdade; o medo é transformado em criatividade e alegria. Desse modo, a energia não é apenas conservada; ela é elevada a um padrão de vibração superior e misturada a um sistema que gradualmente vai sendo preparado para freqüências cada vez maiores.

OS TRÊS PODERES

O propósito da vida não é só crescer, expandir-se e retornar à fonte, desenvolvido como Luz, mas é também elevar-se e criar. Ou, melhor ainda, co-criar com Deus. Da criação dos mundos à manifestação dos sintomas físicos no organismo, todas as manifestações precisam seguir uma fórmula, que exige o uso daquilo que poderíamos chamar de os três poderes criadores. Hermes Trismegistus, inicialmente, e o Conde de St. Germain, mais recentemente, através de sua influência como Mestre Excelso Saint Germain, revelaram os ingredientes básicos de toda a manifestação. No Homem, tais poderes são o pensamento, o sentimento e a palavra falada. Esses poderes, de fato, constituem a fórmula básica da Alquimia.

O poder do pensamento é facilmente compreensível. Temos a capacidade de pensar, de captar uma forma, ou um projeto mental de uma idéia ou conceito, e de criar constantemente todos os tipos de imagens, consciente ou inconscientemente.

O poder de sentir é mais difícil de se compreender. Temos a capacidade de sentir, o que vai muito além da emoção ou sensação. O poder de geração e resposta emocionais é imenso. Na verdade, fornece o combustível para toda criação. O mundo é, de fato, criado pelo Amor. (Deus como Amor.) O Amor, simples e conclusivamente, é a maior força que existe. Contém o momento máximo da energia, porque é uma concentração de Pureza. E o que é a Pureza senão uma forma de luz cósmica ou, talvez, antimatéria, que não somente atrai, mas, simultaneamente, irrradia? O Amor é, então, uma força que produz a coesão e perpetua uma atividade de auto-sustentação. O Amor é essa concentração da energia dos sentimentos, que, para onde quer que seja dirigida, motiva atividade instantânea ou a realização dos desejos. Mas ainda não conhecemos o poder ou força do amor, principalmente porque não compreendemos o poder da pureza.

O poder da palavra falada cria o campo de ressonância para a manifestação ou materialização. Raramente é encarado como um poder e, contudo, a palavra falada é responsável pelo alinhamento ou perturbação de nossos mundos.

O mecanismo é o seguinte: o pensamento, ou projeto, como um negativo, é impulsionado pelo sentimento e adquire forma através da palavra falada. O som e a palavra falada (que é vibração na forma) fornecem o material para a criação. Conseqüentemente, temos nossos "abracadabras" e "Abre-te Sésamos", nossas ordens e decretos alquímicos, tais como a declaração bíblica: "... e a Palavra se fez carne". Decretos e afirmações são visualmente descritos através de símbolos e runas. A arte específica de empregar o tom certo e entoá-lo, bem como uma palavra para a qual o som foi estabelecido, ficou esquecida durante milênios, mas está sendo agora redescoberta através do trabalho pioneiro com o ultra-som.

A criação, então, começa com uma intenção e adquire forma através do uso dos três poderes. Do pensamento sutil à materialidade, a manifestação da realidade é governada por regras ou princípios. Se você conhece as regras, então é capaz de realizar a manifestação. A ênfase na Alquimia Interior vai além das regras para o indivíduo que as aplica. Dentro do próprio homem encontra-se a magia alquímica. É ele, através do uso de seus cinco sentidos e dos cinco elementos, que reúne a matéria e altera toda a substância. O próprio homem, em sua consciência, é a pedra alquímica. As regras eram simplesmente orientações a serem aplicadas, quando não havia autodomínio suficiente no eu.

ALINHAMENTO E DISCERNIMENTO

A má utilização da Alquimia se deu pelo emprego das regras sem a obtenção da integridade pessoal. Por exemplo: ao colocar o seu foco longe da Divindade, o alquimista tradicional começou a acreditar que a única fonte de Vida residia no interior do ectoplasma de um organismo vivo. Tal crença e o desejo de se transformar num Deus e criar formas de vida levou a um número incontável de assassinatos de coisas vivas, desde antigos sacrifícios e destruições aos experimentos que vêm se acumulando nos tempos modernos.

É preciso compreender que a Vida, como o poder, não vem de fora. Vem de cima, de dentro. Pressupor o poder em fontes externas, incluindo regras ou métodos, é renunciar à nossa verdadeira natureza divina. A Vida é uma substância que pode ser captada de cima, a partir daquelas vibrações mais finas, que se introduzem e afetam a matéria. Também pode ser recriada através do processo de transmutação.

Mas... Quem procurar alcançar o Poder, cuidado! Pois apenas Deus pode fazer isso! E o estratagema é tornar-se semelhante a Deus.

Para nos tornarmos alquimistas verdadeiros, para criar harmoniosa e efetivamente, precisamos vencer as tendências à má utilização e a má criação. A compreensão errônea transformou em norma essa criação errada. Usamos nossos poderes para criar a necessidade, a limitação, a doença, a discórdia. Em vez de amor, geramos medo, dúvida, ódio, incerteza. Nosso vocabulário fortalece palavras e conceitos negativos. Qualificamos nosso mundo, nossas criações pela projeção de nosso estado de consciência sobre eles. Como estamos sempre criando, poderíamos muito bem aprender a usar a Lei para criar conscientemente: harmonia, pureza, luz, opulência, alegria e saúde em nossos próprios mundos.

As regras externas existem para aqueles que não conseguem discernir o real do irreal, o interior do exterior, o bem do mal. O estudo da Alquimia Interior promove o discernimento, porque eleva a consciência. No processo, aprendemos a obter informação diretamente da fonte, sem a necessidade de intermediários. Chegará o tempo em que as bibliotecas de tudo o que tem sido ensinado tornar-se-ão obsoletas. Mesmo agora, selos ocultos vêm sendo rompidos. As antigas leis do oculto não mais ocultarão a verdade. Na realidade, não haverá mais necessidade do segredo, da retribuição individual, da indulgência, de autopiedade e sofrimento, marcas registradas da era anterior. A tendência volta-se para a participação responsável ativa dentro da vida. Nossa atenção dirige-se agora para o Deus Interior. Os portadores da Luz estão proporcionando acesso às regras. Estamos absolutamente prontos para o próximo passo: A Consciência de Deus.

Comecemos com a nossa própria pessoa e, através do exemplo, mostremos aos outros o que poderá ser feito. Quando nos transformarmos, atingiremos um estado diferente de energia. Quando transmutarmos as várias partes de nós mesmos, através do uso da Alquimia Interior, realizaremos o mais elevado ato possível ao homem. Nos transformaremos numa benção à Vida, simplesmente através de nossa presença. Qualquer um que entrar em contato conosco ou com nosso mundo será beneficiado pela harmonia e pureza de nosso campo de energia. A todo o lugar que formos, levaremos um pouco mais de paz, um pouco mais de luz ou claridade.

SOLIDÃO E TOTALIDADE

Experimentar realmente a nossa solidão é descobrir profundamente a nossa totalidade.

Na solidão, descobrimos os mecanismos que cegamente recorrem aos hábitos. O hábito gera a inconsciência e o comportamento mecânico. Leva a energia para longe da consciência do momento presente. Na consciência há total e constante liberdade de escolha, e com essa liberdade surge uma crescente responsabilidade. Somos responsáveis pela absorção e pelo processamento da energia, segundo nosso nível de consciência. Em níveis superiores, somos responsáveis por afetar outras pessoas bem como nossos próprios mundos.

Uma pessoa que tenha experimentado a totalidade de si mesmo não buscará no exterior a gratificação, o sentido, a direção. Procurar fora de si mesmo as respostas para a vida é, de fato, infantil: é sugar energia do meio ambiente. A maturidade vem com a coragem de ficar sozinho. E nessa solidão estão a plenitude, o poder, a abundância, a benção. Geralmente entregamos nosso controle aos pais, namorados e namoradas, maridos e esposas, patrões... Entregamos o controle a outros, que pensamos possuírem a capacidade que não conseguimos encontrar em nós mesmos. Para retomar nosso poder e a nossa faculdade de ver as coisas por nós mesmos, como realmente somos, precisamos ficar sozinhos e, nessa solidão, redescobrir a nossa total potencialidade.

Esse renascimento somente pode ser feito particularmente, individualmente. Ninguém mais pode fazê-lo por nós sem nos reprogramarmos e é preciso nos liberarmos de *todos* os programas. Nossas vidas estão repletas de comportamentos repetitivos. Mantemos os mesmos tipos de relações, o mesmo tipo de situações, sempre e cada vez mais. A mente, especialmente a mente inferior, é programável, robótica.

Na coragem de estarmos sozinhos nos tornamos conscientes. Quando o fazemos, não mais necessitamos de acordos contratuais de interdependência. Não mais participamos dos jogos sutis de relações e poder entre os homens, que nos mantêm divididos em nosso poder e no conhecimento de nossa religiosidade. Não mais ficamos confusos ou somos mal orientados por pessoas e conceitos, porque, em nossa própria integridade, podemos facilmente detectar as armadilhas e falhas de qualquer coisa menor do que a religiosidade e o espírito que anseia por ela.

A capacidade de discernir é de extrema importância em nossa época, onde palavras belas estão sendo alardeadas por pessoas que, realmente, não as vivenciam. A Alquimia Interior nos ensina como retornar à nossa divindade, à Fonte interior, ao reunir nossas energias e penetrar profundamente em nossa própria individualidade e totalidade do eu, incluindo a materialidade. Embora nos ensine como transcender às limitações da materialidade e a consciência do corpo, isso não pode ser feito sem se viver totalmente no corpo — física, emocional e mentalmente. A verdade é que não podemos nos tornar mestres *in absentia*.

ANATOMIA DO SER HUMANO

Este livro sobre Alquimia Interior constitui o conteúdo de um curso básico sobre *Alquimia e a Anatomia Energética Humana*. Ele delineia os princípios da Alquimia e sua aplicação nos diferentes níveis de expressão, acessíveis ao homem através de suas faculdades. Precisamos compreender a anatomia do ser humano. Quais são as partes e como funcionam em conjunto? Os próprios ensinamentos acabarão por tornarem-se obsoletos enquanto aprendemos a nos dirigir e a nos sintonizar diretamente com a Fonte, da qual todo conhecimento se origina. O que realmente importa é Você Agora, no presente momento, em alinhamento com Quem e O que você Realmente é, aqui e agora, e interdimensionalmente.

Conhecemos um pouco da anatomia do corpo físico, a partir das práticas médicas ocidentais e orientais, que delineiam os circuitos energéticos na substância física e etérica, inclusive os meridianos da acupuntura e as linhas de força das artes marciais. Achamos que conhecemos psicologia e as assim chamadas funções da mente, que são, de fato, apenas uma fração mínima daquilo que a mente realmente é. Veremos, em nossa abordagem no capítulo sobre a Mente, que aquilo que os psicólogos definem como mente (mesmo os grandes visionários como Jung) são, na verdade, fenômenos mentais inferiores. Descobriremos que há uma mente superior e uma inteligência superior apenas parcialmente vislumbradas por algumas psicologias e filosofias orientais. Chegaremos a saber que há uma consciência além da inteligência mais notável que somos capazes de perceber.

Possuímos um corpo emocional de energia, que é bastante distinto daquele do campo mental. Qual é sua anatomia? Qual é a anatomia do corpo mental? Dos campos de energia física e etérica? Como se inter-relacionam? E o que dizer das inter-relações entre as pessoas? O que acontece aos campos energéticos individuais nas relações? Como chegamos a reduzir nosso poder, nossas percepções, nossas fronteiras? Trocamos, vendemos, negociamos nossa energia, criamos híbridos, criamos erradamente e não sabemos como e por que o fizemos. Por quê?

A Alquimia Interior ensina como as partes se ajustam numa figura central. Qual é a função real dos chakras? Dos sete raios? Dos sete corpos? Como podemos realmente alterar a raiva e o medo permanentemente em um núcleo central? ... Não é o que aprendemos sobre essas coisas que afeta nossas vidas, mas *como* as aprendemos e, o mais importante, como integramos esse conhecimento a nossas atividades diárias. Muitas técnicas podem nos servir, e realmente nos servem, no caminho da Alquimia Interior, mas a mente e a mão que as usam precisam ser puras e hábeis.

O Oráculo de Delfos nos incita: *Conhece-te a Ti Mesmo*! O estudo da Alquimia Interior é, na verdade, o estudo do eu. Sabemos do fato de que temos dentro de nós a réplica do universo. Somos a fonte de todos os universos. Através do estudo de nossa anatomia, particularmente dos centros energéticos sutis, das energias e sistemas dos campos vibratórios e dos aparelhos de transmissão e recepção, descobrimos novamente a interdimensionalidade, a correspondência e a permutabilidade da manifestação. Há apenas uma substância, uma energia, uma fonte. O homem, em sua conexão ou identidade com seu Eu Divino, está diretamente ligado ao espírito e à matéria: ao primeiro, através das faculdades superiores e à segunda através da materialidade.

EQUILÍBRIO DA NATUREZA TRÍPLICE

Antes que qualquer das verdades alquímicas possam ser reaplicadas, a necessidade da época é equilibrar a natureza emocional dos indivíduos: onde estiver muito ativa, é preciso ser harmonizada; onde estiver inativa, é preciso ser despertada e integrada nas formas mental e física. Como sentimentos, as emoções são o fogo gerador que, colocado no interior da fornalha do ser, transforma não somente o chumbo em ouro e o carvão em diamante, mas, finalmente, o próprio fogo em Luz.

O sistema emocional é um campo vibratório que circunda e interpenetra o corpo físico, estendendo-se para além das fronteiras da freqüência mental. As próprias emoções são como remoinhos ou vórtices na aura, que agem como nós ou perturbações, facilmente excitáveis e, por vezes, irritando tanto o corpo quanto a mente, quando descontrolados. Elas inter-relacionam-se com a sensação para causar excitação e paixão, e também seus opostos: a frustração e o desespero. O objetivo das antigas práticas religiosas e da psicologia moderna é subjugar esses remoinhos através de métodos espirituais, mentais ou psicoterapêuticos. Mas, para que qualquer dos métodos tenha sucesso, a energia contida nesses vórtices precisa ser canalizada através do coração.

De fato, todas as energias do homem precisam ser canalizadas para o coração, onde são transmutadas e requalificadas por uma mentalidade lúcida, antes que retornem ao universo sob a forma de compreensão, gratidão, boa vontade e benção geral mais profundas. A força alquímica reside, com suas faculdades, poderes e vibrações, na cavidade cardíaca.

O aspecto psicológico da ação emocional, repetimos, é o processo de descoberta de que somos manipulados e nos iludimos, quando colocamos nossa atenção ou energia fora de nós mesmos. Quando estamos suficientemente fortes — com a mente clara e fisicamente abertos e integrados —, e centrados em nossa existência independente e individual, podemos ver a realidade, livres de projeções e desejos.

A natureza tríplice da Materialidade (corpo, mente e sentimento) necessita de desenvolvimento, equilíbrio e integração. Sem que a força vital física circule livremente pelo corpo, a claridade mental não tem onde se fixar, de modo que possa se expressar na matéria; permanecendo, portanto, ilusória e momentânea. Por outro lado, a força vital física sem a claridade mental está acessível ao excesso e à contaminação, sem nenhum poder ou força orientadora real. Uma vez equilibrados e harmoniosamente integrados os níveis da materialidade, o alinhamento com as freqüências superiores do eu fica facilitado. Esse processo não ocorre numa progressão linear de desenvolvimento, mas, antes, através de um processo circular de sensações, intuindo ciclicamente porções cada vez maiores do eu e lentamente integrando fragmentos na personalidade ou eu físico triplo.

A LEI DO UM

Há apenas um poder, uma inteligência e uma substância: Deus.

Por trás do estudo do comportamento (psicologia) encontra-se a dinâmica energética superior da matéria e do espírito — a interação dos componentes da personalidade com as forças ambientais psíquicas e fatores cósmicos e espirituais. Na Alquimia Interior, a psicologia e a religião estão novamente reunidas numa unidade já retratada nos antigos tempos védicos, subseqüentemente desenvolvida por Patanjali, em sua brilhante filosofia de múltiplos níveis do Raja Yoga, e também pelo próprio Senhor Buddha, posteriormente, nas escrituras budistas. Psicologia e religião aparecem reunidas porque matéria (física, emocional e mental ou psíquica) e espírito (essência, ser ou luz cósmica) são, de fato, um só.

A proposta final da Alquimia Interior é a transmutação da matéria em Luz. Isso inclui matéria celular, frustrando todas as teorias sobre a morte e a dissolução. Precedentes históricos dessa forma de transmutação alquímica, através da assim chamada morte, foram fornecidos por Buddha, por Quan Yin (na China), por Jesus de Nazaré e sua mãe Maria em sua ascensão, e por muitos outros, inclusive o célebre alquimista Conde de Saint Germain, conhecido por estar trabalhando nessa dimensão física, através de seu corpo imortal de luz. Mestres Excelsos e outros Seres de Luz de outras dimensões, que incorporaram a Lei do Um, agem com e através dos homens hoje, da mesma forma como o fizeram no início dos tempos, quando eram chamados de deuses. Apenas o alquimista ou o discípulo da Luz pode compreender isso.

A Alquimia se compõe de todas as disciplinas porque, inicialmente, todas as disciplinas derivavam da Alquimia. Embora seja um processo a ser vivido, a Alquimia é também o início e o fim de toda prática espiritual, bem como de toda manifestação física. O homem é, realmente, um raio de Luz que se projetou na matéria. O homem vem do domínio da Luz e a ele retorna, após incontáveis encarnações. Estabelecer o circuito entre a matéria e o espírito é o primeiro passo para tornar-se um todo novamente, para alcançar aquela perfeição de vida através da Ascensão.

TORNAR-SE LUZ: A ASCENSÃO

Com este texto, sugeri que o propósito da vida seja a expansão ou a elevação da substância a uma freqüência superior de vibração:

a da Luz. O que isso realmente significa para nós individualmente é que o corpo humano — composto pelos corpos físico, mental e emocional — seja reajustado, perfeitamente sintonizado. No processo, perdemos nossa identificação com a Terra e a densidade. Não estamos mais sujeitos às leis da matéria, inclusive a da gravidade e a da deterioração. O veículo da personalidade torna-se jovem, saudável e belo — todos poderes e faculdades que emanam da Luz. Psicologicamente falando, experimentamos leveza, alegria, liberdade em relação à dependência (pois tudo é apenas matéria, inclusive a substância mental e emocional, que se apega a si mesma, que ganha peso e densidade). Espiritualmente falando, este processo produz uma iluminação: liberação do karma ou da lei de causa e efeito (que, como o fenômeno anterior, também diz respeito à matéria dos corpos emocional e mental, que buscam aderência e continuidade).

O maior Alquimista de nossa história de que se tem registro é Jesus de Nazaré, cuja vida foi um ensinamento e cuja "função" específica foi mostrar-nos *como* alcançar a maestria sobre todas as energias inferiores. Mesmo no tempo em que foram escritos, seus ensinamentos não foram totalmente compreendidos como ciência interior e arte da transmutação. O Mestre Jesus nos mostrou como transmutar a substância do corpo físico em *luz* e em *sua própria Ascensão*.

Embora este propósito final da vida tenha sido fisicamente representado, no Oriente por Buddha e, no Ocidente por Jesus, há muitos, muitos outros, que deram exemplos dessa perfeição. Quan Yin, na China. Lao Tzé, na China. Moisés, em Israel. Maria, a mãe de Jesus. Tereza de Ávila... Esses homens e mulheres alcançaram, dentro de si mesmos, um nível de pureza e identidade com a divindade que os capacitou a obter o domínio sobre os mecanismos dos corpos físico, mental e emocional. Tanto foi assim que parecia que milagres ocorriam à sua volta. Porque a taxa de vibração de seus corpos estava tão acelerada que curava, "abençoava" o que quer que tocassem. Cada um dos indivíduos mencionados acima e outros milhões, jóias silenciosas da humanidade, ascenderam e podem agora ser sentidos e mesmo vistos por um grande número de pessoas, trabalhando entre as massas, desmaterializando-se e rematerializando-se, muito freqüentemente de forma não dramática, irreconhecível. São estimados como figuras religiosas ou como figuras notáveis do folclore popular. Surgem como caminhantes, professores efêmeros ou inteligências extraterrestres, sempre trazendo paz e luz.

Um Ser que ascendeu, dominou as leis da materialidade e obteve çontrole completo sobre a atividae vibratória de cada um dos corpos inferiores. Sabendo que não há morte, ele é capaz de combinar ou alinhar suas vibrações com aquelas de seu Ser de Luz. No momento em que, para ele, se dá a ascensão (não "morte"), ele transmuta a verdadeira substância de seu corpo em um veículo imortal, que pode se assemelhar à forma humana.

A Ascensão completa o ciclo de encarnação. E, como o que cada um de nós faz ao seu corpo estará fazendo ao corpo maior do planeta (que é da mesma substância e formato), a Ascensão se torna a atividade de expansão da Vida, enquanto a substância redimida retorna à fonte com um acréscimo na quantidade de movimento. Até nossos cientistas de hoje atestarão o fato de que o universo está se expandindo. O trabalho de brilhantes físicos iluminados, tais como Itzhak Bentow, demonstra claramente essa consciência em expansão dentro da matéria. O objetivo da Alquimia Divina, ou daquilo que hoje estou chamando de Alquimia Interior, tem sido a redenção da matéria e a criação do corpo imortal de Luz: a Ascensão e o modo ascendente de vida. Poucos Alquimistas o fizeram, e nenhum sem o elemento espiritural ou Divino em suas vidas.

NA CONSCIÊNCIA DO ESPAÇO

Do mesmo modo que os indivíduos ascendem e elevam os padrões vibratórios de toda a vida do planeta, através da transmutação da substância física, a consciência da mente, que é parte da matéria, também se eleva. Este processo de evolução dá agora um salto significativo para uma outra dimensão, para o que denomino de Consciência do Cristo ou do Espaço.

A obra da Alquimia Interior é reativar o circuito entre a forma e a ausência de forma, para possibilitar a ocorrência da criação consciente. A Alquimia Interior é o veículo natural da Consciência do Cristo porque liga os domínios vibratórios superiores, que estão acima, com a matéria que está abaixo, através da elevação do nível de vibração da própria matéria. "Assim em cima como embaixo."

Chamo este próximo passo de Consciência do Espaço, porque ele exige uma mudança na *gestalt* da solidez para a Luz, da densidade para o espaço. Em vez de nos identificarmos com nossa materialidade, nos identificamos com o Eu Divino, com aquela parte de nós que é

Substância de Luz Cósmica Inteligente. É esta verdadeira consciência que permitirá o redespertar de nossos poderes inerentes, há tanto tempo esquecidos, e de nosso sentimento de fraternidade, não apenas para com toda a vida existente neste planeta, mas para com toda a vida existente em qualquer lugar do universo de Luz em expansão. A Alquimia Interior é a religiosidade do futuro, os métodos que levam à Consciência do Espaço. Espaço Interior... Espaço Exterior... Veremos como a conquista do Espaço Interior abrirá as passagens dimensionais para o Espaço Exterior, inclusive para os limites mais longínquos de nosso universo físico.

CRIATIVIDADE

A criatividade é a verdadeira chama ou essência da Vida. Todos os nossos atos são criativos e o autodomínio é a expressão final.

Qualquer pessoa é capaz de transmutar suas próprias emoções e sentimentos, elevando seus pensamentos, manifestando criatividade e riqueza sem fim, gerando bondade... sem destruir sequer uma pequena parte de si mesma ou de outra pessoa. Não roubamos qualquer coisa de ninguém. O autodomínio é uma habilidade que, uma vez aprendida, nos dá uma dupla vantagem. De fato, possuir a nossa total consciência *é* viver em liberdade.

Podemos dizer que a Alquimia é uma composição de ciência intuitiva com religião universal projetada através de expressões artísticas. A ciência, a religião e a arte se encontram, de fato, na Alquimia, da mesma forma que se encontraram na Idade do Ouro do passado remoto, e como realmente o fazem em sistemas mais avançados do que o nosso: a Alquimia é o próprio processo de Criação, um fluxo abundante e interminável da Divindade.

A Vida é o melhor professor, e o maior ensinamento é a observação da vida interior — que flui e reflui das forças que criam a manifestação exterior e, por sua vez, afeta os estados interiores. O Oriente conhece este segredo, mas esqueceu de aplicar a dinâmica ao exterior. O Ocidente sabe como utilizar os dados derivados de realidades exteriores, mas esqueceu as dimensões interiores. Os atlantes e as civilizações antigas conheciam ambas: a realidade interior e a exterior. Estamos novamente abordando, individualmente, a visão da Vida como um todo.

O método alquímico, como todas as grandes verdades, é simples. Tudo o que precisamos fazer é ousar olhar e descobrir quem e o que *realmente* somos; é nos afastarmos do pequeno eu e do ambiente e do mundo dos efeitos por apenas um momento. Então podemos penetrar na riqueza do que É, do Ser, para descobrir mais uma vez que somos o microcosmo. Estamos rompendo com os padrões e crenças do passado e aprendendo a enxergar de um modo novo. A Alquimia Interior nos faz retornar a nós mesmos e, como retornamos a nós mesmos, nos lembramos de que nossa natureza é alquímica.

A perspectiva básica do nosso roteiro é a visão de toda a vida como energia, como padrões flutuantes de vibrações diferentes. À medida que vamos nos esvaziando dos ingredientes mais densos de nosso ser, criamos um tipo de vácuo-luz interior, que atrai para nós as freqüências mais puras da Luz. A Alquimia é a ciência/arte da vibração, simbolizada pelo casamento alquímico do fogo com a água: o fogo do espírito, a água da vida. Por muito tempo nos anulamos, projetando nosso poder em sacerdotes e políticos, em sistemas e organizações. Podemos agora atingir e estar em harmonia diretamente com Deus. Todos podem sentir e saber o que há para sentir e saber. Cada um de nós é um Mestre, um Eu Divino... *não* na criação, mas *naquilo que já existe*, escondido nos bancos de memória do passado original.

A PRÁTICA ALQUÍMICA

Como praticar a Alquimia conscientemente? A primeira resposta que nos vem à mente é através de rituais. As pessoas gostam de fazer as coisas de uma maneira específica, tão estética, expressiva e espontaneamente quanto possível. A maneira como realizamos nossos rituais é um reflexo direto de nosso gosto, sensibilidade e qualidade de afeição. Poderíamos começar a jornada alquímica estabelecendo o palco: designando um determinado lugar e escolhendo um período de tempo definido para a sua realização. Em outras palavras, criamos um local sagrado, onde antecipamos a comunhão diretamente com nosso Deus. O estabelecimento do ambiente exterior dá expressão ao íntimo desejo de integralização. Criar uma estrutura temporal fornece continuidade. A regularidade aumenta a quantidade de movimento e a força, que constrói e fortalece o verdadeiro movimento circular que utilizamos na Alquimia.

O próximo passo seria, agora, focalizar a atenção no projeto que temos à mão. É preciso ter certeza de que teremos a privacidade necessária e de que não seremos interrompidos. Então nos sentamos, confortável e silenciosamente, e ajustamos nossos delicados mecanismos perceptivos daquela maneira que melhor funciona para nós. (Isso é descoberto através de diferentes processos psicológicos e espirituais, que promovem o discernimento e a capacidade de separar o real a partir do ilusório, e que aumentam o poder de resistência, através do qual aprendemos a manter as percepções e a aceleração de energia.) Sabemos que já nos sintonizamos em nosso íntimo quando alcançamos uma profunda paz interior, quando nos sentimos perfeitamente relaxados e voltados para dentro de nós mesmos, quando nenhuma perturbação exterior nos incomoda.

Uma vez tranqüilizados os sentidos externos (e algumas pessoas podem precisar de alguma atividade física antes que possam fazer isso, algum meio pelo qual possam tanto liberar quanto gerar energia biofísica, que realmente lhes permita perceber os sistemas de sensações), começamos o verdadeiro ritual com a *Invocação*: convocar Eu Sou o Eu Divino. Esse chamamento cria uma penetração vibratória nas freqüências mais elevadas de nosso próprio ser, aquela fonte-origem que nos projetou, em primeiro lugar, na matéria e que continua a nos alimentar de vida. Uma invocação é diferente de uma oração no sentido de que estamos *convocando* em nome e com a autoridade de nosso Eu Divino e fazendo uso de uma herança divina. Fazemos a invocação como imperadores e imperatrizes em associação com Deus. Pedimos que a Luz desça, para que a Lei da Luz exerça seu domínio sobre a matéria. É melhor que isso seja feito verbalmente, embora em certas circunstâncias, onde isso não for possível, a intenção sozinha possa servir para enviar a energia necessária em direção ao alto. Compreendam que é o impulso do Amor ou da Adoração que fornece o poder de penetração, que nos permite a ligação com aquela freqüência que, num mapa linear, está localizado *lá em cima*. Observem também que quando "chamamos" Deus, Ele responde. *Tem* de responder: *É* o Eu! Compreendendo isso nos é possível ligar à Terra o poder de Deus através de nosso corpo. Tornamo-nos o condutor das forças cósmicas.

A invocação se completa quando sentimos um fluxo correndo através e para dentro de nossos corpos. Isso é experimentado por algumas pessoas como graça, benção, êxtase... A Alquimia não pára aí; ela, então, capta essa energia e a leva a se expressar. No momento da graça, criamos o *Circuito Alquímico,* a corrente elétrica que possibilita tanto a descida da Luz quanto a ascensão da matéria. Em termos alquímicos, estes são os processos de magnetização e eterealização, que ocorrem na transmutação e na manifestação, e dos quais trataremos posteriormente. O Circuito Alquímico é estabelecido pela ligação com o Eu Divino, no nível cósmico de vibração, e pela canalização dessas energias através da materialidade. A invocação não só fornece o movimento em circuito, mas também a eletricidade. Mas são as forças cósmicas *através* de nós que agem. Somos meramente um veículo, co-criadores de Deus, auxiliando, embelezando, colaborando e abençoando a Vida com nosso Desejo de Amar, que é o nosso Serviço. Intensidades cada vez maiores de energia tornam-se acessíveis a nós e poderão ser captadas por nós, quanto mais utilizarmos o Circuito Alquímico, através da Invocação e da aplicação das Leis da Luz.

Fundamentalmente, a prática da Alquimia Interior é o uso da transmutação da chama violeta — a chama da cura. Juntamente com a cor e substância do ouro, o fogo violeta simboliza e encarna o processo alquímico da transmutação do inferior para o superior e, inversamente, faz descer a Luz cósmica até os recônditos mais profundos da matéria.

ESCOLHA

O vácuo criado pela dissolução sistemática da densidade tem sobre ela uma força constrangedora, que exige o refinamento da consciência e do discernimento. Do mesmo modo que atraímos a Luz, atraímos também aquilo que é não-Luz. Liberdade, consciência, compreensão e responsabilidade, tudo se junta. Abrimo-nos para a Luz e também para a escuridão. Somos os que abrem, os que escolhem, os que fazem. É preciso que não haja mentiras ou segredos para o eu. É preciso saber disso desde o início.

Na Alquimia, como na evolução espiritual, é importante compreender a natureza da escuridão. Há dois tipos diferentes de escuridão: a escuridão que contém a Luz e a escuridão que a exclui. A primeira é fenômeno da natureza cósmica; a segunda é feita pelo homem. Mentiras, segredos, artifícios e manipulação pertencem ao segundo tipo de escuridão. Esta é uma negatividade que não é polaridade para a Luz, mas é antitética a ela. A maioria das pessoas se confunde na crença de que a escuridão é parte necessária da vida. Para a criação da matéria, é; mas, para o espírito, certamente não. Raiva, medo, dúvida, insegurança, doença e velhice *não* constituem uma parte necessária da vida. São criações anômalas do eu, animadas e aumentadas por milhares de anos de ignorância espiritual e psicológica.

Uma vez feita a escolha pela consciência superior, precisamos permanecer firmes. Essa determinação é necessária enquanto estivermos num corpo físico e sujeitos às leis da matéria, que encobrem, de certa maneira, nossas percepções. A melhor prática que assegura a nossa aderência à Luz é a prática da *Gratidão*, o agradecimento pela Associação Divina. Por essa razão, todas as práticas da Alquimia Interior terminam com uma *Ação de Graças*, uma expressão de agradecimento a Deus pela Vida, pela Luz, pelo Amor. Essa Ação de Graças deve ser uma afirmação verbal de aceitação da condição que foi solicitada. Em outras palavras, agradecemos a Deus pela cura ocorrida; agradecemos a Deus pelo suprimento dado, agora e sempre, nunca ausente e nunca tardio. Essa aceitação encerra a invocação e realmente leva a se manifestar a imagem que criamos no estádio inicial, particularmente quando a colocamos num tempo futuro. O movimento circular alquímico fornece a energia e a substância que criarão aquilo que estamos procurando, através do uso dos três poderes mencionados anteriormente, que agora são impulsionados para o éter, pelo uso correto da vontade em alinhamento com a Lei da Luz: DEUS É A ÚNICA PRESENÇA, A ÚNICA INTELIGÊNCIA, A ÚNICA ENERGIA E SUBSTÂNCIA AGINDO EM TODA PARTE.

IMPLICAÇÕES

A anatomia energética humana é o lugar de atuação perfeito para as forças divinas. É construída — tanto no interior como no exterior — por manifestações favoráveis, tanto das modalidades terrestres quanto cósmicas. Os cinco dedos da mão, o par de olhos, as narinas, os pés, mãos etc., as cavidades com os orgãos, o crânio, as câmaras ressonantes do tronco... Temos muito por que agradecer! Dentro de nossos próprios corpos residem as chaves da religiosidade e do autodomínio, particularmente quando reveladas pelo mecanismo da respiração. Especialmente nos últimos vinte anos, muito se tem escrito sobre a arte de respirar. Respiração é sinônimo de vida. Renascer, por exemplo, é tão antigo quanto a Alquimia. O Oriente lembra apenas uma fração dos poderes gerados pelas práticas da respiração, como as ensinadas em filosofias tais como o Taoísmo e sistemas iogues do Pranayama. Estamos reaprendendo agora que a respiração não é apenas um fenômeno físico. Dentro do intrumento humano reverbera a Respiração de Deus, a Respiração Cósmica das forças eletromagnéticas, que oscilam em nossa volta num oceano de pulsação.

A respiração ativa as propriedades de nossas faculdades inferiores e fornece também a substância para a transmutação. Dependendo de como utilizamos a respiração, ativamos os elementos água, ar, terra ou fogo e captamos desses elementos aqueles poderes de que necessitamos, ampliados ou modificados. A respiração, assim, é um catalisador a serviço dos três grandes poderes, com infinitas aplicações.

Apesar da existência de certos padrões de respiração, podemos também encontrar o tão necessário equilíbrio no caminho espiritual. A menos que se tenha uma vida equilibrada, e isso inclui uma boa dosagem de *humor* e *atividade*, as práticas intensificadas no caminho espiritual cobrarão seus tributos do organismo físico. A atitude de determinação e dedicação não deve nunca ser confundida com o fanatismo e a avidez espiritual. Num sentido bem real, há uma abundância de tempo. Porque tempo é mente, e a Verdade repousa além dos domínios do tempo e da mente.

A Alquimia Interior está muito distante da Alquimia da Idade Média, coberta pelo medo e pela mistificação, obscurecida e obscurecendo poderes e pálidas manifestações por si mesmas obcecadas. Em nosso século, não há mais lugar para o medo e a destruição. As forças da Luz prevalecem e iluminam nosso caminho para as verdades interiores, que, uma vez experimentadas, são irrefutáveis e irreversíveis. Não há uma prova exterior que possa ser oferecida ao cético. O Ser, se ele se atrever a olhar, é uma prova forte de que há apenas uma energia, uma substância, uma luz, uma fonte — o Deus Interior. Uma vez tocado, tudo se transforma em ouro. E estamos entrando na Idade do Ouro. Ouro e cristal são para a Alquimia o que Deus é para a Vida: permanecem únicos, incapazes de serem contaminados, com a pureza da totalidade, da essência e da integridade.

A Alquimia Interior é o fogo do espírito na encarnação. E o fogo, como o Homem, não é desta Terra, embora a Terra seja parte dele. A Alquimia Interior é um processo que leva à verdadeira fonte de todos os processos: o PRÓPRIO DEUS.

Meditação Inicial

Se você nunca meditou formalmente antes... e mesmo que você já o tenha feito, eis aqui algumas sugestões que ajudarão a estabelecer o ajuste interior para a prática alquímica e para afirmar a divindade existente em você no nível físico.

Crie um espaço físico sagrado de acordo com a sua natureza. Leve o tempo que for necessário para arranjá-lo e estabeleça-o como um espaço para oração e comunicação com a inteligência superior. Enquanto faz isso, conscientize-se do sentimento de reverência que está sendo gerado dentro de você. Você está se preparando para se comunicar com a Divindade.

Vista-se para a ocasião. Dê a seu corpo e à sua aparência a atenção que daria se fosse visitar alguém muito, muito querido e especial — que, de fato, você é! Freqüentemente este estádio é negligenciado e, contudo, o seu corpo é a residência do mais alto deus vivo! Aqui, as chaves são a simplicidade e a limpeza. E não se esqueça do interior de seu corpo. Você pode considerar um copo de água como que temperada com o poder da Luz e sentir, enquanto a toma, que esta Luz está percorrendo todo o seu interior.

Estabeleça uma atmosfera harmoniosa. O líbano e o sândalo são grandes purificadores psíquicos. O óleo de hortelã é a fragância da pureza. Purifique a atmosfera de seu espaço, queimando incenso com a intenção de eliminar todas as vibrações negativas e pedir a proteção das forças de Luz. Sugiro que você segure o recipiente em que o incenso está sendo queimado com a mão direita e faça círculos, no sentido anti-horário, ao redor de todo o espaço (da casa ou apartamento). Siga a fumaça e imagine-a atingindo cada recanto e frincha do local. Você pode escolher uma música que seja especialmente suavizante e calma. Talvez você queira acender uma vela branca, violeta ou azul.

Fique calmo. É melhor meditar sozinho, pelo menos parte do tempo. Se você estiver com alguém, crie a sensação de que está sozinho. Recolha sua energia para dentro de si mesmo. (Se estiver consciente da presença de outra pessoa, não permanecerá em sua própria energia.) Acomode-se dentro de si mesmo, física e mentalmente e deixe que as sensações do corpo físico e os pensamentos da mente se desvaneçam. Quando você não mais estiver consciente das distrações ou pensamentos pessoais estará pronto para começar.

Se tiver dificuldade para alcançar a tranqüilidade necessária, procure expressar a ausência de relaxamento de uma maneira criativa, que realce a qualidade daquilo que você quer fazer. Dançar ao rítmo de uma música ondulante pode ser uma boa maneira de se fazer isso.

A PRÁTICA DA OSCILAÇÃO DA CHAMA VIOLETA

Uma das maneiras mais efetivas de acalmar o corpo e a mente é a prática daquilo que denomino de Oscilação da Chama Violeta. Este é um método que emprego com iniciantes e também com praticantes habituais da meditação. Deve ser praticado uma vez por semana por todos os que estiverem no caminho da Alquimia.

Visualize chamas violetas percorrendo todo o seu corpo — subindo das solas dos pés para o resto do corpo. Imagine vividamente essas chamas. Crie a sensação de que elas entram através dos pés e vão se espiralando ao redor e por dentro do corpo, exatamente como se estivessem ao redor de uma tora de madeira na lareira. Sinta-as percorrendo seu caminho para cima e, enquanto você passa a sentir isso, comece a oscilar suavemente.

Comece oscilando as pernas partindo das coxas, relaxando a musculatura do abdômen e da área genital. Quando você se sentir confortável e não houver tensão nos ombros, rosto e mãos... quando você puder deixar a oscilação ocorrer, por assim dizer, de uma maneira espontânea... então poderá permitir que ela se espalhe e inclua os ombros, os braços e, finalmente, a cabeça e o rosto. Então, todo o corpo estará oscilando suavemente — como uma boneca de trapos —, flexível e contudo firmemente mantido pela sensação de uma coluna espinhal alinhada.

Simultaneamente, você deverá visualizar as chamas percorrendo todo o seu corpo. À medida que se tornar mais capaz de sentir as duas atividades ao mesmo tempo, você poderá dirigir as chamas para áreas específicas de densidade, e se purificar. Com o tempo, perceberá que essas chamas são reais. Especialmente quando você vir como elas queimam e dissolvem impurezas no nível celular e talvez note também como elas parecem remover, de uma maneira quase mágica, emoções e formas-pensamento. Você terá uma sensação de leveza e amplidão, de maiores agilidade e visão. Quando da purificação ou da remoção de emoções, a cor pode mudar de um violeta profundo para um ultravioleta pálido, rosa e branco.

Pare quando sentir isso. Eu geralmente paro, quando as chamas se tornam brancas ou quando sinto uma unificação no corpo. A média é de três a cinco minutos. Em casos em que a pessoa está desligada da consciência de seu corpo, sugiro dez minutos diários por um período de cerca de duas semanas. Este processo em particular serve para unificar o corpo, para relaxar e ainda para redistribuir as energias coletadas em pontos de tensão.

Sugiro, agora, que você se sente ou deite e sinta as energias percorrendo todo o corpo. Sinta o que colocou em ação. Sinta as correntes e remoinhos, os círculos e bolhas de energia luminosa dentro de seu corpo físico. Sinta o universo de vida pulsante, vibrante, dentro de seu corpo.

Termine visualizando uma corrente de luz dourada, atravessando seu corpo como um rio, vindo de cima e saindo pelos pés. Absorva essa substância de luz dourada no cérebro, na coluna, nas terminações nervosas e em cada célula de corpo.

Sintonize-se. Sinta a Vida dentro de si e ao seu redor. Permaneça tranqüilo e em silêncio, imerso na fantástica atividade interior e na imensidão de sons silenciosos. Fique assim durante o tempo que desejar. Deixe que seus sentidos interiores se desobstruam. Seja receptivo. Não há nada a fazer aqui. Apenas Ser.

Retorne à sua realidade normal. Traga de volta a experiência de sua própria anatomia energética e determine-se a integrá-la à sua realidade diária. Delineie, com sua mente, a área que seu corpo ocupa. Faça isso várias vezes e esteja certo de incluir todas as dimensões de seu corpo.

Quando tiver idealizado nitidamente o receptáculo de seu corpo, sinta as energias que nele estão contidas. Em outras palavras, atraia as energias que se expandiram, trazendo-as para envolver o seu corpo e para conferir-lhe a experiência de sua aura e além. Sinta a segurança interior de sua sua forma física. A solidez das energias compactadas.

Deliberadamente, respire, expandindo e contraindo o abdômen. Abra e feche as mãos, mova os pés... alongue-se...

Talvez queira girar, dançar, flutuar ao som de uma bela música e celebrar a religiosidade de seu corpo físico. Você acabou de visitar o macrocosmo através do microcosmo de seu próprio ser físico. Retorne ao verdadeiro sentido da oração: Louve o Deus que existe em Você!

A Anatomia Energética do Corpo Humano

O estudo de nós mesmos — nossa humanidade, nossos mecanismos, nossas faculdades e nossas percepções — é o estudo de uma miríade de permutações de energia. Além da anotomia física, possuímos uma anatomia energética bastante complexa e sutil que regula nossa mente, nossas emoções, nossas faculdades psíquicas e espirituais. Embora este não seja o único sistema, aqui exploraremos a dinâmica humana em termos dos sete corpos, cada um deles responsável por sete faculdades e condicionado por sete raios.

Pode se considerar que cada pessoa atua em sete meios diferentes, chamados sete corpos ou níveis de consciência. Além desses sete corpos, existem cinco outras dimensões que, para nosso nível de compreensão, pertencem ao espírito puro ou força cósmica.

Cada um de nossos sete corpos fundamentais corresponde a uma percepção e é composto de substância, que, para nossos propósitos, encararemos como partículas em graus diferentes de densidade ou condensação. Cada corpo vibra numa freqüência ou padrão específico. O todo, ou composto dos sete, atua quase como uma orquestra. A qualidade da orquestração dependerá do desempenho de cada uma de suas partes.

Tivemos poucos guias corretos para nos explicar como reagimos, respondemos ou somos da maneira que somos. Olhar para nós mesmos como um composto de energias é algo novo. O que ainda não compreendemos totalmente é que esta rede energética que nós somos é totalmente programável. Nossa mente é constantemente programada para acreditar e sentir de determinadas maneiras — por nossa sociedade, nossos pais, nosso ambiente, nossa cultura e nossa época. De fato, condicionamos, descondicionamos e recondicionamos a nós mesmos. Nosso mundo imediato é uma criação, um resultado direto da mente sobre a matéria. E, embora o comportamento humano seja encarado em termos de padrões mentais, sabemos muito pouco do que a MENTE realmente é, mesmo à luz de Freud e Jung e seu conhecimento dos níveis sub e superconscientes. Atualmente estamos apenas começando a perceber que usamos somente uma fração do cérebro.

Fisicamente, também sabemos pouco. Quando a medicina se divorcia da mente, torna-se fragmentária e ineficaz. Até o estudo das doenças psicossomáticas oferece uma visão superficial. A ciência realmente não sabe o que torna os homens física, psicológica e espiritualmente "sensíveis"... basicamente porque não envolve os domínios da arte e da metafísica. Embora relutantemente, precisamos crer em milagres. A Alquimia Interior é o estudo dos milagres, das leis da Luz — aquelas leis que governam a realidade interior e que, por sua vez, afetam o exterior.

Conheço uma mulher que se curou de um complexo relacionado com a Aids através da aplicação de técnicas de meditação e focalização mental. Intuitivamente ela invocou a Substância da Luz ou Substância do Fogo Sagrado, acessível através da dinâmica interior. Ela produziu a transmutação através de um ato de fé gerado pelo sentimento e pela aplicação da vontade, ou poder do primeiro raio, e da meditação. Há muitos casos como esse registrados em nossa história. Aquilo que tem sido relegado ao domínio da superstição é, de fato, resultado direto da aplicação das leis universais de energia ou metafísica.

Perdemos nossa conexão com a metafísica e, com ela, nosso conhecimento direto dela. A Alquimia Interior é o renascimento da metafísica — limpa, clara, simples e prática. O maior metafísico, o maior alquimista de todos os tempos, foi Mestre Jesus, e seus milagres foram realmente a aplicação da lei energética interior. Quando se conhece as leis universais, sabe-se que não há milagres ou que tudo, de fato, é um milagre.

Tudo é energia. Energia é interação entre espaço e substância. Essa substância através do espaço possui inteligência (algo que foi tratato por Itzak Bentov em seu *Stalking the Wild Pendulum*) e reage à orientação mental. Encarada de maneira simples, essa inteligência é Luz ou Deus. Essa unidade básica de atividade é aquela a que os antigos se referiam como prana. Atualmente, estamos descobrindo partículas estruturais cada vez menores do que o átomo, que são pura substância-luz e constituem a essência de toda substância.

O fato de que vida é Luz vem sendo observado por cirurgiões, na área das glândulas pituitária e pineal, em pessoas vidas. Não há luz dentro do corpo de uma pessoa morta. E uma pessoa morta tem também um peso maior. Luz, em termos de brilho e peso, parace *ser* vida.

Em essência, o homem é um ser cósmico, que existe como consciência, que se expressa como um corpo de espírito e como um corpo de matéria física. O corpo no qual existimos tem sua própria inteligência, suas próprias mensagens, suas próprias respostas, mas nossa consciência real é de ordem superior, de Luz ou Cósmica. Nossos corpos e a consciência, ou inteligência, a eles conectada assemelha-se à casa em que vivemos. Ela nos reflete, mas não é nós.

Nossa própria dualidade (humana e divina) é, na verdade, ilusória. Somos, de fato, seres cósmicos. Apenas pensamos que somos entidades físicas, porque a realidade tridimensional é muito difundida. Porém nossas faculdades são duais: temos a faculdade da consciência cósmica e também a da consciência planetária. E estamos sujeitos às leis tanto da matéria quanto da Luz, tanto da substância planetária quanto da Luz cósmica. Estamos sujeitos às leis da energia nos dois níveis.

No nível da personalidade, nossas respostas seguem leis bastante claras e interpretáveis. Para onde quer que nos voltemos, temos algum tipo de relação com as coisas vivas. Estamos constantemente enviando e recebendo sentimentos. Há um certo padrão que traz à tona uma reação e um determinado sentimento que identificamos com bom ou não tão bom. Mas ESTA ATIVIDADE NÃO É O QUE SOMOS. O que somos está numa inteligência mais elevada, muito mais elevada do que a maioria de nós pode sequer vislumbrar.

Assim sendo, a personalidade, devido à sua substância planetária, corresponde ao planeta. O planeta tem seus próprios campos mental e emocional, exatamente como nós. Porque o planeta também é uma inteligência, uma entidade. No nível da substância planetária, há *polarização* ou dualidade. Para a matéria se manter, é preciso haver polaridade negativa e positiva, é preciso haver uma tensão mantenedora. O homem, como parte do planeta, está sujeito a essas polaridades. AS POLARIDADES EXISTEM APENAS EM RELAÇÃO À SUBSTÂNCIA PLANETÁRIA OU MATÉRIA E NÃO NOS NÍVEIS MAIS ELEVADOS DE CONSCIÊNCIA. Essas polaridades físicas, mentais e emocionais, esses conglomerados de opostos, regem nossos corpos inferiores e nossas ações e reações para com os outros. É extremamente importante para nossa liberação, compreender que nossas experiências planetárias aplicam-se ao veículo, não à nossa consciência ou a quem realmente somos no nível da Existência.

O caminho para o autodomínio no nível da personalidade reside na compreensão das dualidades que atuam dentro de nós e na observação imparcial das mesmas. Nossas reações polarizadas, tais como alegria e tristeza, amor e ódio, harmonia e discórdia, dar e receber, felicidade e miséria... são movimentos naturais da polaridade. No momento em que tentamos permanecer num pólo, sem considerar o outro, criamos desequilíbrio. Em vez de tentar não sentir tristeza ou raiva, você pode compreender que, embora sua natureza seja bem-aventurada, naquele momento você está experimentando a tristeza. Esse processo exige que nos identifiquemos conosco mesmo ao nível do Ser (além da dualidade), ao aceitarmos a atividade das leis da matéria. Isso *não* é repressão, como alguns poderiam pensar, mas uma *requalificação* da energia. Então seremos capazes de integrá-la à nossa totalidade.

O sentimento de desamparo origina-se da crença de que somos matéria. Origina-se também da crença de que estamos sujeitos à dualidade em todos os níveis. A única maneira de transcender esse círculo vicioso é nos situarmos como Seres de Luz — em outras palavras, ficarmos em união com nossos eus superiores. Quando estiver triste, observe a tristeza. Você não está triste; o corpo é que está triste; a química do corpo emocional é que está passando pela tristeza, experimentando a separação ou o desapontamento. Não negue a experiência nem a fragmente posteriormente: aceite-a. Integre-a em sua totalidade e isso fará com que ela ganhe força ou quantidade de movimento à medida que também aumentam os seus níveis de tolerância a uma energia maior. Em vez de excluir essa energia, transforme sua qualidade e acrescente-a ao seu sistema total.

Há tipos diferentes de energia que influenciam e estimulam reações em nós. Talvez as mais difíceis de serem dominadas sejam aquelas que surgem através da intimidae, principalmente sexual. Daí o medo em relação à intimidade que existe em nossa época. Nesse nível, todas as energias convergem para o padrão vibratório mais intenso e denso da anatomia humana. O chakra da base adquire a força maior para um propósito específico: ele capta energia e a converte em forma de vida. Seu poder é enorme.

Quando você compartilha suas energias com alguém numa íntima proximidade física, mental e emocional, e esse alguém vai embora por uma razão qualquer, você passa a sentir a retirada daquela interação energética. A alquimia da energia nas relações é absolutamente fundamental ao processo de vida, ao processo de transformação, de transmutação, de requalificação e de expansão da consciência. Os sintomas dessa retirada emocional são tão dolorosos quanto aqueles experimentados por alguém a quem se administram remédios. De fato, o hábito (aderência) é fundamental às leis da matéria, mas *não* às leis da Luz.

Quantos de nós já não passou pelo sentimento de dilaceração interior quando da separação de algum ente querido? Não nos sentimos inteiros. Sentimo-nos feridos; não podemos dormir à noite... Experimentamos nesse momento a ação da lei da matéria, do desaparecimento, da separação que está ocorrendo, da cura e da totalidade. Da mesma forma, quando podamos uma planta, ela sofre. Ela pode murchar por um dia ou dois e, então, adaptar-se-á e crescerá forte novamente. Muito embora tenha sido reduzida à metade, volta a ser um todo. O aspecto da alquimia energética nos relacionamentos será tratado posteriormente num capítulo específico deste livro.

A personalidade que temos é um reflexo de como respondemos às nossas polaridades interiores. Assim, poderemos ter uma personalidade alegre, triste ou melancólica. Poderemos ter uma disposição nervosa ou letárgica. Nossas personalidades revelam como lidamos com nossas polaridades e a coleção de respostas por nós programadas em nosso computador humano. Realmente nos tornamos aquilo que programamos. Se estou tensa, por hábito, medo ou tristeza em minha vida, não posso ficar feliz. Ficarei, ao contrário, triste e melancólica. Se dou ênfase à luz do Sol, em vez da escuridão, serei luminosa. Crio a mim mesma de acordo com o que escolho para qualificar a energia de minhas respostas à vida, e essas respostas agem como um ímã para qualidades semelhantes (e isso se refere a todos os tipos de efeitos, tanto construtivos quanto destrutivos).

Projetamos o que sentimos e sentimos aquilo que projetamos. Todos nós sabemos que, quando estamos amando, tudo parece bonito. Podemos fazer qualquer coisa. Está tudo certo e, portanto, tudo é possível. Mas, no momento em que alguma coisa cruza nosso caminho, ficamos zangados, mal-humorados, irritados... E se alguém diz algo desagradável, tendemos a acreditar nele e o mundo, que era belo, repentinamente se torna escuro. Nada funciona, nada está certo. Ficamos irritados e parece que todos estão irritados conosco.

O que aconteceu? *Nós* criamos uma reação emocional em cadeia, que se reflete de volta sobre nós e até sobre os acontecimentos do ambiente em que estamos. Perdemos a visão, perdemos a identidade com nosso eu, como uma presença consciente num mar de causa e efeito ao nosso redor.

O seu mundo é realmente um reflexo de seu autodomínio ou da

ausência dele, e espelha suas relações, sucessos ou fracassos, saúde, finanças etc. Se não há maestria em seu mundo, você ainda não integrou algum aspecto de si mesmo a ele relacionado. Se você ainda tem problemas em seu mundo e mesmo se você sente que isso se deve à falha de alguém mais, esta é uma clara indicação de que está fazendo (ou não fazendo) algo que atrai essa sensação. E isso pode atingir tanto os níveis energéticos mais altos quanto os níveis mais baixos da vida.

O autodomínio precisa ser incorporado através de atos físicos. Não há qualquer diferença entre nós aqui e os iogues do Oriente. Estes podem ter alcançado a iluminação, mas muitos deles precisarão retornar da montanha e incorporar tal iluminação. Eu mesma recordei uma de minhas vidas passadas num pico do Himalaia: êxtase, perfeição... O que aconteceu? Não integrei a natureza humana. Não transmutei a substância, em seus aspectos físico, mental e emocional, em relação ao mundo. Tive de voltar àquele lugar mais uma vez, até conseguir fazê-lo.

A consciência do alquimista, que é a base de toda obra de transmutação e de toda maestria, é o manejo e o controle harmoniosos dos três corpos inferiores (o físico, o mental e o emocional), que lhe permitem escolher e lhe dão um senso de direção. Você escolhe para onde quer ir, o que quer fazer e como manifestar o seu mundo.

Não há nada impossível quando você exerce um sábio controle sobre seu corpo emocional, sem qualquer traço de supressão ou repressão. É preciso que não haja tensão envolvida nesse tipo de controle. O controle, ao qual me refiro aqui, provém da maestria — a absorção e requalificação da energia. Esse controle lhe dá uma capacidade de conter e transcender a energia dentro de si mesmo. No nível mental, é um conhecimento.

Ao aceitar a energia, seja ela física, mental ou emocional, você ganha não apenas controle, mas também clareza e uma capacidade para expressá-la numa direção criativa. É por isso que a verdadeira escolha é tudo.

NOSSO PROPÓSITO ORIGINAL

Examinemos rapidamente como chegamos a ser quem e o que somos. Como vestimos esse "manto de muitas cores", estes sete revestimentos? Se você pode conceber Deus como um mar de fogo, conceba-se como uma minúscula centelha da chama, que se individualizou a partir do fogo. Assuma, neste ponto, que quer experimentar por si mesmo e talvez até queira criar o universo por si mesmo. Como uma centelha, você desenvolve a vida no momento em que desejar. Você se torna energizado.

Essa centelha tem sua própria natureza coesiva, mas como gira através do espaço a grande velocidade, a substância e ela adere, durante sua viagem, através de padrões cada vez mais baixos de vibração. Em cada nível, a substância coletada cria um corpo ou veículo de expressão. Em cada estádio, as vibrações são tão absorventes que, com o tempo, a essência da centelha como luz vai desaparecendo. À medida que a centelha experimenta o aspecto mais denso e mais grosseiro das novas vibrações, começa a expressar aspectos de densidade que causam dor, tais como a possessividade e inveja (que são qualidades da matéria e não da luz).

Então, cada vez que a dor se torna grande, a atenção (como desejo) novamente se volta para a ainda pequena expressão ou memória de luz interior, tão ilusória ou semelhante a um sonho quanto possa parecer. Quando a pequena centelha retorna à sua natureza de luz, a luz se expande mais e mais e o processo de ascensão se inicia. E isso, a ascensão, era seu verdadeiro propósito inicial: criar universos pela expansão da luz e obter o autodomínio pela própria experiência.

Enquanto a pequena centelha aprende a transmutar a densidade, aprende a controlar a energia, aprende a co-criar com o que é de fato ela própria (em uma freqüência superior de existência). E faz isso em cada nível de consciência, em cada um dos veículos ou corpos.

O que isso significa para nós, exatamente aqui nesta existência tridimensional? Dentro de cada átomo de substância física há um ponto de luz remanescente da centelha original. Esses pontos de luz são, de fato, parte de nossos eus cósmicos, de nosso corpo de luz. À medida que crescemos em compreensão e consciência, nos tornamos mais leves no verdadeiro sentido da palavra. Alguns santos pareceram até luminosos; há uma espécie de brilho que emana da carne. Esse processo ocorre naturalmente. O que a Alquimia Interior faz é acelerar o processo, através da expansão consciente dos pontos de luz existentes no centro de cada átomo de nossos corpos celulares. Chamo esses processos de "Calibragens" e, nos Estados Unidos, desenvolvi fitas cassette que facilitam a recalibragem individual.

Numa fase simultânea de desenvolvimento, procuramos compreender nossa composição psicológica como um processo de atividade energética. A psicologia dos Sete Raios fornece um panorama desse processo. Infelizmente não há número suficiente de pessoas que compreendam tal psicologia e que sejam clarividentes ou suficientemente puras para traduzir os dados para uma linguagem comum. Ao compreendermos nossa composição de sete raios, passamos a compreender outras coisas. Começamos a compreender os filtros específicos através dos quais operamos.

Nosso verdadeiro propósito na encarnação é trazer para baixo aquela luz e elevar ou consagrar a matéria em cada nível de consciência. Fazemos isso ao experimentarmos tudo o que há para ser experimentado e ao integrarmos a energia de cada ato, cada emoção, cada pensamento à nossa totalidade. Essa energia está embutida dentro de nós, na existência tridimensional, no centro de cada uma das células de nosso corpo físico. À medida que o processo de iluminação ocorre, ele afeta todos os corpos que estão sobrepostos ao redor do corpo primário ou corpo de Luz.

Quando estamos encarnados, cada um desses corpos e a constituição psicológica de nossas personalidades são determinados, como veremos, pelos sete raios. Os raios determinam nossas atitudes, aspirações e até nosso *modus operandi*, criando o ambiente para a canção individual que cantamos, para a dança que dançamos. Em outras palavras, a expressão da verdadeira qualidade de nossa vida em sua potência não contaminada.

A sua tarefa de vida é verdadeiramente descontaminar-se ou purificar-se em todos os níveis, a fim de produzir, por assim dizer, o puro elixir (alquímico) individualizado. A combinação dos raios foi escolhida por nossos próprios eus superiores, com a colaboração de nobres conselheiros de dimensões de Luz superiores, para o específico propósito de complementação da experiência.

A psicologia dos Sete Raios, até mais do que a Astrologia, pode ajudá-lo a descobrir sua composição e, desse modo, reduzir os anos dolorosos de tentativa e erro. Você passa a compreender que não pode fazer o que seu vizinho faz, mas que pode fazer algo que ele não pode. Isso elimina a competitividade e a comparação, que são causas de conflito e discórdia nas relações, medo e culpa em níveis interiores. Conhecer suas forças e limites traz um profundo relaxamento, uma paz que leva à maestria.

Pergunte-se o que é que você veio fazer aqui? Qual é o seu melhor traço positivo? Quais são suas áreas de dificuldade? Eis aqui algumas questões para a auto-exploração. Além dessas, faça-se outras. Atreva-se a ir cada vez mais profundamente, fazendo-se mais e mais perguntas. As respostas não virão, a menos que você pergunte.

QUESTÕES PARA A AUTO-OBSERVAÇÃO

Talvez você queira revê-las a cada dez dias, mais ou menos, para identificar e acelerar qualquer processo de aprendizagem que a vida esteja lhe oferecendo.

1. Quem sou eu? Fisicamente. Emocionalmente. Mentalmente. Descreva como você se sente e age em cada um desses níveis.
2. Qual é minha relação com as diferentes partes de mim mesmo? Com meu corpo (conscientização, controle de peso etc.)? Com minha mente (capacidade de concentração, de focalização, direcionamento ou esvaziamento da mente)? Com minhas emoções? Observe as identificações, as ligações, a perda de energia etc.
3. Quem sou para mim mesmo? Sinto-me como outras pessoas, com personalidades diferentes? Identifique-as e dê-lhes nomes específicos.
4. Quem sou eu em relação aos outros? Observe as relações, os tipos e a duração das mesmas, a capacidade para a intimidade... (tendências kármicas e mudanças, se houver).
5. Como os outros me vêem? Projete-se através dos olhos dos outros.
6. Quem sou eu em relação a Deus, a meu Eu Superior? Qual minha compreensão da causa e efeito? Minha compreensão dos estados de sonho?
7. Como percebo a realidade? Observe mudanças e sutilezas.
8. Quão intuitivo sou, em relação às pessoas, aos aconteicmentos, a mim mesmo?
9. Quais são meus hábitos? Tome consciência dos padrões e das mudanças. Até que ponto a minha capacidade para a espontaneidade aumentou? Em que áreas? Observe comportamentos obsessivos: sexo, alimentos, pensamentos etc.
10. Qual é minha relação com o trabalho e outros acontecimentos externos? Descreva como se sente e age.
11. Quando, em minha vida, fico fora de controle ou tenho dificuldade em controlar a situação? Com quem?
12. O que reprimo/suprimo em mim mesmo, ou com outros, em meu ambiente?
13. Do que tenho medo? Seja honesto. O que está em jogo?
14. O que eu não gosto nos outros? Observe pelo menos três características em três pessoas. Veja se elas também se encontram em você ou em qualquer outra pessoa próxima.
15. De que maneira posso melhorar a mim mesmo? Seja específico. Encontre uma atividade ou ação que produza tal melhora.
16. Que passos já dei para melhorar? Observe seu progresso e permita-se o sentimento de satisfação.
17. Quais são minhas ambições, desejos, planos para o futuro imediato? E para o futuro remoto? Quão bem estou manifestando meus desejos?
18. Quão sensível sou em relação aos outros e como isso me faz sentir?

Formule um plano definido com uma imagem nítida de si mesmo, feliz, saudável, criativo, produtivo... e mantenha essa imagem. Vá em direção à ela (ou deixe que ela desça e o envolva). Absorva-a em sua estrutura celular. Crie a sensação de já tê-la alcançado. Permita que esse sentimento se expresse em sua totalidade. Deixe isso acontecer. Aceite o sentimento de aceitação (como se já o tivesse há longo tempo) e deixe que ele o envolva. Retorne ao presente. Não questione ou discuta isso com *ninguém*. Agradeça a Divina Presença dentro de você.

Os Sete Raios

Os Sete Raios são as partículas estruturais da Criação — os ingredientes principais. Cada um dos raios representa não apenas uma cor, mas também uma nota musical e uma qualidade. Os raios projetam mais uma força do que uma energia. Uma força é diferente de uma energia, porque é direcionada e específica. Quando essas forças penetram na atmosfera de um planeta, seja ele grande como a própria Terra ou pequeno como o campo de energia de um indivíduo humano, elas colorem essa atmosfera.

Tudo o que existe em manifestação foi tingido pelos raios, em particular pelos sete raios primários. Os raios, então, servem, por assim dizer, para criar o caráter de formas particulares de vida. É por isso que digo que o estudo dos raios pode servir para promover uma profunda compreensão da personalidade humana e dos tipos de corpo, uma vez que os raios condicionam as próprias influências astrológicas, bem como nos afetam diretamente.

Nosso sistema planetário é construído na escala de doze, mas nosso espectro visível consiste atualmente de apenas sete. Embora falemos de sete raios primários, mesmo na hora de escrever, a influência de raios mais recentemente descobertos é evidente. Falo dos raios cor de prata e cor de ouro, que servem para acelerar a estrutura atômica para propósitos interdimensionais. Os raios, por si mesmos, são forças que se manifestam como qualidades e estão apenas simbolicamente associadas com uma cor. Por isso, podemos notar que as cores têm se modificado de acordo com as necessidades do planeta.

Todas as coisas estão em relação entre si e tudo na vida é, de fato, inter-relacionado. Os sete raios colorem os sete corpos e também são retratados nos sete chakras. Os cincos corpos, ou dimensões, restantes e os cinco chakras externos ao corpo serão discutidos na seção relativa à atividade interdimensional. Nesse nível também há raios cósmicos que não têm qualquer relação com a vida planetária em níveis humanos. Assim como há raios permanentes para a Terra, há também raios que são dirigidos pela inteligência interplanetária para propósitos específicos, durante certos períodos de tempo. De fato, há uma hierarquia planetária, galática e intergalática de inteligências avançadas, que dirigem o curso da vida e supervisionam sua evolução. Contudo, para os propósitos da Alquimia Interior, não é necessário compreendê-la. O que precisamos compreender é a nós mesmos, a nossa própria composição ou anatomia, como nossas partes funcionam e como alcançar o autodomínio sobre nós próprios e nosso poderes criadores inerentes. Em outras palavras: como, conscientemente, tomar parte em tudo da Vida.

Os sete raios se originam do módulo primário de três forças: a trindade básica do aspecto pai-mãe, do aspecto filho e do aspecto do espírito. A força paí-mãe ou *primeiro raio* serve para impelir a vida (atividade) para a frente. É a pura vontade, que mais tarde é representada como força, determinação e liderança, instilando proteção, poder, iniciativa e fé. A cor para essa força é o azul: forte, frio, penetrante, primordial e infinito. Dos tons mais profundos até aqueles mais pálidos, o azul inspira determinação e confiança. Como as correspondentes notas musicais. Certos intermediários mitológicos ou angélicos estão associados a esta força, tais como o Arcanjo Miguel, o poderoso Hércules, Joana d'Arc e o Senhor Krishna.

O *segundo raio* é iluminação, que é sabedoria através do amor. É visto na relação do filho com o pai-mãe pois, livre da necessidade de se mover para a frente, ele se submete, por assim dizer, à avaliação, à iluminação e ao ensinamento. Este raio foi exemplificado na história por Buddha e por Mestre Jesus e ambos forneceram modelos (a forma-pensamento fundamental) para a humanidade. Sua cor é a cor da inteligência, da paz e da iluminação: o amarelo. É também a cor do Sol, que não só alimenta mas ilumina.

O *terceiro raio* lembra o aspecto do espírito ou amor divino. Livre da necessidade de criar e compreender, o terceiro aspecto relaciona-se com a pura atividade, com a magnificência de irradiar sua totalidade, da infinita criatividade que flui de uma totalidade e uma natureza coesiva auto-sustentadas. É a pura força do sentimento-pensamento que, como você se lembrará, fornece a atividade motriz para toda manifestação e, de fato, dá origem aos quatro raios remanescentes. Essa é a verdadeira Inteligência do coração. A cor deste raio é o rosa, desde as nuances mais pálidas até o mais profundo magenta. Figuras históricas sob esse raio geram a benevolência da afeição. São Francisco de Assis é um bom exemplo. Este raio também governa toda a vida vegetal e animal do planeta e toda a distribuição de energia.

Os quatro raios seguintes emanam da atividade do terceiro. São forças criadoras geradas a partir do reservatório central de energia do espírito que pode, agora que já foi lançada à vida, ter uma forma e que, animada pela força do sentimento, pode se expressar na mais diminuta forma de vida.

O *quarto raio* foi denominado de raio da harmonia no conflito, não porque fomente a adversidade ou o conflito, mas porque promove uma estabilidade, que só pode ser alcançada através da experiência. Uma vez surgidas as idéias, ao aplicá-las às situações da vida, criamos a forma através de um processo de tentativa e erro. O quarto raio buscará preservar a pureza do impulso original, enquanto gera implementação e expansão. Ele lidará com todos os aspectos da expansão e da contração, pois, de fato, a contração gera a posterior expansão. Este raio em particular está incorporado ao conceito de pureza e sua cor é o branco ou o transparente (cristal). Entidades tais como Pallas Athena e o Arcanjo Gabriel personificam as atividades desse raio.

O *quinto raio* tem cor verde e representa a Verdade em todos os seus aspectos, incluindo suas aplicações sistemáticas através do esforço científico. Denota precisão, justiça, dedicação ao Serviço. É simbolicamente representado pelo "Olho de Deus Que Tudo Vê", retratado nas antigas Ordens Maçônicas e impresso na nota do dólar americano. É também representado pelo Arcanjo Rafael e por Maria, a mãe de Jesus. É o principal raio responsável por todas as curas e pelo funcionamento da Lei, tanto em sua expressão exotérica quanto esotérica.

Enquanto o quarto raio estabelece a solidez e o quinto a aplicação sistemática, o *sexto raio* retorna à Fonte através do aspecto da devoção. Sua atividade está relacionada à sustentação da Paz e intimamente ligada à emotividade, seu refinamento e sua espiritualização. A Mestra Oriental, Quan Yin, é um exemplo excelente de bondade e compaixão de Deus que ele inspira.

Exatamente como a Terra tem seus ciclos, os raios predominam de maneira cíclica, durante certos períodos de tempo. No tempo da pregação de Jesus, o raio predominante era o sexto. Aquele foi um tempo de grande intensidade emocional e a necessidade de refinamento era iminente. O Mestre Jesus captou a energia do tempo, o aspecto de rendição religiosa ao Pai ou Divindade, e elevou-o ao aspecto de transcendência numa tal extensão que a Cristandade passou a chamá-lo de Príncipe da Paz. Este raio está intimamente associado ao segundo raio principal, sendo o Mestre Jesus o próprio raio. À medida que as necessidades do tempo mudaram e este ciclo em particular voltado para o século XXI requer menos força emocional, mais clareza da mente e funcioamento da mente superior, a necessidade da atividade deste raio diminuiu um pouco e tem sido suplantada pela atividade do segundo raio.

O raio predominante na era atual é o *sétimo raio* — um retorno à ordem superior representada pelo conceito de Liberdade e Ritual. A atividade ritualística ou rítmica, como estabelecida anteriormente, gera a quantidade de movimento ou a energia maior necessária ao processo de limpeza inicial cósmica, que caracteriza este ciclo. O Raio Violeta é o fogo transmutador, a força purificadora, curativa, regeneradora, levando a um estilo de vida qualitativamente diferente que surge no planeta. A transcendência aqui é do individual para o global, do pessoal para o impessoal, do mundano para o espiritual. O Raio Violeta é representado pelo influxo do ensinamento do Mestre Excelso, encabeçado pelo Conde de Saint Germain, o célebre Alquimista da história européia. É também caracterizado pelo ressurgimento de práticas antigas e rituais, particularmente daquelas de caráter druídico ou que dizem respeito à Terra.

APLICAÇÃO INDIVIDUAL

Cada um de nós encarnou sob um certo Raio da Alma, que é o raio do eu superior ou interdimensional. Este será um dos três raios principais e marca registrada de nossa essência. Nem sempre é fácil identificar esse raio, que freqüentemente é obscurecido pela personalidade.

O Raio da Personalidade dá forma ao temperamento que temos, resultante de encarnações prévias, ou que escolhemos ter para aprender aquilo que viemos aprender. Este raio determinará nosso propósito de vida individual, as aspirações que nos compelem à atividade.

Sinta-se livre para se identificar com as características contidas em cada raio e veja quais são as mais notórias em sua personalidade, em seu corpo, em sua mente, em seus desejos íntimos. Você aspira à Beleza como uma expressão do Supremo? Ou é Amor? Quem sabe à Suprema Verdade?

Os raios manifestam-se diferentemente em veículos diferentes. Force um pouco as definições para determinar, por exemplo, qual seria o raio de seu corpo. Um primeiro raio corporal geralmente será resistente e forte, enquanto um terceiro poderá ser suave e realizador. Atreva-se a explorar e experimentar. Saiba também que você sabe. Ao avançar na leitura do livro, você aprenderá como conseguir o auxílio de seu eu superior para instruir-se a fim de ajudar-se a descobrir e compreender a si mesmo. Seu eu superior está constantemente pensando, sentindo, falando através de você. Confie nele.

Examine seus talentos e suas aspirações, suas ações e inspirações. Descubra-se mais como uma qualidade energética do que como uma psicologia. Entre em cada uma das cores e experimente por si mesmo a qualidade de cada uma delas. Você pode comprar tecidos tingidos com as cores primárias e prendê-los na parede de sua casa. Certifique-se de que as cores são puras. Sente-se em frente de cada cor e absorva-a: projete-se nela ou feche seus olhos e deixe que ela o envolva.

Com que cores você tem afinidade e quais as que parecem repeli-lo? Em que níveis? Como elas o afetam? Faça um esquema de suas reações e, mais tarde, repita o processo para verificar se as mesmas variações se aplicam, antes de você tentar determinar qual seria a sua combinação individual de raios.

Seguem-se dois quadros resumindo as características dos raios e também seu uso através da visualização, particularmente para a obra alquímica ou de transmutação. Ao longo de todo o livro, proporei práticas e farei sugestões de seu uso.

OS SETE RAIOS

I. VONTADE DE DEUS — Azul	A força que toma a decisão de dar um propósito à vida. Em geral rege executivos e administradores. Inspira proteção, poder, iniciativa e fé.
II. ILUMINAÇÃO — Amarelo	É a inteligência dirigida. A força gerada que conhece e ilumina. É usado para toda percepção, compreensão e educação, onde as idéias precisam se tornar práticas. Rege professores, educadores e estudantes — onde quer que a compreensão e a *sabedoria através do amor* sejam necessárias. Usado na discriminação, na prudência e na direção prática da vida de uma pessoa.
III. AMOR DIVINO — Rosa	O harmonizador. Eleva, purifica e aperfeiçoa o mundo do sentimento. Dá origem ao desenvolvimento de idéias — isto é, as *ações* pelas quais as idéias de Deus se manifestam através dos quatro raios seguintes. Difunde o bem que existe nas pessoas. Rege árbitros, artistas e pacifistas. Sua natureza é o *poder coesivo*, inspirando um sentimento de fraternidade, bondade, tolerância, unidade, cultura e tato.
IV. HARMONIA ATRAVÉS DO CONFLITO — Branco ou Transparente	O purificador de idéias. Sustenta o plano divino original, sem distorções. Inspira integridade e pureza através de todas as atividades da vida (ou área de testes). Representa o serviço impessoal. Rege construtores, arquitetos, engenheiros, músicos e artistas de todos os tipos.
V. CIÊNCIA-VERDADE — Verde	Gera a apresentação científica e a ação sistemática da Lei Cósmica: a compreensão da exatidão e da precisão matemática das leis da criação. Inspira concentração e consagração a serviço da Luz. Cria abnegação ou rendição exterior. Rege profissionais tais como médicos, enfermeiras, inventores e cientistas. É responsável por todas as ciências, pela materialização, eterificação, levitação, todas as invocações e a cura em geral. Este raio representa a antiga Lei Mosaica.
VI. DEVOÇÃO — Ouro/Rubi	Concede alimento espiritual e a radiação da vitalidade espiritual, da paz, tranqüilidade, cura e sacerdócio. Fornece o poder mantenedor da paz, necessário à permanência das manifestações. Rege clérigos, sacerdotes, pessoas que curam e todas as profissões onde a devoção, a piedade, a compaixão, o perdão e o sacerdócio são necessários. Foi o raio predominante no tempo de Jesus.
VII. LIBERDADE, CERIMÔNIA — Violeta	Representa a invocação consciente, através da qual a energia é transformada. Também a purificação das formas existentes e a redenção de suas energias. Como tal, facilita a transmutação e a sublimação. Age através do ritmo (invocação, sentenças e cantos rítmicos), utilizando o som ou a palavra falada. Rege homens e mulheres de todas as áreas que se utilizam da diplomacia, do refinamento e do serviço ordenado.

USO DOS SETE RAIOS NA PURIFICAÇÃO, TRANSMUTAÇÃO E MANIFESTAÇÃO

PRIMEIRO RAIO — Azul

Invoca Poder, Vontade, Abundância, Opulência. É usado para quebrar, partir, fragmentar a substância em diferentes densidades. É visualizado como um poder tremendo, semelhante à espada, visto como chama azul, como flecha de luz, como eletricidade. Pode também ser usado como um forte revestimento protetor sobre pessoas, locais ou coisas e até partes do corpo (particularmente ao redor do chakra da garganta, seu local de residência no corpo físico). Sua força é mais iminente no nível do Corpo Causal (6.ª Dimensão).

SEGUNDO RAIO — Amarelo

Pertence ao Sol (ou aspecto Filho na Trindade). Colore o Cristo que, no corpo físico, encontra-se retratado no nível do coração. Fornece o equilíbrio entre o primeiro e o terceiro raios, entre o Poder e o Amor. Este raio refina a mente e purifica a consciência. É a cor da paz e a invocação desta cor suaviza a atividade humana, particularmente o sistema nervoso. Pode ser visualizado como dourado-pálido ou como amarelo-ouro brilhante, servindo o último para acelerar a atividade vibratória do cérebro no acesso a dimensões superiores. É visto como luz líquida dourada, como luz do Sol, como óleo dourado (sobre o sistema nervoso) ou como um selo dourado (quando sobre o plexo solar). É a cor do Mestre Jesus e do Senhor Gautama e dos seus serviços a este planeta.

TERCEIRO RAIO — Rosa

Significa Amor e a atividade do Espírito Santo. Este raio fornece a substância fundamental de toda atividade, pois o amor é suficiente em si mesmo e sua natureza é coesiva. Desta força emanam as outras quatro, para qualificar a atividade da força do Amor. O rosa em seus vários matizes, desde o pálido até o magenta, é empregado para penetrar onde a força absoluta poderia abalar o indivíduo. Fragmenta padrões que obstruem o interior ou eu amor. É melhor utilizado ao redor de pessoas zangadas ou cheias de ódio, para induzir a atividade do eu superior, que é Amor.

QUARTO RAIO — Branco

Este raio é, na verdade, transparente. Pode ser visualizado como fluido, a cor da água, ou prateado, como o cordão de prata que liga o veículo etérico ao físico. É a cor da Chama de Ascensão, que processa o que circunda o corpo físico, durante a transição da transmutação. Ao mesmo tempo em que mantém o padrão divino no corpo, também o libera. É a cor da pureza e é vista ao redor das aparições angélicas. Um de seus maravilhosos usos é como uma torrente através do cérebro, ligando nosso pensamento ao eu superior, visualizado à frente e levemente acima. Sua sede encontra-se na base da coluna no corpo humano.

QUINTO RAIO — Verde

É o raio que governa a cura e os esforços científicos. Como chama, é usado em atividades transmutadoras e no desenvolvimento da visão interior. Sua sede encontra-se ao nível do terceiro olho (6.º). Rege o Corpo Mental Inferior e, como tal, pode ser direcionado para dentro da substância que bloqueia a manifestação do plano divino.

SEXTO RAIO — Rubi/Ouro

Este raio promove, no indivíduo, a Devoção e Amor Impessoal. Como um laser, é usado para penetrar e fragmentar formas-pensamento. É especialmente eficaz na abertura do mundo inferior, onde existem muitas formas demoníacas e satânicas, trazendo à tona as substâncias necessárias à transmutação. É um raio muito intenso, particularmente quando afeta o corpo emocional e está sediado no plexo solar (3.º). Seu uso foi predominante nos tempos bíblicos e durante o tempo da vida de Jesus. Como forma de proteção, veda os aspectos negativos do mundo inferior até que alguém possa lidar com eles. É visto como óleo rubi em ebulição (abre o subconsciente), como raio rubi trovejante (impele, abre e explode a substância que é difícil de se mover) e como cilindro rubi (que protege das projeções e influências negativas). Seu uso tem sido amplamente desenfatizado e transferido para o terceiro (raio primário).

SÉTIMO RAIO — Violeta

Este é o raio mais ativo deste tempo e promove a Alquimia Divina. É o raio que governa todo o cerimonial mágico, como na tradição druídica (vestígio da herança atlante). Provoca a Liberdade e um sentimento de Bondade, Purificação e Redenção — a transmutação consciente ou requalificação da substância. É a cor do domínio sobre o plano físico, visualizada como chamas violetas, que constituem a Graça da Cristandade. Seu domínio está no etérico (4.º corpo), agindo através do umbigo ou plexo solar e afetando todos os níveis da materialidade, facilitando a colaboração com o eu superior e a aliança nesse sentido.

Os Sete Corpos

O número sete tem um papel importante neste sistema de mundos e caracteriza toda realidade manifesta. Sete Raios. Sete Corpos. Sete Chakras... Além desses, encontramos cinco outras dimensões pertencentes à experiência planetária, mas não ao nível da evolução pessoal, como veremos posteriormente.

Já estabelecemos que o "você" real é uma centelha do Espírito que carrega diferentes revestimentos. Estes revestimentos, em estádios diversos, constituem os sete corpos. O primeiro corpo criado é o das freqüências energéticas mais refinadas da Luz. Chamamos este corpo de sétimo corpo, que é como o vemos sob o ponto de vista da materialidade. O último corpo a ser criado é o corpo físico. Para os nossos propósitos, este é o primeiro corpo.

Poderemos chamar a centelha original de Eu Divino Individual. Seus atributos são os da Divindade e ele é, de fato, a Presença da Divindade individualizada, tão primitiva, pura e totalmente poderosa como sempre foi, embora obscurecida e completamente fora de uso. Essa Presença reside nas mais superiores regiões da escala vibratória planetária — a décima segunda dimensão. Representa a marca registrada de sua individualidade e sua força de Vida no nível eletrônico. É a Fonte que você capta: é a Vida, é a Inteligência. É o Amor. *É* Deus — o Eu Divino.

Essa fonte eletrônica projeta-se através de diferentes dimensões, até que atinge o terceiro plano, que é onde estamos em uma forma física. No meio do caminho entre a terceira e a décima segunda dimensão está a sétima. Essa dimensão, como exploraremos mais profundamente nos capítulos referentes à interdimensionalidade, é a região dos Registros Akásicos e do Eu Superior. É a estação intermediária, a ponte entre nosso Eu pessoal e nosso Eu cósmico.

Por enquanto, vejamos o processo de criação dos corpos e como eles se relacionam a nós no aqui e no agora. Cada corpo, do sétimo ao primeiro, é uma espécie de transformador redutor de voltagem, canalizando a força da Vida em graus e variedades de expressão. A vibração eletrônica do sétimo corpo é absoluta. Como a Divindade, é Tudo o Que É, sem atributos. Para se expressar, precisa fragmentar seus poderes, capacidades e energias. Se a vibração eletrônica fosse dirigida ao físico, ela literalmente o eletrocutaria e interromperia todos os seus circuitos.

Cada um dos sete corpos age como uma camada protetora para o seguinte. Cada um é um veículo de consciência que percebe uma atividade e um domínio específico de vibração constantemente, quer estejamos consciente dele ou não. No caminho da Alquimia Interior, nos esforçamos para detectar e agir, dentro de cada um desses níveis, conscientemente.

Embora todos os sete corpos, como faculdades da consciência, se expressem numa realidade tridimensional, os primeiros três corpos — o físico, o emocional e o mental — constituem o que chamamos de personalidade.

O quarto corpo é uma ponte entre os três superiores e os três inferiores. É um mensageiro e arquivista, que realmente serve como um diagrama para os três corpos inferiores a cada vez que encarnamos. Os três corpos superiores são mais espirituais por natureza e servem como receptores e transmissores interdimensionais e cósmicos.

O corpo físico é, na realidade, um conglomerado de todos os outros, com o acréscimo da matéria ou substância planetária. (Todos os outros corpos são compostos de substância-luz.) Isso explica por que tudo — o mental, o emocional, o psíquico e o espiritual — encontra-se retratado no corpo físico.

A seguir daremos as caracterísitcas gerais dos sete corpos como experimentados no plano físico, na ordem de sua criação ou descida à matéria.

O SÉTIMO CORPO

É aquele que chamamos de Corpo Eletrônico. Tem forma cilíndrica e envolve todos os outros corpos dentro de si. A substância do corpo eletrônico, embora permeando todos os demais corpos até o celular, é encontrada em sua forma mais pura nas superfícies mais externas do cilindro. Este é o grau mais refinado da Substância-Luz, que pode aparecer como filamentos de luz dourado-prateada. (VER ILUSTRAÇÕES)

Em nosso sonhos ou estados meditativos, quando nos sentimos muito expandidos e exaltados, estamos freqüentemente em contato com a realidade pura e sem forma de nosso corpo eletrônico. De fato, é um corpo cósmico, sem qualquer relação com a forma material.

Visualmente: percebe-se a Imensidão. A sensação é de grandes espaços e luz, substâncias diáfanas e grandes formas de luz.

Auditivamente: o som ouvido é semelhante ao som puro ou a uma poderosa e profunda pulsação.

Sensorialmente: experimenta-se imensa paz e tranqüilidade, inexplicáveis e sem conteúdo. E também energia, como se fossemos um sol de proporções majestosas e de luminosidade incomensurável.

Quando se é capaz de manter a consciência neste nível, o que é conseguido apenas através da meditação em ambiente dos quais foi removida toda a estimulação externa (urbana), a experiência é o que no Oriente é chamado de "Samadhi sem Semente" ("sem semente" porque não há perspectiva de onde se observar a realidade, apenas puramente).

Budas do passado e Iluminados, que ainda zelam por este planeta, bem como nossos próprios Eus Divinos, residem neste nível. Para nos alcançar e ensinar, precisam reduzir sua vibração de modo a nos encontrar em um dos planos inferiores.

O SEXTO CORPO

Este é o Corpo Causal. Sua forma é semelhante à do ovo e ocupa uma esfera ligeiramente menor no interior do cilindro. É percebida como uma forma composta de raios de luz pastel iridescentes ao redor da aura. Este corpo está vagamente associado com as atividades do sétimo corpo e de dimensões superiores.

Visualmente: vê-se uma luz e formas de luz extraordinárias, mas vistas de uma perspectiva centralizada.
Auditivamente: percepção semelhante à do Sétimo Corpo.
Sensorialmente: um sentimento de grandiosidade e domínio, de êxtase espiritual e realização. É o nível emocional (sentimento) do plano espiritual.

Quando a consciência de uma pessoa está estacionada no nível de vibração do Corpo Causal, dizemos que se fundiu com seu Eu Superior ou de Cristo, aquele repositório de experiência completa e aperfeiçoada através de todas as encarnações.

Enquanto o Corpo Eletrônico é a essência ou fonte, o Eu Divino, o Corpo Causal, é a expressão individualizada no nível da essência. É nosso Eu perfeito — aquilo que os cristãos chamam de relação do Filho com o Pai. No Oriente, é chamado de experiência do "Samadhi com Semente" (o termo "semente" referindo-se ao ponto central, através do qual se percebe a realidade).

O QUINTO CORPO

Este é o Corpo Mental Superior. Seu âmbito é mais compactado e sua forma é circular. Neste nível, possuímos uma inteligência clara, capaz de lidar com todos os níveis da realidade.

Visualmente: percebemos nossos próprios guias e dos outros, além de espíritos de elevado desenvolvimento, extremamente belos e radiosos, divinos.
Auditivamente: sentimos a voz interior e o conhecimento interior da associação com nosso Eu superior. Estes são momentos de inspiração e profecia, onde vemos e ouvimos vozes e deduzimos o significado.
Sensorialmente: uma sensação de autodomínio sobre o veículo físico, uma experiência unitária dos três corpos inferiores e uma ligação direta com forças superiroes. Força e certeza são suas marcas registradas.

O Corpo Mental Superior age como uma ponte de comunicação entre todos os corpos. Tem existência distinta, bastante diferente dos demais. Sua forma, dentro da aura, tem sido descrita como a de uma teia elétrica azul.

Como consciência, o Corpo Mental Superior tem uma inteligência que está além do dualismo e que tem acesso a tudo o que sabemos ou somos e a tudo o que sempre existiu neste planeta. Este corpo compreende as forças kármicas existentes por detrás das ações. É o árbitro divino, o espectador proverbial, o superconsciente.

Façamos uma pausa para compreender que todos os nossos corpos ou níveis de consciência atuam separada e também simultaneamente. Exatamente agora você está aqui, com todos os seus corpos. Sua consciência, como uma estação de TV, está sintonizada a um único canal, de modo que você não pode captar totalmente aquilo que também está sintonizando em outros níveis de realidade.

Exatamente agora você está me ouvindo através de seu corpo mental inferior, mas os seus corpos emocional e físico também estão respondendo. Pare um momento para observar o que seu corpo físico está sentindo e quais são seus sentimentos em relação ao que você está lendo.

Observe como o seu Corpo Mental Superior está alerta. Em algum lugar você sabe que o que estou dizendo é verdade, mesmo que não possa se lembrar. Conscientize-se de como os seus Corpos Espirituais estão zumbindo... numa espécie de recordação.

De fato, você está em contato com algumas faculdades relacionadas a conhecimento-sentimento-percepção no nível Causal e com a graça ou êxtase de seu Eu Eletrônico. À medida que, ao ler, você está experimentando todas essas coisas, pode imaginar o quanto está experimentando ao falar, dançar, amar e dormir!

O QUARTO CORPO

Este é aquele que chamo de Corpo Etérico.

Este corpo está mais próximo do físico. Sua substância é a do quarto éter e consiste numa réplica exata do corpo físico. A cor deste corpo é azul-prateado. De todos os modos, está mais próximo da existência física e serve como mensageiro entre dimensões, particularmente da terceira à sétima. É também o veículo usado pelos corpos emocional e mental da consciência na projeção fora do corpo. Está ligado ao corpo físico pelo cordão de prata.

Este veículo contém traços de todas as experiências que tivemos em todas as nossas encarnações. Todo o karma acumulado (bom ou mau) está impresso neste corpo, bem como os chakras e a programação astrológica (as marcas das influências planetárias). A programação astrológica se correlaciona com a composição do Sétimo Raio. Tudo isso modela e dá forma ao corpo etérico, que, por sua vez, faz o mesmo em relação aos corpos físico, mental inferior e emocional.

Visualmente: este corpo percebe mais aguda e nitidamente do que as faculdades físicas. A visão etérica inclui a visão áurica e a capacidade de ver através do corpo e de objetos físicos.

Auditivamente: a telepatia é possível no nível do corpo etérico, bem como um sentido aguçado de audição.

Sensorialmente: este corpo sente com extrema intensidade e é responsável pela memória-sensação associada aos membros amputados. Contudo, como corpo de luz, pode ser refinado, para excluir estímulos dolorosos. As distinções de sexo (ausentes nos corpos superiores) começam a surgir no nível do etérico.

O TERCEIRO CORPO

É o Corpo Mental Inferior. É mais uma freqüência e uma consciência do que uma forma verdadeira, embora algumas das pessoas que curam percebam-no como um corpo composto por linhas de força amarelas emanando do corpo.

A sede do Corpo Mental Inferior é o cérebro físico. O funcionamento do cérebro, como sabemos, afeta todas as partes do corpo. A freqüência deste corpo mental inferior é muito mais facilmente detectada quando se está imerso em pensamentos profundos. É uma energia linear e um tanto fria. Reflete o consenso de fatos e o conhecimento das eras.

O Corpo Mental Inferior está intimamente associado ao chakra do plexo solar e à mente inferior, e a massa-mente que ele reflete opera através de crenças emocionalmente carregadas, julgamentos, superstições e avaliações com retidão, probidade e vontade pessoal extraordinárias. Toda a ética dos negócios, Wall Street em particular, tem sido conduzida pelo plexo solar, a energia-poder do Corpo Mental Inferior.

Esta consciência constrói as formas-pensamento que o Corpo Emocional anima e leva à manifestação, mas é isenta de sentimento ou sensação e até de sensibilidade. Está fechada em sua própria programação. Discutiremos este corpo com maior profundidade na seção sobre O Poder do Pensamento.

O SEGUNDO CORPO

Este é o Corpo Emocional. É multicolorido, facilmente agitável, uma energia semelhante à da água que envolve e interpenetra o corpo físico e é capaz de se expandir até atingir a forma de uma circunferência bem grande. Todo o mundo sabe o quanto uma pessoa volátil, altamente emocional, é capaz de encher todo um aposento com sua energia!

Este corpo tem as mesmas propriedades da água, com correntes, remoinhos e vórtices de energia dentro de si mesmo. E, como a água, pode ser refrescante, frio, nutritivo ou violento, tempestuoso e perturbador.

A natureza dessa energia específica é imensamente poderosa e dinâmica. A energia do sentimento dentro deste corpo move e concentra substância e é a energia que leva o pensamento à manifestação.

Este corpo vem sendo chamado por alguns como Corpo Astral (ou semelhante aos astros). Você viaja astralmente todas as vezes que projeta as suas emoções. Os sentimentos podem se tornar tão intensos que, antes que você perceba, é varrido por eles, empurrado para algum remoinho emocional, difícil de ser dominado.

As emoções são experimentadas nos centros do umbigo e do plexo solar. A sede para a mobilidade das emoções encontra-se no plexo solar, mas os próprios sentimentos são gerados pelos chakras inferiores, particularmente o do umbigo.

O Corpo Emocional tem sido a área de experimentação maciça, particularmente dos Grupos de Encontro e Grupos Primordiais, durante os anos 60 e 70. É o corpo através do qual experimentamos a nós mesmos como personalidade emocional experimentando os outros: sentimos a nós mesmos ao sentirmos os outros.

O Corpo Emocional não é limitado ao tempo e ao espaço. Movese facilmente e com agilidade. Os apaixonados sentem quando seus entes amados estão pensando neles ou quando estão lhes sendo infiéis. Sabem isso intuitivamente, através das ações do Corpo Emocional.

Uma pessoa emocionalmente viciada pode se aborrecer facilmente e precisa criar uma série de episódios dramáticos para permanecer interessada na vida. Por outro lado, um Corpo Emocional harmonizado é uma companhia deliciosa. É o receptáculo intuitivo, que sente com o coração do Eu Divino e transmite emocionalmente esse amor para toda Criação existente sobre a Terra.

Este corpo e as atividades do sentimento e da emoção serão discutidos no capítulo relativo ao Poder de Sentimento e também na seção relacionada aos chakras, ao discutirmos o chakra do umbigo.

O PRIMEIRO CORPO

Este é o nosso corpo físico comum. Pelo fato de termos captado a substância planetária na construção deste corpo, estamos entregues à evolução e à proteção da Terra. O que fazemos a nossos corpos, fazemos ao planeta e vice-versa.

O corpo físico é o local de encontro de sua individualidade através das vidas e da condição planetária no momento da encarnação. Nem tudo o que está retratado no corpo físico tem suas origens em sua história passada. Em muitas ocasiões, encarnamos para ajudar a transmutar, para o nível planetário, muito da poluição gerada através do tempo.

O seu físico também retrata suas atitudes mentais e emocionais. Terapias tais como a reichiana, a neo-reichiana, a bioenergética e outras estão relacionadas à leitura dos tipos físicos. Você pode dizer a estrutura de caráter de uma pessoa pelo modo como posiciona seus ombros, pela inclinação de seus quadris, pelos ângulos das pernas, pela maneira como coloca seus pés ou pela forma de seus dedos do pé, pelo ajuste da mandíbula... pela face... O corpo é um mapa que pode ser lido por qualquer pessoa treinada. Tudo é revelado.

O corpo físico existe apenas no tempo e no espaço tridimensional. Pode estar apenas aqui. Quando uma pessoa se fixa na materialidade, não pode penetrar em outros domínios de atividade. Sua vibração é baixa e sua sensação restringe-se à estimulação densa.

A Alquimia Interior relaciona-se com a consciência de Luz dentro da matéria e com o Corpo de Luz — seu despertar e sua integração com todos os aspectos da vida. Os sete corpos delineados aqui aplicam-se aos níveis de consciência e não à estrutura física, como descrevem algumas das práticas de cura mais cientificamente orientadas.

Os sete corpos estão intimamente ligados aos sete chakras. Enquanto os chakras constituem focos de energia, os sete corpos são a consciência formada pela interação desses focos de energia na vida planetária. Por essa razão, os chakras serão o assunto de nosso próximo capítulo.

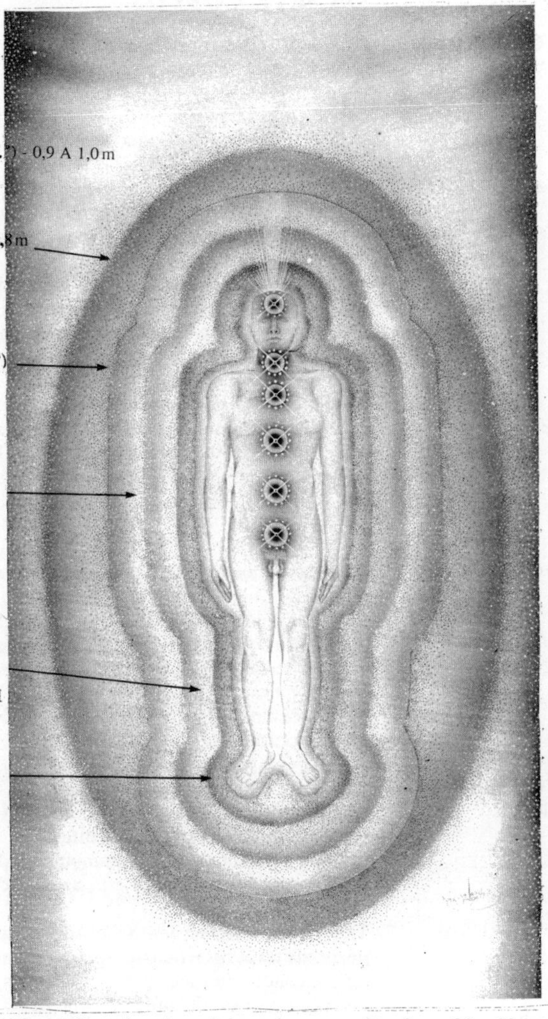

Observe que o Etérico (4.°) está mais próximo do corpo. Porém o 2.° e 3.° corpos se expandem mais para o exterior, como "corpos de influência".

OS SETE CORPOS (CAMADAS DA AURA)

OS SETE CORPOS

1º Corpo: O FÍSICO	Repositório das substâncias de todos os corpos. Retrata todos os corpos e transmite todas as energias dos raios através dos chakras (representados aqui pelo sistema endócrino). O revestimento mais denso. Existe apenas no tempo-espaço tridimensional. Sua sede está na base da coluna.
2º Corpo: O EMOCIONAL	Não limitado ao tempo e ao espaço. Responde mais rapidamente. Seus sensores alcançam o *exterior*. Aprecia a intensidade e a mudança. Responde a vibrações mais refinadas. Sua capacidade de sentir vai das paixões animais ao amor desinteressado. Em conjunção com o terceiro corpo, traduz sentimentos em ações no plano físico, captando a substância necessária à manifestação. Sua sede está no plexo solar.
3º Corpo: O MENTAL INFERIOR	A mente concreta ou lógica. Recebe pensamentos de um plano superior com o propósito de implementação do físico. Sujeito à ilusão e ao controle. Constrói formas-pensamento copiosamente a partir da massa-mente. Está dividido em subplanos ou compartimentos. Sua sede é o cérebro físico.
4º Corpo: O ETÉRICO	O físico "refinado". Contém os registros etéricos e o corpo padrão de Luz, as energias astrológicas e os chakras (fontes de vitalidade). Fornece a oportunidade de se aprender o domínio sobre os impactos. Este corpo é a ponte entre as substâncias vibratórias superior e inferior. É o veículo para as viagens fora do corpo, usado pela consciência mental e emocional. Conecta-se ao corpo físico através do cordão de prata.
5º Corpo: O MENTAL SUPERIOR	Além do pensamento dual. Intuição. Conhecimento. Liberta-nos das vibrações do plano manterial. Pode estar sujeito à ilusão. Age como ponte entre a consciência de Cristo e a personalidade ou humano. A discriminação do superconsciente. Sua sede está na área do terceiro olho.
6º Corpo: O CAUSAL	Também conhecido como Consciência de Cristo. O depósito de tesouros e talentos de outras encarnações. O Eu aperfeiçoado. Sua sede parece estar fora do corpo, sobre a cabeça ou exatamente em frente à testa.
7º Corpo: O ELETRÔNICO	A Presença Divina individualizada ou fonte de toda energia. Irradia energia pura não qualificada, para ser utilizada em todos os corpos. Sua sede está a, pelo menos, 1 metro acima da cabeça.

Os Chakras

Os chakras são vórtices esféricos sobre o corpo etérico, que agem como transmissores para os raios e alteram nossa atividade no plano físico através da função das glândulas endócrinas. Essas glândulas afetam a substância física no nível das funções orgânicas, do equilíbrio mental e da integridade emocional.

Fala-se muito, hoje em dia, sobre os chakras. Surgiram os ativadores de chakras, equilibradores de chakras, leitores de chakras etc. Pode parecer que os chakras constituam o faz-tudo da consciência e da vida sobre o planeta. Isso não é verdade. São simplesmente transmissores. Algumas vezes são superativos, outras subativos, como as glândulas que regem. Nunca estão totalmente bloqueados ou fechados.

A consciência é uma função de todo fluxo de vida, quando se expressa nos corpos, através da coloração dos raios que, por sua vez, imprimem um plano de ação para a vida. Os chakras refletem as ações dessa consciência ao serem eles próprios utilizados pelo fluxo de vida. Os chakras, assim como a energia, são neutros. É o uso que deles fazemos, bem como de nossas energias, que é ou construtivo ou discordante. Obviamente, os chakras também refletirão as condições atmosféricas do tempo e, se estivermos sendo influenciados por um certo raio ou configuração astrológica que contenha uma combinação particular de raios, seremos conseqüentemente afetados.

Há inúmeros chakras e construíram-se sistemas baseados em apenas três chakras principais e sistemas baseados em 300 ou mais focos de energia (tais como o sistema da acupuntura e do shiatsu). O número usual empregado para se compreender as ações da rede energética sutil é o sete. Embora utilizando a configuração de sete, eu mesma me refiro a doze, sendo os cinco restantes centros interdimensionais ou localizados fora do corpo.

Os sete chakras básicos estão relacionados aos revestimentos dos sete corpos, pois eles parecem se conectar à consciência dos diferentes corpos no centro envolvido. Em qualquer evento, sua atividade está basicamente relacionada à vida e ao desenvolvimento da Terra. O chakra mais inferior pertence à encarnação na matéria, e o mais superior, ou sétimo, representa o salto do material para as dimensões cósmicas.

Há diferentes sistemas de chakras, segundo a estrutura tradicional e histórica. A anatomia energética do homem está envolvida com a consciência planetária e com as necessidades do tempo. O sistema hindu ou védico difere do teosófico e ambos diferem daquele ocidental contemporâneo. O sistema que uso foi composto por mim mesma: aquele que melhor se ajusta à minha compreensão da dinâmica energética do ser humano nestes tempos.

Uma outra concepção errônea envolvendo os chakras e a energia humana diz respeito à natureza dos relacionamentos e da sexualidade, assuntos que exploraremos num outro capítulo. Por enquanto, é preciso compreender apenas que a sexualidade é uma função do ser como um todo: físico, mental, emocional, psíquico e espiritual. O ser humano experimenta a sexualidade (o encontro de polaridades negativa e positiva) em cada um de seus chakras. E tudo o que pertence à nossa encarnação física *precisa* ser polarizado: os sete chakras se polarizam entre si, tanto nos homens quanto nas mulheres, pois há chakras em ambos os sexos. O que é positivo em um sexo será negativo no outro. Isso facilita a fusão e a intensificação da energia em cada nível para propósitos de crecimento e expansão.

Infelizmente nossos corpos são atualmente sorvedouros negativos, aceitando e empregando condições sobre nós, em vez de serem focos positivos e irradiadores, aceitando apenas aquilo que é desejado. Os chakras destinam-se a ser magnéticos e irradiadores.

Não há chakra "bom" ou "mau". Não há chakra superior ou inferior em termos de espiritualidade. *Todos* os chakras são, de fato, necessários à experiência terrena e ao próprio processo de espiritualização. Há apenas freqüências superiores e inferiores, como notas musicais ou matizes de coloração, todas iguais, todas belas, todas necessárias.

Também há um fluxo direcional duplo em operação através dos chakras, dependendo do grau de experiência e domínio individual sobre o planeta e a natureza de seu propósito de vida. Em ciclos anterio-

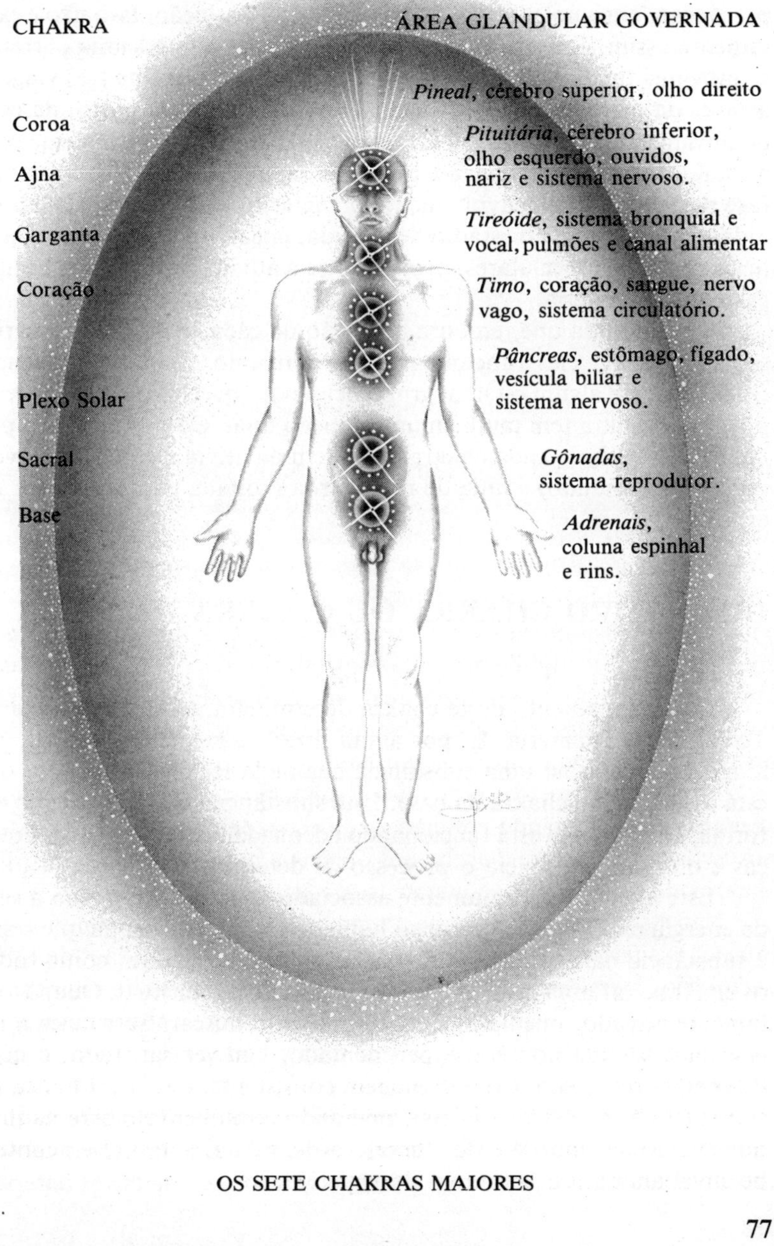

OS SETE CHAKRAS MAIORES

res, acreditava-se que a força de kundalini, um movimento em espiral que dirige a energia física para cima, em direção a uma consciência cada vez maior, a um refinamento maior e a graus mais refinados de percepção, era a única força determinante da evolução. Isso não é exatamente assim. Enquanto *apenas em termos físicos* há uma corrente se movimentando para cima, a consciência faz realmente três viagens através da materialidade: ascendendo em direção ao espírito, descendo novamente para a matéria e, finalmente, ascendendo novamente com a total integração, aceitação e poder de cada centro dominado. Nesta fase particular do desenvolvimento planetário, grande parte da humanidade encontra-se no estádio de descida, encarnando conscientemente a Luz em níveis celulares, prestando-se à atividade das forças cósmicas sobre a matéria.

Compreenda que, embora a função de cada chakra seja descrita separadamente, eles funcionam como um todo e nossa consciência fechar-se-á em algum ou num grupo deles por um certo período de tempo. Cada chakra tem também uma função dual. Com exceção do primeiro e do sétimo, cada chakra envolve uma atividade de frente (voltada para o mundo) e uma de retaguarda (voltada para o interior ou espiritual).

O PRIMEIRO CHAKRA OU CHAKRA DA BASE

O funcionamento deste chakra determinará nossa ligação com a Terra e com a matéria. É, por assim dizer, a âncora do espírto. Ao longo da coluna há uma substância chamada tecido cromófino, que está associado ao chakra da base. Esta substância mantém o corpo em forma. Quando não está funcionando adequadamente, surgem as doenças e o organismo inicia o processo de deterioração.

Este é o chakra comumente associado ao sexo. É também a sede da energia mais intensa do corpo humano — aquela energia que capta a substância para criar uma forma de vida. Este chakra, como todos os chakras, inflama-se com o estímulo do fluxo espiritual. Quando altamente ativado, imediatamente o individuo buscará satisfazer a necessidade sentida no nível experimentado. Um vez satisfeito, o nível de energia retrocede. Com drenagem consistente, este nível nunca ultrapassará a intensidade inicial, operando consideravelmente naquilo que chamo de síndrome do "desejo ardente". É isso o que acontece no nível animal ou instintivo da experiência.

Porém, quando o indivíduo é ativado em níveis superiores de existência, como nos níveis de relação emocional, de poder ou amor incondicional, ele escolherá protelar a satisfação em níveis inferiores de freqüência até que a necessidade superior seja acalmada. A satisfação pode até ser transferida completamente para outra dimensão, onde o estímulo sexual inicial nem seria reconhecido como tal.

A sexualidade no nível do chakra da base é luxúria animal, paixão isenta de individualidade e ternura. É o impulso para a satisfação instantânea, focalizada em si mesmo e não no outro. Contudo, a principal atração neste nível não é o sexo em si, mas a sobrevivência — onde necessidades próprias tais como alimento, sexo, segurança e sensação são intensificadas nos níveis físicos.

Tendo em mente que este é o centro responsável pela criação de uma forma de vida, precisamos conhecer sua função, em seu poder não contaminado, como uma função de extrema pureza. De fato, este centro representa a pureza e a responsabilidade advinda da percepção de si mesmo na encarnação (através da associação com a Terra e com as forças terrenas).

Isso funciona mais ou menos da seguinte forma: a consciência desce, por assim dizer, em vôo picado para a matéria em seu nível mais denso. Ela exige forte estimulação para se sentir viva. Também requer alimentos pesados e muito sono. A estética não é uma prioridade e nem o é o comportamento social ou a espiritualidade. O indivíduo está completamente envolvido na experiência do elemento terra. O chakra ativa as glândulas supra-renais (a luta ou mecanismos de fuga), os rins (medo) e a coluna espinhal (tecido cromófino), enquanto incorpora as atividades do quarto e do sétimo raios, que envolvem a forma e processos tais como a purificação, o refinamento e a transmutação. Em outras palavras, o quarto e o sétimo raios projetam sua força combinada através da dimensão etérica e criam a atividade glandular nos níveis físicos, como mencionado acima.

A cor que tem sido ligada ao chakra da base é o vermelho. Essa cor ativa o mecanismo motor em níveis mais densos, impelindo-o em direção à experiência. O chakra purificado, contudo, parecerá branco ou branco ultravioleta, as cores de seus respectivos raios. A coloração de cada um dos chakras será pura em seus estádios refinados ou não contaminados. No meio, as cores aparecerão em fases variáveis de distorção e turvação. A atividade do chakra é dominada logo que o indivíduo seja capaz de usar a energia pura, tendo livre acesso a ela e colocando-a, bem como todas as outras, a serviço do mais elevado, sem repressão ou indulgência.

Aqui, o indivíduo precisará da atividade purificada de um chakra da base saudável, integrado, em todas as suas atividades no plano da Terra, de uma maneira muito semelhante àquela da árvore, que precisa de suas raízes para crescer em direção aos céus. A consciência desce ao nível da base, estimula-o e, então, eleva-se novamente segundo o mecanismo de focalização do indivíduo. Caso ele escolha focalizá-la basicamente no primeiro nível, suas atitudes, aparência, gostos e hábitos refletirão as características primitivas deste centro, inclusive a necessidade de relações violentas para provocar a sensação da vida.

Será interessante e, de fato, necessário para o alquimista aspirante observar suas tendências emocionais e físicas e suas variações do dia-a-dia, para determinar que chakra é mais ativo ou que chakra está precisando ser posteriormente despertado, onde a consciência tem estado focalizada, e se atributos positivos ou negativos estão sendo expressados. Ele terá, então, a opção de desobstruir-se, refinar-se e expandir-se além de sua própria inconsciência.

O uso obstinado e excessivo deste chakra resultará em numerosos problemas espinhais e hemorroidais em nível físico, perda de faculdades ou controle nos níveis sociais e emocionais, e uma sensação de alienação do espiritual. Os problemas neste nível envolverão lições sobre o uso correto da Vontade.

As experiências do chakra da base relacionam-se com a materialidade, com a segurança, a força e a solidez.

O SEGUNDO CHAKRA

Este chakra está centralizado, no corpo físico, ao redor dos órgãos reprodutivos ou gônadas. Neste nível, o espírito busca vivenciar outro. Para fazer isso, ele precisa vivenciar a si mesmo enquanto ser emocional, sensível. A sensualidade está associada com a consciência no nível do centro do umbigo, envolvendo o jogo do macho e fêmea e a sobrevivência da espécie.

Nesse ponto, o treinamento emocional envolverá a expansão da capacidade de dar e receber. Quando esta encontra-se bloqueada, a experiência buscada será a das intensidades de prazer ou de dor. A caricatura de um indivíduo neste nível retrataria o histérico, o viciado emocional, o sado-masoquista — aqueles indivíduos que procuram assaltar os sentidos através de uma extrema indulgência no que se refere ao prazer, à dor, à música excessivamente alta, aos alimentos muito temperados etc. Em geral, um indivíduo assim necessita, nesse tipo de existência, de cerca de dez horas de sono.

No nível do autodomínio, a consciência no segundo chakra integra-se tanto com a identidade social quanto pessoal e com o equilíbrio. Sua energia será estável, equilibrada, presente e disponível a outro indivíduo de um modo bastante responsivo, física e emocionalmente.

A natureza deste centro é semelhante à da água — desde a de oceanos em fúria até a de lagos plácidos semelhantes a espelhos. A tendência do indivíduo será mais orientada para a preservação. Em outras palavras, para o planejamento do futuro.

Este chakra é colorido pelas forças do terceiro e do sexto raios: os aspectos do amor divino e da consagração ordenada. A cor que energiza este centro é o laranja. A cor do chakra purificado refletirá o rosa e o verde de seus raios.

O TERCEIRO CHAKRA

Agora o indivíduo está pronto para aprender as lições sobre o controle, através da experiência de dominação e submissão. Podem passar muitas encarnações antes que ele consiga dominar a atividade no nível do plexo solar, que afeta todo o sistema nervoso, o fígado, a vesícula biliar, o pâncreas e o estômago.

O indivíduo precisa aprender como manejar seu próprio poder no mundo e em si mesmo. Em outras palavras, um sentido de cooperação ou um equilíbrio entre a atividade e a passividade. Ele aprende através dos conflitos violentos por sucesso e segurança, através da inveja, da possessividade e até de ataques cardíacos e úlceras.

No final, o indivíduo no nível do plexo solar (diafragma) aprende a se expressar adequadamente no nível da atividade física e obtém acesso a um sentido de visão ou previsão. De fato, no nível do plexo solar, há células cerebrais primitivas. O sentido de clarissenciência, de saber, de ser capaz de "se colocar em sintonia" com as pessoas, com os locais e as coisas, provém do uso intenso deste centro, bem como da capacidade de projetar o corpo (e reter a memória dessa projeção) através do etérico. Essa determinação inclui a Viagem no Tempo.

Em sua fase inativa, o organismo busca expandir a atividade deste centro e sente a necessidade de alimentos que forneçam energia rapidamente, tais como açúcar, café, chá, álcool e drogas. A média de sono exigida aqui é de oito horas.

O elemento associado a este chakra é o fogo. Ele é semelhante ao fogo em sua atividade e em sua totalidade. O principal raio operando através dele é o sexto — promovendo o amor, a devoção e a elevação espiritual das emoções em geral. O sexto raio está ligado também a todos os fenômenos do mundo inferior e ao subconsciente. Em nosso tempo, o sexto raio e o plexo solar geram o poder e o seu uso excessivo gera a competitividade implacável e o subuso, a ingenuidade e a veneração da autoridade, que ainda é predominante hoje.

A cor vitalizante deste centro é o amarelo. Os raios que o alimentam são o rubi e o dourado, a coloração do sexto raio.

O QUARTO CHAKRA

Este chakra é responsável por toda a compaixão e amor abnegado, uma transcendência de julgamento, preconceito e pensamento dualístico. Este centro é, de fato, a sede do Eu superior, promovendo a incondicionalidade e a liberação das ligações. A vontade individual gera um senso de impecabilidade e criatividade, um sentimento de nutrição e sustento dentro de si mesmo e a transmissão dessa qualidade para os outros.

A consciência moveu-se para além do envolvimento do Eu do segundo chakra e para além da ambição do terceiro e, agora, encontra-se em relação com seu espírito. É por isso que o Oriente enfatiza as qualidades deste chakra: o ego, aquele sentimento de separação dos outros, desaparece.

Aqui, o elemento representativo é o ar, sua leveza e amplidão. O raio é o terceiro maior raio do Amor Divino. A cor deste raio e das funções purificadas do centro do coração é o rosa, mas a força equilibrante, vitalizante de seu funcionamento, é o verde — a cor da harmonia e do equilíbrio. Neste nível, o Eu busca integrar dentro de si mesmo as forças superiores e inferiores e também as funções cerebrais direitas e esquerdas. Este é um local de encontro de todas as dualidades, representado, em alguns sistemas, como a Estrela de Davi: reunindo tanto em cima quanto embaixo forças triangulares.

As energias geradas aqui afetam o coração, o sangue e o sistema circulatório, o nervo vago e também o timo, que é responsável pelo funcionamento adequado do sistema imunológico. Poderíamos nos aventurar a dizer aqui que talvez uma das causas da AIDS seja o funcionamento limitado do chakra do coração, e que sua cura poderia residir na abertura e geração de forças inerentes do quarto chakra.

Os atributos positivos deste nível incluem a tolerância e a confiança nos aspectos superiores do Eu em ação em qualquer lugar. Por outro lado, as reações negativas englobam uma sensação de vazio, que freqüentemente é expressa como tendência suicida, hipocrisia e superficialidade.

Você pode reconhecer indivíduos neste nível de consciência pelos seus gostos em relação aos alimentos. Serão sempre simples a esse respeito. Os padrões de sono variam entre nove e dezesseis horas, dependendo do tempo necessário para a atividade fora do corpo e para a regeneração. No quarto nível, quase sempre o Eu está imerso na eternidade, enquanto o espírito mais uma vez se reúne ao Corpo Eletrônico. Talvez seja por isso que há, aqui, a necessidade de expressão física através do tato.

O QUINTO CHAKRA

Este chakra está centralizado ao redor da garganta, influenciando a expressão e a comunicação, a audição, a telepatia e todos os usos esotéricos do som e da palavra — isto é, a criatividade através das vibrações sonoras, inclusive a telecinese. É o centro mais utilizado na prática da Alquimia, para a invocação e uso de palavras de poder, mantras, sentenças e fórmulas.

Este centro é particularmente importante porque é também o local de encontro dos três chakras superiores e era chamado pelos antigos de "Bindu" ou "Portão de Jade", que significa chakra da graça ou a boca de Deus. Isso quer dizer que este centro serve como veículo para as faculdades superiores. Neste nível, as energias se agrupam na base do cérebro (descrevendo um círculo a partir do centro da garganta, passando pelo terceiro olho, depois pela coroa e retornando para a base do crânio), onde os cinco centros supraconscientes se encontram e são capazes de se traduzirem em realidade física.

Quando este centro é ativado, a voz se torna melodiosa, harmoniosa e bela, exprimindo a extensão das emoções e aspirações humanas e evocando verdades superiores. A energia deste nível torna-se alimento através do som, de uma maneira muito semelhante a uma suave cantiga de ninar. De fato, este centro é simbolizado pela mãe e seu filho, pois o indivíduo a recebe de cima, o que o capacita não só a sobreviver em níveis vibratórios superiores, mas a recriar-se. Deste modo, este centro é também chamado de centro da "cornucópia": aquilo que você expressa através da voz torna-se um desejo realizado.

O quinto chakra rege a tireóide, os sistemas bronquial e vocal, os pulmões e o canal alimentar, bem como a audição interior (clariaudiência). Neste nível, o indivíduo é capaz de transmutar todos os alimentos, e seu padrão de sono varia enormemente. Devido ao fato dos impulsos vibratórios deste centro serem tão altos, só se consegue manter a consciência aqui quando se domina os impulsos vibratórios inferiores. É preciso um elevado grau de pureza. Não apenas o indivíduo está capacitado a se movimentar interdimensionalmente a se recriar e a manifestar suas mais elevadas intenções, mas é também capaz de prolongar sua vida. Este é o centro responsável pelo rejuvenescimento e pela longevidade, diretamente ligado ao Corpo Causal.

Na Antigüidade, dois elementos foram associados a este centro: a madeira e a luz. O primeiro transmite a sensação de som interior, e o segundo o despertar dos poderes superiores relacionados à base do crânio. Este centro é regido, colorido e ativado pelo primeiro raio: o azul.

Quando a energia viaja através deste centro e o indivíduo, por uma ou outra razão, é incapaz de integrar-se a ela, ele pode passar por períodos de intensa confusão entre a realidade interior e a exterior, e até excluir as outras pessoas de sua consciência, parecendo auto-obsedado e introspectivo. Embora este seja um estado temporário, para o indivíduo isso pode ser vivenciado como um fracasso terreno. Parece que ele não consegue se integrar à energia como estava acostumado, tanto no nível interior quanto no nível exterior.

De um nível puramente físico, as queixas relacionadas a problemas neste centro incluiriam vertigens, anemia e alergias, fadiga e asma, bem como todos os processos relativos à oxidação e ao metabolismo do cálcio.

O SEXTO CHAKRA

Este é o Terceiro Olho, o "Olho que Tudo Vê", o centro da presciência visionária e da clarividência. Em seu aspecto terreno, este centro rege o intelecto; em seu aspecto espiritual, regerá a visão interior e a inspiração intuitiva.

Neste nível, o indivíduo encontra-se frente a frente com formas superiores de ordem e vontade, inclusive a projeção de suas formas-pensamento e o equilíbrio psíquico, bem como a integração dos aspectos esquerdo e direito de sua personalidade. É nesse ponto que ocorre o salto da mente inferior para a superior (como foi apresentado no capítulo referente aos Corpos Mentais). A Mente de Cristo torna-se operacional, quando as energias do coração, garganta e terceiro olho foram dominadas. O indivíduo penetra nos domínios da causalidade além do tempo. Também penetra em seu próprio karma individual.

No corpo físico, o terceiro olho rege a glândula pituitária, a parte inferior do cérebro, o olho esquerdo, os ouvidos, o nariz e o sistema nervoso em geral. O terceiro olho é o centro da personalidade integrada e o controlador das glândulas do sistema endócrino. O elemento associado ao terceiro olho é Alfa, a substância primordial de Luz.

Quando não é possível alcançar a integração neste nível, a expressão, a comunicação torna-se ilógica ou superintelectualizada. O indivíduo parece "estar no espaço", com a memória fraca, cheio de medos ... particularmente em relação ao futuro (pois este envolve planejamento e ordenação). Evitar as lições relativas a este centro pode se manifestar posteriormente como introspecção.

O raio que rege este chakra é o quinto raio: da ciência e concentração. Sua cor primária é o verde. Contudo, a cor deste centro é o índigo — a cor complementar do verde. O índigo cura, ativa e estimula as faculdades no nível do terceiro olho.

O SÉTIMO CHAKRA

Embora este chakra supra de vida cósmica o indivíduo, isso ocorre de maneira natural, não exigindo evocação consciente. Geralmente este chakra não se encontra em ação, a menos que o indivíduo tenha feito um trabalho espiritual consciente ou tenha se causado acidentalmente algum dano ou tenha feito um mau uso de seus poderes.

Veja que as energias atuantes aqui são extremamente sensíveis e delicadas, de uma freqüência muito elevada, exigindo um alto grau de pureza, inocência e integridade pessoais. Se uma pessoa sem estes requisitos tiver este centro ativado, experimentará um sentimento de controle ou possessão, pois, de fato, é através desta abertura que muitas entidades desencarnadas buscam afetar a humanidade. Mas apenas aqueles seres humanos que não compreenderam totalmente o significado da responsabilidade para com o eu podem ser afetados. Pois, quando buscamos poder fora de nós mesmos, nós o encontramos — nos outros. Deste modo, também, as reações negativas neste nível encontrarão eco na ausência da fé.

Este chakra rege a glândula pineal, a parte superior do cérebro e o olho direito. Conecta-se com os Corpos Eletrônico e Causal e é ativado pelo segundo raio primário, o raio da Sabedoria, da Percepção e da Ação em níveis mais superiores. É interessante notar que a glândula pineal contém tecido retiniano vestigial, bem como uma réplica de cada chakra ou o padrão do homem total. Este é o painel de controle principal para o iniciado.

Quando a evolução do indivíduo o leva até o centro da coroa, ele dá vida ao seu Ser (desassociado da personalidade). Ele sintetizou os conceitos do eu e outros além da dualidade, participando agora da compreensão da unidade da Vida — uma genuína reconciliação com a Criação, conhecendo além do entendimento a verdadeira fonte de toda Vida. Ele compreende, pela primeira vez, que não há limites para a criação e que está em união com essa potencialidade. Nesse ponto, ele sabe, de uma vez por todas, que tem o poder da transmutação. O autodomínio neste nível envolverá a eventual transcendência do próprio Corpo Causal.

OS CHAKRAS MENORES

Como foi mencionado anteriormente, há centenas e talvez milhares de pontos de energia dentro do corpo físico e ao redor dele — inclusive pontos dentro dos veículos espiritual, emocional e mental. Esses pontos têm sido usados tanto pelas disciplinas espirituuais (nas várias práticas védicas e iogues), como pelos cientistas físicos (inclusive os antigos curandeiros). Esses centros são criados pelo cruzamento de linhas de energia. Os chakras principais são criados pelo cruzamento de 21 linhas de energia, os menores pelo cruzamento de 14 linhas e aqueles ainda menores pelo de 7. O mapa mais amplamente aceito destes pontos seria aquele da acupuntura e da *shiatsu*, mostrando os centros e os meridianos de energia sobre os quais se situam.

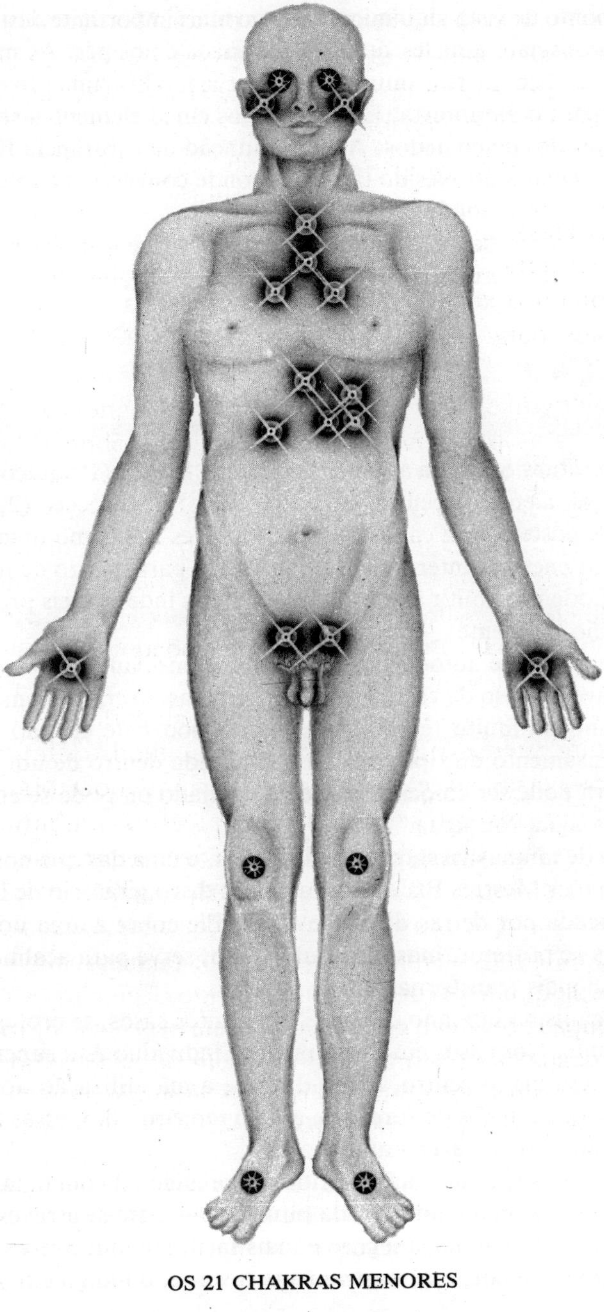

OS 21 CHAKRAS MENORES

Do ponto de vista alquímico, talvez o mais importante destes chakras menores sejam aqueles situados nas mãos e nos pés. As mãos servem para abençoar e transmutar, e constituem o instrumento mais importante para o alquimista. É nelas que os cinco elementos se expressam através dos cinco dedos. A transmutação da substância física pode ocorrer apenas através do tato, para onde convergem a intencionalidade e a materialidade.

Os pés, por sua vez, abençoam a terra sobre a qual andamos e executam o ato de transferência aos reinos inferiores.

PROTEÇÃO

A literatura ocultista antiga indica três "Portões Psíquicos" através dos quais a energia penetra no corpo físico: (1) o cóccix, (2) os rins, (3) a parte posterior da cabeça. Cada um deles age como uma galeria para que as energias interdimensionais fluam para dentro de nós, mas também podem permitir à entrada de energias indesejáveis provenientes do meio ambiente.

As práticas de autodefesa psíquica nos ensinam a proteger estas áreas através do uso de visualizações protetoras. O cristianismo e o espiritualismo há muito tempo sustentam o poder de criação de uma forma-pensamento do tipo cruz de luz contida dentro de um círculo. Esta figura pode ser colocada no local desejado ou pode-se empregar também a água (ou água "benta").

Uma de minhas visualizações favoritas, e uma das que nos foi canalizada pelos Mestres Excelsos, é a de um disco giratório de luz dourada colocada por detrás do plexo solar. Ele cobre a área dos rins e não apenas é protetor, mas, por outro lado, serve para acalmar energias emocionais transtornadas.

O organismo humano é tal que, em muitos casos, se protege automaticamente. Nos casos em que o próprio indivíduo está superativando um determinado centro, como durante a má utilização do chakra sexual, ou dos centros de força, ou até do terceiro olho, essas técnicas de proteção podem fazer muito pouco.

Nas épocas em que você se sentir sob pressão ou com uma hiperatividade — geralmente no nível da pituitária — cure-se através do uso da cor. Este é o meio mais seguro e mais fácil. Há muitos livros sobre a cura através da cor, mas basicamente o verde, o índigo e o magenta são maravilhosos quando usados em lâmpadas coloridas. E ainda, naturalmente, há a Terra (o verde curador da natureza)... que é o melhor e mais rico equilibrador de tudo.

CONCLUSÕES

Como mencionei anteriormente, os caminhos através dos chakras envolvem viagens, tanto para cima quanto para baixo, do espírito em encarnação. Ao descrever os vários chakras retratei o movimento para cima.

Ao completar a primeira parte do processo de espiritualização, o indivíduo está pronto para trazer aquele espírito de volta para baixo, para a matéria, de maneira consciente. Ele faz, então, a jornada de retorno, começando pelos chakras superiores e descendo para os inferiores. Indivíduos nesse estádio parecem estar desligados das tendências dos chakras inferiores, freqüentemente de um modo reprovável. Tendo já um certo domínio das energias, obtido através de experiências num ciclo anterior, eles ainda não as integraram no nível do espírito. Agora começa a dolorosa viagem para a densidade, que causa tanta angústia ao espírito, que voou com os anjos e viajou com os deuses.

Deixarei que o leitor extraia, em cada nível, os tipos de lições envolvidas, especialmente no nível da personalidade. Quando o indivíduo, por exemplo, desce da consciência do terceiro olho para os centros da garganta e do coração e precisa reaprender a confiar sem o uso da clarividência. Ao se mover para a densidade progressiva, precisa trazer consigo a paz, a instrução dos centros superiores aos centros de caos, desarmonia e estímulos discordantes. Uma vez integrado nos níveis mais inferiores, ele recupera a clareza de seus poderes superiores, ampliando as energias no nível da substância (chakra da base) com a amplitude do espírito.

Na jornada de reascensão, o indivíduo uma vez mais enfrentará as tentações do primeiro ciclo e cairá muitas e muitas vezes antes que tenha a coragem de, finalmente, se elevar ao Criador. Neste estágio pode parecer a ele que precisa adiantar-se aos prazeres da materialidade, da existência terrena, até que chega a compreender o sentido real da transcendência e da sublimação. Este estágio não pode ser apressado. Em cada nível há uma oferenda do eu, em sua plenitude, à Divindade. A morte final leva aqui ao derradeiro renascimento e à derradeira Ascensão — a Alquimia Final.

POLARIDADE, PARES E PONTOS DE ENCONTRO

Como dissemos anteriormente, o chakra da base no sexo masculino é positivo e no feminino é negativo. Essa polaridade continua para cima, sendo o centro do coração positivo na mulher e negativo no homem, revertendo no chakra da garganta, tornando-se positivo no nível do terceiro olho, para a mulher, e negativo, para o homem. O centro da coroa será positivo no sexo masculino e negativo no feminino.

O que isso significa? Falando simplesmente, no centro da coroa, o homem se expressará através de uma polaridade ou atividade positiva, enquanto a mulher se expressará numa modalidade mais receptiva, negativa. Uma mulher é capaz de nutrir um homem no nível dos centros do terceiro olho, do coração e emocional, e um homem é capaz de nutrir uma mulher no nível dos centros da base, do poder e da garganta. Nos chakras da base e da coroa a experiência é individual e, de fato, não há polaridade (embora no nível da matéria haja estimulação básica e liberação).

Precisamos compreender, além disso, a necessidade de vivenciar a vida através de corpos tanto do sexo masculino quanto do feminino. E mesmo se um indivíduo tiver sido predominantemente macho, ou fêmea, desde o início, ele ainda terá passado pela experiência de ter sido do sexo oposto em alguma encarnação. É por isso que cada pessoa traz consigo a memória de toda experiência possível.

Os chakras também trabalham os pares. Por exemplo: a atividade do segundo e quinto (garganta) chakras, a do plexo solar e a do terceiro olho, a do chakra do coração e da coroa trabalham juntos para um objetivo comum. Tanto o segundo quanto o chakra da garganta pertencem à criatividade. O do plexo solar e o terceiro olho estão relacionados à visão e à inteligência. Os centros do coração e da coroa expressam dimensões cósmicas. Um centro expressará a mesma função de outro num nível mais baixo de freqüência.

Como os centros (exceto os da coroa e da base) têm uma função dupla em matéria e espírito, também encerram opostos (dualidades) dentro de si mesmos, estando os principais nos níveis do terceiro olho e do coração, para os quais todas as energias convergem, de modo a facilitar a experiência do Corpo Eletrônico na encarnação física. É no domínio do coração, integrado, pleno, potente e puro, que pode residir a dimensão eletrônica do Eu Divino. É dentro do coração que podemos ouvir a voz de nosso Eu Divino individualizado, e ver sua Luz, onde podemos receber mensagens, visões e uma compreensão mais profunda Daquilo Que É. No coração estamos presentes tanto em nossos eus físico e pessoal, como em nossos eus cósmico e interdimensional. Todos os corpos, todos os chakras, todos os poderes a ele convergem. A arte secreta da Alquimia está assentada nos domínios do coração. Os poderes mais elevados estão reservados apenas àqueles verdadeiramente puros de coração. Os poderes da Luz transcendem toda escuridão.

DISFUNÇÕES

Os chakras são, de fato, um conglomerado de energias procedentes de fontes cósmicas, do inconsciente coletivo e dos mundos físico, mental e emocional. Como energias que chegam, afetam nossa química no nível da personalidade e do psíquico. Uma vez que tenhamos dominado as lições e energias de cada nível, realmente as transmutamos e as liberamos para caminhos energéticos sutis ao longo da coluna — que se espiralizam simultaneamente em duas direções. Esses dois caminhos (chamados *nadis* no Oriente) alimentam o sistema nervoso em geral, afetando o sistema endócrino, os hormônios e finalmente o próprio sangue.

A doença, sabemos, é causada pela incapacidade de absorver, transmutar ou integrar freqüências energéticas. Quando a energia chega a um chakra e, de alguma maneira, é bloqueada, ela procura se expressar através de uma disfunção psicológica. Quando uma energia já está dentro de um centro, mas se expressa negativamente (em outras palavras, sendo emitida com qualificação discordante), essa energia finalmente se manifestará através de problemas físicos. Grande parte desse processo ocorre inconscientemente. É esperança da autora que livros como este comecem a trazer um pouco de luz sobre a necessidade de uma consciência e de uma responsabilidade pessoais cada vez maiores.

CIRCULAÇÃO DE ENERGIA

Na Alquimia, a prática da transmutação envolve a geração de energia através do veículo do próprio alquimista. Na Alquimia taoísta tradicional, isso era feito através da circulação de energia pelos vários circuitos do corpo, de um modo sistematizado. Já na Alquimia aqui advogada também se faz circular a energia, mas isso não é feito através dos canais físicos.

No taoísmo, a circulação de energia se baseava em pontos do corpo físico. Aqui, na Alquimia Interior, isso é feito através das contrapartes etéricas, movido pela vontade, animado pelo sentimento e gerado pelo espírito. Os taoístas usavam uma órbita microcósmica. Aqui, criamos um Circuito Alquímico e puxamos a energia cósmica para baixo, para o próprio planeta, via organismo individual. A Alquimia taoísta, como sua parente medieval, buscava transmutar o inferior em superior. A Alquimia Interior, além disso, busca incorporar o superior.

Deste modo, a prática da Alquimia Interior é absolutamente segura. Um passo leva a outro. Cada passo é, em si mesmo, uma proteção. Você não pode continuar, a menos que tenha já o domínio do primeiro passo. Você não pode participar dos poderes da Luz, a menos que você mesmo tenha se tornado Luz. O indivíduo, aqui, está ligado às fontes de energia cósmica através da ligação de si próprio àqueles níveis. É uma viagem do eu para o Eu, através da exploração de:

I. Tempo, Espaço e Desenvolvimento da Personalidade
II. Dimensionalidade Simultânea dentro do Agora
III. Realidade Espiritual e Identidade.

CHAKRAS INTERDIMENSIONAIS

Este capítulo sobre os chakras não estaria completo sem a menção dos cinco centros de energia situados fora do corpo e dos poderes da supraconsciência gerados por eles.

Uma vez que vivemos numa realidade tridimencional, precisamos definir outra dimensionalidade em termos tridimensionais. Os chakras de fora do corpo estão localizados em outras dimensões do ser. É como se eles existissem no presente, o que de fato ocorre, e contudo fossem invisíveis ou inacessíveis a nós através de nossos sentidos tridimensionais. Porém, uma vez que tenhamos elevado nossa vibração, somos capazes de percebê-los e senti-los e participar deles. Eles se tornam tão familiares a nós como nossos poderes tridimensionais de pensar, sentir, falar.

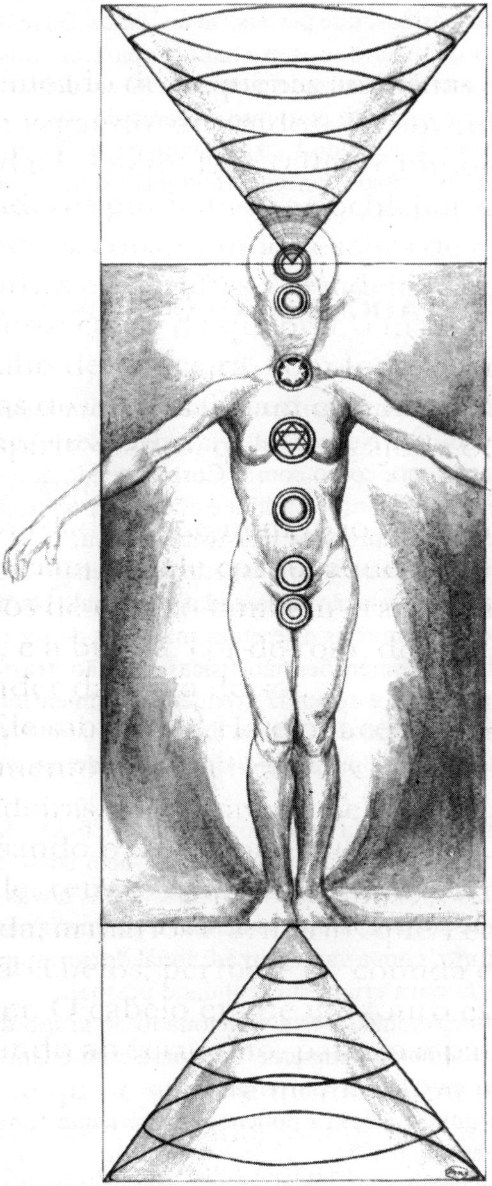

CHAKRAS E ESTADOS PSICOLÓGICOS

INCLUINDO OS ANÉIS SITUADOS FORA DO CORPO (ANÉIS DE UNIDADE)

Para explicar os chakras de uma maneira vertical, como fizemos com os sete chakras básicos, que pertencem à vida na Terra na terceira dimensão, teremos de dizer que estes chakras aparecem aos pares. O primeiro conjunto estaria localizado a cerca de 30 cm acima da cabeça e 30 cm sob os pés; o segundo conjunto, a cerca de 90 cm em ambas as direções; o terceiro, a cerca de 1,20 m. O quarto e o quinto conjuntos ultrapassariam até nossos conceitos tridimensionais e se estenderiam para o infinito acima e abaixo.

CHAKRAS E ESTADOS PSICOLÓGICOS

O oitavo chakra filtra e purifica as energias cósmica e terrena e as regula para nosso uso. Neste nível o indivíduo sente sua unidade tanto com o planeta Terra como com o Cosmo, tendo acesso às propriedades de ambas as dimensões acima e abaixo da terceira, tais como o reino elemental e expressões não-físicas do eu.

O nono chakra abre-se para uma espécie de dimensão-laboratório, para a criação e a manifestação da realidade pessoal. Neste nível, o invidíduo pode experimentar as diferentes maneiras de ser e ter. Tais imagens são criadas em dimensões não-físicas e, então, trazidas à manifestação pelas primeira e segunda freqüências dimensionais. Este chakra poderia ser chamado de Chakra da Probabilidade, possuindo um reservatório sem-fim de probabilidades e gerando uma qualidade magnética criadora.

O décimo Chakra poderia ser denominado de Chakra da Possibilidade e penetra na matéria criativa do planeta, bem como nas idéias criativas do Cosmos. Nesta freqüência criamos idéias novas e inventivas para a realidade pessoal, muito semelhante ao que faria um sábio ou pensador do futuro, com a vantagem adicional de extrair novas combinações da matéria para criar esta realidade pessoal.

O décimo primeiro chakra está relacionado ao grupo dos pensamentos criativos combinado à matéria física para criar o Universo. Poderia ser chamado de Chakra Universal.

Do décimo segundo Chakra poder-se-ia dizer que contém Tudo O Que É e, ao mesmo, o UM.

Neste ponto, é preciso compreender que estes chakras operam com ou sem nossa participação consciente. Estão localizados acima e abaixo do corpo para fins de simplificação, mas existem, na realidade, coincidentemente com nossa materialidade e não-direcionalmente. Como os outros chakras, estes são focos de energia e funções da consciência. Não faz parte da finalidade do presente trabalho fazer uma descrição detalhada dos mesmos, mas familiarizar o leitor com a realidade de tais chakras e com o objetivo mais amplo da Alquimia Divina — o campo de ação da totalidade do Eu.

A seguir, o leitor encontrará dois quadros descrevendo as características dos diferentes chakras em seus atributos puros, positivos e em seus estados reativos, com as devidas correlações com os raios envolvidos no nível de cada chakra e os corpos afetados.

Estude cada chakra e examine-se à luz da informação dada. Conheça-se em seu estado gerador positivo bem como no reativo. Use o quadro como um instrumento de autodiagnose e ajude-se também a compreender as reações dos outros. Quanto mais você compreender a dinâmica da energia no nível dos chakras, raios e corpos, melhor poderá começar a projetar o amor que cura e a energia necessária para harmonizar o desequilíbrio, e estabelecer a atmosfera de paz e cooperação que todos nós buscamos.

Por favor, note que tais funções da consciência nunca são fixas. Você tem sempre o livre-arbítrio, e as circunstâncias interiores ou exteriores criam revoltas, inversões ou acelerações de energia. Observe o ritmo de seu sono e os alimentos que você come (sem fazer julgamentos) e, então, será capaz de seguir mais facilmente os ciclos naturais e as necessidades ditadas pelo seu corpo. Os seus corpos físico, mental e emocional falam com você. Seria muito bom aprender sua linguagem e atender a estas necessidades tão delicadamente quanto o faria com uma criança.

A informação dada aqui visa a auxiliar e não a confundir. Finalmente, você é seu melhor amigo e sua intuição o seu melhor guia.

OS SETE CHAKRAS
Funções da Consciência (ao nível físico)

		Atributos	Raios	Reações Negativas/Necessidades (Quando os atributos físicos não estão integrados)	
TERRA	1º	Uso da vontade pessoal. Pureza. Comprometimento com o planeta. Responsabilidade. Segurança. Ligação com a Terra. (Base da coluna e pernas.)	7º & 4º	Alienação e nervosismo. Precisa de 12 h de sono, alimentos pesados, violência.	Rins, glândulas supra-renais, coluna espinhal. Corpo físico. Olfato e sensação.
ÁGUA	2º	Invocação. Sensibilidade à emoção, vibração (hipersensibilidade). Individualidade. Equilíbrio entre o pessoal e o social.	3º & 6º	Histeria. Sensualidade (prazer/dor). Fazer agora para o futuro, música alta, alimentos condimentados, 10 h de sono.	Etérico. Paladar. Gônadas. Sistema Reprodutor.
FOGO	3º	Mobilidade. Controle pessoal. Paz. Ausência de medo. Generosidade. Equilíbrio. Capacidade de estabelecer limites. Viagem no tempo. Método e Cooperação.	6º	Falta de cooperação; incapacidade para dizer "não". Tendência do fracasso no poder: controle através da dominação e submissão. Inveja. Necessidade de açúcares e de 8 h de sono.	Emocional. Visão. Sistema nervoso. Fígado, vesícula biliar, pâncreas e estômago.
AR	4º	Amor Divino. Tolerância. Paciência. Confiança. Estar "em contato" com o eu. Amor incondicional. Eternidade. União da consciência e matéria.	3º	Sensação de vazio. Tendência ao suicídio. Crítica. Necessidade de alimentos simples e de 9 a 16 h de sono	Eletrônico e Mental Superior. Timo, sistema circulatório, coração, sangue e nervo vago. Tato.

LUZ	5º	Vontade Divina. Poder de Criar. Expressão e Comunicação. Audição, telepatia, viagem no tempo e no espaço. Cornucópia.	1º	Confusão. Alienação em relação às outras pessoas. Introspecção. Supressão do eu. Pode transmutar todos os alimentos e seu padrão de sono é variável.	Causal. Audição. Tireóide, aparelho vocal e bronquial, pulmões e canal alimentar.
ALFA	6º	O Olho Que Tudo Vê. Concentração e consagração. Clarividência. Ordem e vontade. O futuro.	5º	Ilógico. Super-intelectual. "Desligado". Introversão, memória fraca, medo do futuro.	Corpos Mental Superior e Mental Inferior. Parte inferior do cérebro, olho esquerdo, ouvidos, nariz e sistema nervoso. Pituitária.
CONSCIÊ NCIA DE LUZ	7º	Invocação. Conhecimento. O Eu de Cristo. Sem limites. Consciência Cósmica. Unidade. Poder de transmutação.	2º	Ausência de fé. Sensação de ser controlado ou possuído.	Corpos Causal e Eletrônico e dimensões além. Parte superior do cérebro e olho direito. Pineal.

Obs.: Os três chakras superiores, isto é, o 5º, o 6º e o 7º, reunem-se na base do cérebro e funcionam como uma unidade ao nível da atividade interdimensional. Nos tempos antigos, esta parte do cérebro era chamada de "Bindu", "Portão de Jade" ou Reservatório de Graça.

RAIO	FUNÇÃO	QUALIDADE	CHAKRA	CORPO
1. Azul	Vontade de fazer	Poder	Garganta (5º)	Causal (6º)
2. Amarelo	Percepção, Ação	Sabedoria	Coroa (7º)	Eu de Cristo (5º)
3. Rosa	Amor em Ação	Amor	Coração (4º)	Eletrônico (7º)
4. Branco Cristal	Pureza	Manutenção do padrão divino	Base (1º)	Físico (1º)
5. Verde	Concentração	Ciência	3º Olho (6º)	Mental
6. Rubi, Ouro	Manutenção da paz	Devoção	Plexo Solar (3º)	Emocional
7. Violeta	Ritmo	Invocação	Umbigo (2º) ou Plexo Solar (3º)	Etérico

Linhas de Força

As linhas de força estão localizadas no corpo etérico, mas se manifestam identicamente no corpo físico como caminhos que ligam pontos diferentes dentro do organismo e que também conectam este organismo a pontos semelhantes dentro do planeta ou nos céus.

O CIRCUITO DE LIGAÇÃO À TERRA

Aqui também (como o fizemos com os chakras) falaremos sobre sistemas diferentes, que vêm sendo utilizados através das eras. O Circuito de Ligação à Terra é o caso em questão. Nas tradições meditativas do Oriente (particularmente as da Índia e do Tibete), a energia física era ligada à Terra (ou atraída para a Terra) através do chakra da base, para o corpo do planeta. A postura física empregada era a das pernas cruzadas. O propósito era atingir total vazio e silêncio interior. Inatividade. Na tradição egípcia, por outro lado, bem como nas artes marciais, a ligação à Terra é feito através das solas dos pés.

No primeiro caso, os propósitos da ligação à Terra buscada é o trabalho interior — o corpo está localizado no tempo e no espaço para assegurar a reentrada, a identificação e a estabilidade. No segundo caso, o da tradição egípcia e da Hèrmética Ocidental, bem como das artes marciais orientais, o corpo todo está envolvido. A ligação, aqui, capacita o indivíduo a usar seu corpo em movimento ou em atividade no mundo. Neste segundo caso, o serviço do indivíduo ao mundo depende da ligação entre a realidade interior e a exterior.

Ambas as modalidades envolvem serviço ou a aplicação dos princípios espirituais para a elevação da humanidade de um ou de outro modo. No primeiro caso, o serviço prestado consiste em oração e formação de pensamento e geração de substância de Luz (boa vontade, que os budistas chamam de *Bodhicitta*). No segundo caso, o serviço é a ação física no mundo, uma ação que envolve tanto a forma física quanto a espiritualidade.

PRÁTICAS DE LIGAÇÃO À TERRA

A Alquimia Interior baseia-se no princípio de que todos estamos construindo um corpo de luz, um veículo imortal, exatamente aqui no plano físico, enquanto encarnados. Estamos fazendo isso através da transmutação do corpo de densidade física e pelo despertar do núcleo ou corpo de luz, que foi nosso corpo orginal nos antigos tempos atlantes, e que serviu como modelo inicial para o atual. Por esta razão, as práticas e teorias que têm sido construídas sobre a forma física precisam ser traduzidas. O corpo principal na obra da Alquimia Interior é o etérico. É este corpo que nos liga ao Eu Superior e, através deste, ao Eu Divino.

A maioria de nós nunca se ligou à Terra o suficiente, e se achamos que o fizemos, isso geralmente foi feito de maneira errada. A substância da própria Terra está tão poluída por toxinas físicas e energéticas, que raramente é agradável "entregar-se à Terra", como alguns pensadores da Nova Era sugerem.

Se pudermos imaginar em nossas cabeças que a Terra é exatamente como somos, podemos chegar a compreender que ela também tem um corpo de luz, que ela também é um Ser de Luz. Quando proponho a ligação com a Terra não advogo a ligação com a substância física do planeta, mas sim a ligação com seu núcleo, seu coração. Agora, naturalmente, estamos falando da fixação da luz dentro de um veículo de matéria, e esta matéria age como um receptador e um emissor de freqüências, que estamos recebendo e transmitindo. Este veículo de matéria não é o seu corpo de densidade: é o seu corpo de luz, o seu etérico.

Minha crença firme é de que estamos evoluindo para uma nova freqüência de vida. Essa vida ocorrerá em níveis etéricos de atividadem exatamente como ocorre em outros planetas de nosso sistema solar. A Terra é, de fato, o *único* planeta deste sistema que tem existência tridimensional (isto é, física). Na preparação para esta nova vibração, nossos corpos e o corpo do próprio planeta estão sendo recalibrados.

VISUALIZAÇÕES DA LIGAÇÃO À TERRA

Você precisará ativar o fluxo de energia dentro do primeiro e segundo chakras e as linhas de força que correm por suas pernas. Uma de minhas maneiras favoritas de fazer isso é através da estimulação suave, como as do *T'ai Chi* e do *Aikido*. A corrida e os exercícios físicos fortes, apesar de fortalecerem os músculos das pernas, não fornecem a consciência delicada necessária à real avaliação de si mesmo, quanto ao fluxo de energia proveniente do coração da Terra.

Talvez você queira simplesmente manter a "postura do cavalo", usada como preliminar nas artes marciais, durante um período tão longo quanto for necessário para sentir o despertar do *hara* — que é o nome japonês para o centro do umbigo. (*ver ilustração à p. 102*)

Neste ponto, gostaria de dizer que há uma energia distintamente diferente usada nas artes marciais, muito embora o chakra usado pareça ser o mesmo. Tenho a sensação de que o *t'an ti'eng* (por favor, verifique se é assim mesmo que se escreve!), que é a palavra chinesa para a mesma coisa, é um foco de linhas de força superior, se não diferente. De acordo com a minha própria experiência, o centro está mais para trás, por detrás do umbigo. A sensação que tenho, quando me ligo a ele, é de um enorme poder.

De fato, os alquimistas taoístas consideravam as artes marciais uma prática essencial para a criação do veículo imortal, para a manutenção do vigor e da juventude e para a geração do poder vital necessário ao efeito das práticas da Alquimia.

Após sustentar a postura por algum tempo, você começará a sentir um tremor nas pernas. Este é o mesmo tremor que é induzido nas posições da bionergética ocidental e serve para gerar a força vital, que é a força do reflexo orgásmico. (E o orgasmo, como você pode se lembrar, é o Ato Criador Primordial — a energia que cria formas de vida.) Você pode sentir uma sensação de calor ardente no interior das pernas e tentará escapar repetidamente. O despertar dessa energia, que Wilhelm Reich conhecia muito bem, dispara as impressões bloqueadas no interior dos centros emocional e de sobrevivência.

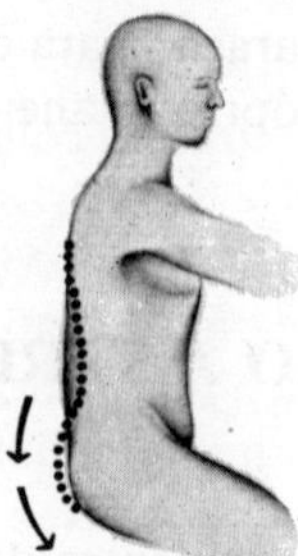

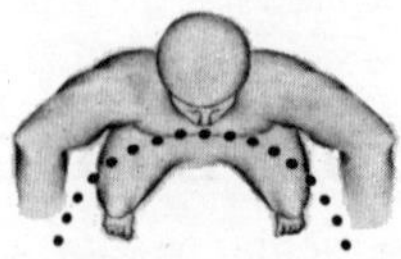

O peito côncavo tem a forma de um semicírculo.

A pélvis contraída fortalece o dorso.

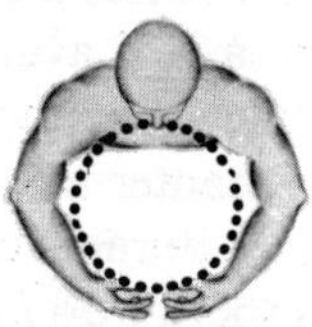

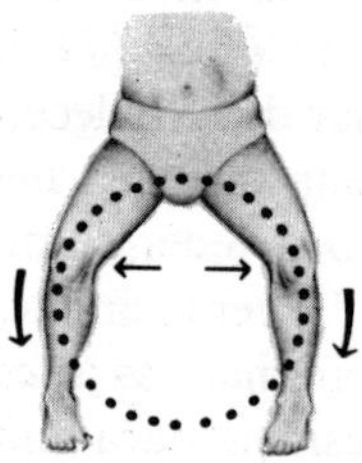

A rotundidade constrói ligações mais fortes.

POSTURA DO CAVALO

Se você puder manter a postura mesmo com o tremor, começará a sentir a excitação da energia lhe inundando. Neste ponto, sugiro que você conscientemente visualize seu *hara* conectado ao centro da Terra. Faça isso visualizando suas pernas como os dois lados de um triângulo voltado para cima, cujo vértice marca a localização do chakra. Estenda as linhas de força para baixo de suas pernas, num segundo triângulo investido, cujo vértice está localizado no centro da Terra. (ver desenho)

Outra visualização útil, particularmente se você for incapaz de usar os meios físicos para a geração do fluxo de energia vital, é o uso da imagem de um fio de terra. Este é um procedimento quase padrão nas práticas de meditação, especialmente no Ocidente. Alguns advogam a conexão com o centro da Terra através da visualização de arcos de luz fixados na região pélvica. Outros sugerirão que se alcance mentalmente o núcleo do planeta pela projeção de um fio real (geralmente dourado), que deverá estar ali seguramente amarrado a um anel imaginário.

Do fio de terra que acho mais útil é composto de partículas douradas de luz, as mesmas partículas de luz encontradas no centro da estrutura atômica do corpo. Este fio assemelha-se a uma cauda e é uma extensão do circuito central de energia dentro do próprio corpo. Talvez você queira imaginar que o seu corpo de luz está conectado ao corpo de luz da Terra através do fio de terra.

À medida que o seu corpo vai crescendo em luminescência (ao manter a visualização dos pontos de luz no centro de cada átomo de seu corpo), o mesmo ocorre com o corpo da Terra. Veja o núcleo do planeta como um núcleo central semelhante a um cristal dourado, radiante, emanando um suave brilho rosa. Sugue-o como uma criança o faz com sua mãe. Sinta-o subindo através de seu fio de terra e nutrindo-o no nível de cada átomo e molécula de seu corpo. Sinta a solidez e a segurança de estar fixado nele. Deixe seu corpo descansar com essa sensação.

Finalmente, gostaria de me referir brevemente à prática que uso em meus laboratórios mais intensivos, onde entro em maiores detalhes sobre as várias couraças de luz. Estas práticas foram utilizadas pelos essênios, incluindo o próprio Mestre Jesus, ou assim fui levada a crer. A premissa básica para as mesmas é o estabelecimento do duplo de luz no nível dos pés. Isso serve para fixar a materialidade diretamente à luz e age como uma proteção natural contra a absorção de partículas negativas da Terra e do meio ambiente. Isso é extremamente eficaz. Experimente visualizá-lo.

Comece deitando-se. Sinta uma figura de luz a seus pés, uma réplica exata de sua forma física, apenas em luz brilhante. Sinta o contato com os pés e permita que tal contato os energize. Então, puxe-o para cima, através de seu corpo. Termine selando a conexão, através da projeção de um raio circular de luz, partindo do lado direito acima de sua cabeça, ao redor e por sobre a cabeça da figura de luz e volte a fechar o círculo acima de sua própria cabeça.

Essa visualização deve ser feita rapidamente. Seu propósito é não apenas energizar o corpo físico em luz, mas expandir a capacidade de nossas mentes, de modo que nos tornemos capazes de registrar contatos instantâneos com a Luz. É um processo de aceleração e deve ser feito num lampejo. Acho confortante a relação com meu corpo de luz expressa dessa maneira. Ela também serve ao propósito de criar o equilíbrio ou a tensão necessária à criação do Circuito Alquímico, do qual falaremos depois.

A CURA E O CIRCUITO DE CURA

O Circuito de Cura é formado por linhas de força que ligam o

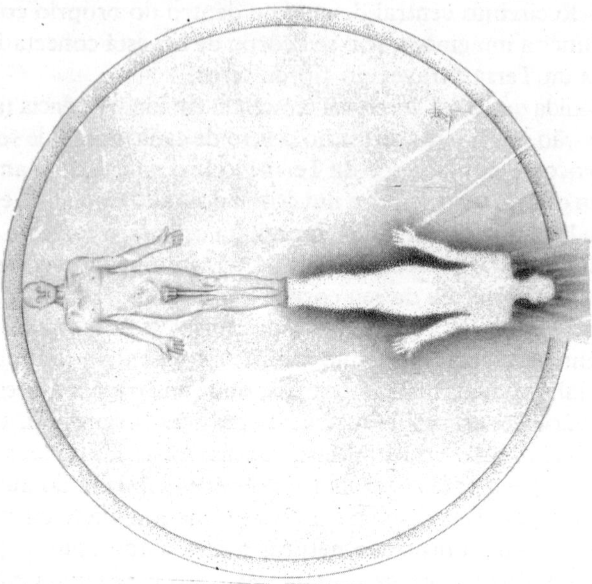

LIGAÇÃO COM A TERRA: FIGURA DE LUZ

chakra do coração com os chakras menores das palmas das mãos. Um sistema deve utilizar a energia do corpo todo, enquanto outro pode utilizar a substância-Luz pura dirigida através de meios extracorpóreos e pela projeção do pensamento. Um sistema pode defender a irradiação do amor através do chakra do coração e outro, através do plexo solar. Um utiliza o toque físico, outro o áurico, e outro, ainda, o pensamento projetado à distância sob a forma de cura à distância.

A verdadeira energia de cura provém do Espírito. Ele desce através dos chakras superiores até o *Bindu*, na base do crânio. Dali segue para o coração. Se a pessoa que cura usa a técnica de imposição das mãos, os chakras de seus ombros e mãos deverão estar especialmente abertos. Se, por outro lado, tal pessoa for o iogue invisível, silencioso, irradiará através de sua aura.

O Circuito da Cura pode envolver o uso dos chakras dos pulsos, das solas dos pés... e um número variado de outros centros. Os mais importantes, para propósitos da vida diária, são os centros localizados nas palmas das mãos. Do mesmo modo que os pés são extensões da base da coluna, as mãos são extensões do coração.

O toque das mãos, as pegadas de todas as pessoas, imprimem energia sobre as coisas vivas. E toda pessoa pode curar porque é um acumulador — um condutor de freqüências energéticas. As mãos e pés são particularmente importantes. Todos os elementos estão refletidos nas mãos e nos pés.

Os antigos alquimistas criaram suas magnetitas (a pedra alquímica mágica) carregando-as com a energia invocada de outras dimensões, requalificada com o auxílio de energias elementais e canalizada para a substância através do toque físico (via os cinco dedos da mão). Este é o método pelo qual uma substância material como o carvão pode ser refinada até o diamante, ou como o chumbo pode ser transformado em ouro. A estrutura molecular é alterada pela manipulação experiente do próprio alquimista. O padrão vibratório da estrutura atômica é elevado por intermédio do corpo do alquimista e canalizado através das mãos. E, então, essa magnetita pode ser usada para recalibrar outras substâncias.

Pense nas implicações disso... no rejuvenescimento... na cura. E este é o princípio existente por trás da antiga imposição das mãos. O sistema equilibrador de energia, chamado de Polaridade, tem uma compreensão em profundidade da estrutura energética humana, inclusive das polaridades direita-esquerda e interior-exterior. Um outro sistema é o da Técnica de Alexander. Os próprios órgãos, bem como os corpos, têm polaridades positivas e negativas. Pela união dos pólos efetua-se o equilíbrio. E a harmonia é o ingrediente mágico responsável por qualquer cura.

O abraço é um dos principais atos de cura, particularmente quando se libera uma profusão de amor e uma abundância de energia (vital) física. A energia simplesmente penetra na pessoa exaurida. A energia sempre busca o equilíbrio.

É importante que o indivíduo conheça sua força, sua constituição, sua composição energética e as utilize o mais completamente possível. É preciso conhecer quais são suas capacidades curativas. Nem todo o mundo pode curar sintomas físicos. Eu não posso. Minha constituição não me permite agir diretamente sobre condições físicas. Atuo nos corpos sutis.

Quando coloco minhas mãos em alguém, entro em contato com o seu eu superior. Nesse estado mental, estou consciente de minha ligação com meu Eu Divino. Permito que a força venha através de mim, qualquer que seja o meio necessário. Em virtude da incorporação, tenho poder sobre a forma física. Uma vez que o equilíbrio de energia ocorrerá espontaneamente e, em certos casos, produz a cura, a própria cura não pode ocorrer sem a intenção — algum tipo de oração ou invocação (a ser discutida num capítulo subseqüente). As forças de Luz precisam ser atraídas. Elas não têm poder no plano material. *Nós* temos. A cura surgirá da associação entre matéria e luz.

Quando um indivíduo não é capaz de receber o toque (seja físico, seja áurico), a energia pode ser projetada através do pensamento. Uma vez que a substância física não é contactada diretamente, contacta-se o corpo emocional. E isso pode trazer uma certa reestruturação no plano físico. Todas as vezes que um indivíduo assim deixar uma sessão, vai se sentir relaxado, enaltecido.

Sempre que faço um trabalho de equilíbrio energético, que faço espontaneamente, nunca sabendo quanto tempo as mãos permanecerão em certo lugar ou mesmo se esse lugar corresponde a uma tal e tal condição, e sem qualquer certeza de primeiro, segundo ou terceiro grau em Reiki ou qualquer outra coisa... o indivíduo sente-se aliviado, energizado. Em geral, cai no sono, que é o que mais se busca após a situação, como se a mente (que é o que normalmente interfere no processo de cura) fosse colocada de lado. A atividade mental se reduz, deixa o corpo... e, nesse ponto, as forças que agem através de mim são capazes de produzir o equilíbrio, o alinhamento, a vitalização, a recalibragem ou o relaxamento procurado, precisamente no nível do corpo físico. O processo de transmutação começou.

Pelo simples fato de estar em alinhamento com as forças de Luz, através de minha vida e de minha invocação consciente, quando alguém entra pela minha porta, encontra a paz... as vibrações da Luz.

Todo mundo pode fazer isso.

VISUALIZAÇÃO PARA A CURA

Para curar a si mesmo:

> Visualize uma grande Estrela de Davi dourada, feita de amarelo-ouro brilhante, bem à sua frente. Olhe esta estrela feita de fogo dourado brilhante.
>
> Note a aura de um branco brilhante ao redor dela...
>
> Observe, no centro dessa estrela, uma esfera branca brilhante... um sol branco pulsante... que parece estar longe, muito longe... no infinito...

MEDITAÇÃO ESTRELA DE DAVI
(ESTRELA DE SEIS PONTAS)

Ande (em sua mente) em direção à estrela e, através dela, para o Sol Central... Funda-se a ele... absorva-o... deixe que ele o absorva... seu corpo... sua aura...
Fique calmo e compreenda que: "EU SOU... Deus".

Para curar outra pessoa:

Carregue o símbolo da estrela dentro de seu próprio chakra do coração. Fique com ele. Mantenha sua intensidade.
Visualize a forma física da pessoa que você deseja ver curada... e coloque-a dentro do Sol Central.

Há muitas, muitas visualizações belas e eficazes que podem ser usadas para atrair a força da Luz necessária para se efetuar a cura espiritual, o alinhamento e até mesmo a reestruturação física.

Explore as formas e cores que o inspiram e enaltecem.

As Linhas de Força fornecem o circuito básico. Criam os caminhos que possibilitam a obra alquímica, através da união das polaridades da Luz e da matéria. Esta obra geralmente é dividida em:

Transmutação: toda cura e recalibragem.
Precipitação: manifestações físicas e não-físicas.
Eterealização: a purificação da densidade e sua reestruturação em formas-Luz.

Há dois circuitos mais básicos que gostaria de mencionar, embora brevemente, pois eles delineiam mais claramente os aspectos da materialidade e da espiritualidade inerentes a uma obra desta natureza.

O circuito da *kundalini* é fundamentalmente aquele que foi utilizado pelos antigos alquimistas taoístas e pelos iogues hindus. Consiste na circulação da energia através dos chakras, num movimento circular contínuo, que serve para ativar os chakras, acende progressivamente cada um deles com a energia do primeiro e continua a amplificar essa energia pelo crescimento da quantidade de movimento através da circulação.

A intensidade crescente dessa visualização estimula o circuito da *kundalini* a entrar em atividade e freqüentemente força uma passagem. Isso provou ser perigoso à saúde física, mental e emocional. Conheço uma pessoa que ficou particularmente amedrontada pelo despertar prematuro de sua *kundalini*. Praticava assiduamente os ensinamentos de Gopi Krishna e quase ficou louca durante o processo, o que a fez retroceder vários anos, temerosa de entrar em contato novamente com as energias espirituais.

O circuito mais direto e mais seguro é o Circuito Espiritual, pela ligação do eu pessoal ao Eu Divino, através do sentimento, da visualização e da afirmação. Esse circuito liga as linhas de força cósmicas com as planetárias, para criar o que tenho chamado de Circuito Alquímico. Este consiste na reunião das energias dos chakras inferiores no chakra do coração, onde são transmutadas de fogo para luz.

Do coração, a força gerada passa através dos centros da garganta, do terceiro olho e da pineal e, além destes, através do centro da alma, em direção ao eu superior... conectando-se finalmente ao Eu Divino na décima segunda dimensão. E o Eu Divino devolve a força através de energias apropriadas e de graça infinita.

A abordagem da Alquimia Interior não compreende propriamente a circulação de energia dentro do corpo. Ela capta a energia do núcleo da Terra e a liga com os céus: o Circuito Alquímico, que será discutido mais detalhadamente na próxima seção.

Respiração

A prática da Alquimia, bem como muitas outras disciplinas metafísicas e esotéricas, envolve o uso calculado da respiração. Há estudos realizados que confirmam o fato de que a respiração leva a força vital por todo o corpo. Quanto melhor, mais profunda e mais completa for a respiração, mais vitalizados e saudáveis nos sentiremos. A respiração acelera o sangue e energiza o sistema.

Nos processos que tenho utilizado, dentro do contexto da Alquimia Interior, a respiração também desempenha um papel muito importante. É talvez a maneira mais simples de se alterar estados emocionais e a tensão física. Uma respiração profunda serve para oxigenar o sangue num tal grau, que a fadiga é minimizada, mesmo no meio da poluída vida urbana.

Os antigos conheciam a função da respiração. Parte do sistema iogue do Pranayama consiste em variar as formas de respirar. A respiração equilibrada padrão — contagens iguais tanto na inspiração quanto na expiração — era uma prática igualmente importante nas tradições ocidentais, inclusive a egípcia e a druídica. O uso de mantras e cantos, tanto no Oriente quanto no Ocidente, é uma das maneiras mais agradáveis de se estender e prolongar a respiração.

Por que é importante respirar de maneira equilibrada e por que é aconselhável estender a contagem em certos casos? Uma respiração equilibrada cria ou mantém um veículo físico equilibrado através da equalização dos lados esquerdo e direito do corpo, do cérebro e do sistema nervoso. O fluxo estável de oxigênio simplesmente limpa de obstruções, fixações ou bloqueios que possam existir na mente, nos sentimentos e no próprio corpo. Após alguns minutos de respiração equilibrada, você se sente mais relaxado e, portanto, mais receptivo às percepções mais refinadas.

Cantos, mantras e todas s formas de canto e recitação forçam o organismo a tomar respirações mais profundas, aumentando assim a entrada de oxigênio, a retenção e a exalação. Cantar, particularmente músicas religiosas, é talvez a maneira mais fácil de abrir a porta às forças espirituais.

Outra das práticas aconselhadas no sistema iogue é a retenção da respiração, tanto após a inspiração quanto após a expiração. Ao praticá-la, você notará que, enquanto retém a inspiração, com os pulmões cheios, você não apenas terá uma sensação de explosão, mas começará a sentir um formigamento quase imediatamente após encher os pulmões. Quando você mantém os pulmões vazios, logo após a expiração, experimentará uma sensação de colapso muito próxima do medo e, contudo, o resultado final também o levará à sensação de formigamento. Os pulmões vazios nos compelem a inspirar mais profundamente na vez seguinte, para compensar. O pulmão cheio poderia ser interpretado como a plenitude da Vida ou nascimento; os pulmões vazios poderiam ser encarados como o vazio ou noite, o aspecto da morte. Observe em si mesmo qual o aspecto da Vida que mais o assusta: se os pulmões cheios ou se os vazios. Examine seus próprios padrões respiratórios. Estamos constantemente, embora quase sempre de maneira relutante, morrendo e renascendo.

Estes padrões respiratórios e muitas outras variações sobre o tema serão evidenciados não apenas no Ioga, mas também nas práticas do Tao, o aspecto esotérico do *Shinto* — chamado *Shugindo* — e na adaptação moderna denominada Renascimento. A respiração é absolutamente fundamental para qualquer obra de transformação. A respiração age sobre o sangue, que transporta a força vital e as colorações cósmicas através do organismo físico, afetando corpo, mente e emoções.

É impossível respirar completamente e ficar zangado ou triste. Observe-se. Conscientize-se de como respira, quando passa por algum de seus estados de mau humor e verá que, em qualquer caso, estará retendo a respiração. Em algumas situações emocionais, você inspirará mais do que expirirá; em outras, ocorre o inverso. Em alguns estados emocionais, você respirará mais através da boca e, em outros, mais através do nariz.

Há um propósito para ambos os casos: a respeiração através da boca e aquela através do nariz. Os sufis têm um sistema de respiração segundo os elementos. Cada tipo de respiração provocará o sentimento e a integração daquele elemento dentro do corpo. Por exemplo: a respiração (inspiração e expiração) através do nariz intensificará a purificação do elemento terra. A respiração pela boca intensificará a experiência do elemento ar. A inspiração através do nariz e a expiração pela boca produzirá um sentimento de água e a inspiração pela boca e expiração pelo nariz intensificará o fluxo do fgo através do corpo. Deste modo, o indivíduo se torna capaz de equilibrar seu corpo e transmutar estados emocionais em estados positivos equilibrados de harmonia e criatividade.

As antigas práticas orientais, particularmente o Ioga, defendem o uso exclusivo da respiração pelo nariz. Isso levou os seguidores modernos a crer que isso é ainda um fato. Novamente deixe-me repetir que não apenas nossa fisiologia mudou, mas também se alterou a nossa estrutura dos chakras. Além disso,quando estamos no movimento ascendente do ciclo de energia, precisamos utilizar mais a respiração terrestre e, quando estamos no movimento descendente, precisamos da respiração do elemento ar para continuar a jornada de precipitação na matéria.

A Alquimia Interior envolve todas as disciplinas e as adapta às necessidades individuais, em vez de tentar ajustar o indivíduo a um sistema. A Alquimia Interior está baseada na respiração, como o mais essencial dos ingredientes da transmutação e da criação, pois a respiração é o condutor da energia primária, tanto no movimento ascendente quanto no descendente, fornecendo combustível e fogo.

Do mesmo modo que as Linhas de Força servem como veículos para a energia e para a Luz, a respiração serve como condutor do fogo sagrado da respiração da Divindade. A respiração contém vida — fogo e Luz. Também conduz as qualidades do indivíduo. A respiração é um condutor que serve para transferir energias de todos os tipos, bem como para firmar e para despertar. Nas mãos de um pesquisador de energia habilitado, a respiração pode ser usada para dispersar ou acender energias dentro da aura. Quando a respiração é, posteriormente, impregnada com som e conscientemente dirigida, seu alcance é ainda maior. É por isso que a palavra falada é um instrumento tão poderoso.

É preciso dizer que, alquimicamente, um beijo não é apenas um beijo. O que ocorre no beijo envolve energia mais uma transferência de vitalidade por meio da respiração e da saliva. A saliva transporta a força vital física ou registros etéricos do indivíduo. Muitos atos sagrados, particularmente aqueles relacionados à troca de respiração e de fluidos do corpo pela intimidade e sexualidade e que, inicialmente, foram realizados com grande reverência, discernimento e deliberação, perderam seu significado interior e tornaram-se instrumentos de persuasão, manipulação e influência desconhecidos pela humanidade. Um beijo é um ato poderoso de transferência de energia em muitos níveis, visando a criar uma ponte de amor.

Quero mencionar rapidamente que todos os fluidos do corpo, particularmente o sêmen e a secreção dos fluidos vaginais, carregam a força vital do indivíduo. O poder de uma mulher sobre um homem, por exemplo, é ampliado pela retenção do sêmen do homem dentro dela e os efeitos desse vínculo perdura por meses. A compreensão disso é suficiente para fazer o indivíduo parar e considerar não apenas as suas intenções, mas também a santidade da Vida manifesta em toda parte, os poderes da força vital e a magnificência do Espírito de Vida maior que a tudo impregna.

ONDAS CEREBRAIS, RESPIRAÇÃO E FACULDADES ESPIRITUAIS

As ondas cerebrais são um reflexo da atividade neural no cérebro. Quanto maior ou mais rápida for a atividade cerebral, mas lógico e racional o estado da mente. Quanto mais lenta essa atividade, mais indefinível e sobrenatural é a experiência no nível da mente.

No nível chamado *Beta*, a atividade neural é de 14 a 22 ciclos por segundo. Este é nosso estado de consciência alerta comum, que também corresponde, segundo estudos realizados, a cerca de 18 respirações por minutos. Esta é a consciência tridimensional média.

No nível *Alfa*, a uma taxa de 7 a 14 ciclos por segundo, temos o estado de transe leve, uma capacidade comum raramente reconhecida como tal. A eletrônica de computadores e a televisão criam naturalmente um estado alfa, que abre a psique à programação subliminar e ao controle hipnótico. Este é o estado de devaneio que, em estádios mais profundos, torna-se habilidade psíquica e visão colorida nos sonhos. As sensações do corpo durante este padrão são de leveza e formigamento. É o estado natural dos animais, que possuem um senso elevado de percepção e são capazes de enxergar além do espectro de cores e de ouvir sons imperceptíveis ao ouvido humano. O padrão respiratório correspondente nesse estado é de 10 respirações por minuto.

A seguir, temos o padrão *Teta* da atividade cerebral, a uma taxa de 4 a 7 ciclos por segundo. Este estado geralmente está presente no sono ou no transe meditativo, onde a mente inferior está subjugada e a atividade do próprio corpo físico está silenciada ou paralisada. Este ritmo é o estado natural das plantas. Quando seres humanos conscientemente se encontram nesse estado, são capazes de enxergar auras, viajar no espaço, fora do tempo e interdimensionalmente. O padrão repiratório aqui é de 6 respirações por minuto.

Finalmente, nas variedades de padrões conhecidos de ondas cerebrais está o estado *Delta*, com 1/3 a 4 ciclos de atividade neural por segundo. Este é o estado de sono profundo sem sonhos. Tenho o pressentimento de que este é o estado em que cai o corpo físico, quando nos encontramos nos estados mais altos da atividade espiritual e interdimensional. Diz-se que este é o padrão predominante na transmissão mental à distância e na transferência do corpo. Não há acesso ou saída deste estado senão através de meios interiores, tais como a meditação e a experiência espiritual transcendental.

Normalizar a respiração é um dos meios mais rápidos de se regular os padrões cerebrais e de se ter acesso a estados superiores de consciência. O método que uso exige que se respire pela boca em quantidades cada vez maiores, de uma maneira muito semelhante à das práticas do Renascimento ou do *Shugindo*. Um bom praticante do Renascimento o guiará a estados mais profundos, através da alteração de seu padrão respiratório, persuadindo-o gentilmente a passar para estados cada vez mais superiores de consciência, particularmente através dos níveis de inconsciência encontrados nos estádios Teta e Delta. Ele também saberá quando é aconselhável levá-lo através dos estágios iniciais de liberação emocional e para além da realidade.

A viagem através das práticas respiratórias intensificadas e dirigidas é a jornada do eu através dos diferentes estados de consciência, a partir de estados intensamente físicos e emocionais para os estados mental, mental superior, psíquico e espiritual. Isso é possível porque você está acelerando o nível de vibração de todo o seu corpo, começando pelo sangue através das células, o cérebro e todo o circuito energético. A respiração através da boca facilita esse processo muito mais do que pelas narinas, porque afeta toda a estrutura celular. A respiração pelas narinas pertence a épocas passadas e a estados fora do corpo, que freqüentemente estão desligados do processo de recalibragem física.

Enquanto suas ondas cerebrais diminuem a quantidade de atividade física, as faculdades superiores de percepção manifestam-se. Finalmente você estará em associação, porém momentaneamente, com seu Eu Superior. Você pode entrar nos domínios da Luz, geralmente inacessíveis nos estados de alerta. Com o guia adequado nesses períodos em que você normalmente perde a consciência, você pode perceber outras realidades, que normalmente não perceberia.

PRÁTICAS SUGERIDAS

Como prática inicial, sugiro que você se torne consciente de como respira e altere esse padrão. Respire completa e mais profundamente. Experimente respirar pelo nariz em contagens iguais — o mesmo número de contagens para a inspiração e para a expiração. Depois, experimente respirar do mesmo modo pela boca. Retenha a respiração... na inspiração... na expiração...

Revisão

Agora que já delineamos a anatomia energética básica do ser humano, o que faremos com ela? Parece um aparelho altamento complexo, muito complicado para ser monitorado conscientemente. Relaxe. Você não precisa se preocupar. A vida cuida de si mesma. E o mesmo se dá com sua evolução. Seu eu superior cuida dessas funções e controla tudo. Você é seu próprio gerador e guarda-livros em um só. Está nesta existência tridimensional para explorar e dominar detalhes. Está aqui para viver completamente em todos os níveis de existência possíveis nesta dimensão. Participa das formas de vida mais superiores e mais inferiores. Dentro de você os elementos vivem e se multiplicam e, por sua vez, criam e evoluem. Para eles, também você parece tão vasto e infinito quanto o conceito da décima segunda dimensão possa lhe parecer agora.

O único ato que você precisa realizar é o da consciência. A única coisa que precisa fazer é estar presente para si mesmo e para suas faculdades, enquanto elas evoluem e se expandem. E se você quiser fazer horas extras, poderá fazê-las por sua livre vontade. Quando você se lembra de reservar algum tempo para praticar, a vida se torna uma aventura excitante, onde coisas cada vez maiores estão sempre ao alcance.

Mas, pelo simples fato de você ter lido este livro até aqui, podemos concordar que já está interessado em se aperfeiçoar e em aprender a arte do autodomínio. Vamos revisar. Você tem sete veículos ou corpos. Sua vida física gira ao redor da realidade tridimensional e corresponde à atividade dos três primeiros corpos: o físico, o emocional e o mental inferior. Neste nível, seu aparelho físico é regido pelo sistema endócrino, que afeta todas as suas partes. Este sistema endócrino é alimentado pela atividade dos chakras.

Os chakras são uma função dentro de você, que existe num corpo de luz, que é uma cópia de seu corpo físico. Estes chakras são criados pela atividade dos raios cósmicos, emanados de outras dimensões que não a física, bem como de respostas ambientais e internas. A atividade desses chakras é criada pelo nosso eu superior, elevada, distorcida ou atenuada por nosso eu pessoal. Nesse ponto, você pode ver quão importante é a compreensão de seus mecanismos, conscientes e inconscientes.

Então, os chakras facilitam não apenas as funções na terceira dimensão, mas também agem como antenas para outras dimensões de nossa existência. Devido ao fato de nossos chakras estarem localizados em nosso quarto corpo, o etérico, que é o veículo utilizado na encarnação para todas as viagens fora do corpo, percebemos, através dele, outras dimensões. Os sete primeiros chakras têm acesso à informação pertencente à vida na Terra. Através dos quatro chakras superiores podemos contactar outras dimensões e traduzir isso na existência tridimensional. O oitavo, nono e décimo chakras, localizados fora do corpo, estão relacionados às quarta, quinta e sexta existências dimensionais. O décimo primeiro e décima segunda chakras estão relacionados diretamente à 11ª e 12ª realidades dimensionais.

Mas os chakras não constituem o único meio para se vivenciar outras dimensões. Podemos também experimentar a vida interdimensional através de nossos outros corpos. Estes outros corpos, no caso o quinto, o sexto e o sétimo, são acessíveis através de meios espirituais: são corpos de luz e reagem diretamente às Leis da Luz. Nestes corpos, que, na verdade, são estados de consciência, experimentamos a nós mesmos em vários graus de consciência, desde a espiritural até a cósmica.

O que tudo isso significa para o alquimista? O alquimista se conhece e sabe que sua capacidade é infinita, particularmente no nível da evolução espiritual. O alquimista conhece a supremacia da Luz sobre a tecnologia, sobre a matéria e, finalmente, sobre a própria mente. O alquimista tornou-se íntimo do Criador nos recessos mais profundos de seu ser. O alquimista escolheu associar-se com o Criador no serviço à Luz. O alquimista usa todos esses aspectos de si próprio (toda a sua "família de eus", por assim dizer) para ajudá-lo a co-criar, a transmutar, a curar e abençoar seu mundo imediato, seu ambiente e seu planeta.

COMO TRABALHA O ALQUIMISTA?

O primeiro estágio é o trabalho sobre a personalidade. O segundo, que pode coincidir com o primeiro, é a exploração do eu pessoal através do tempo e do espaço. Ao purificar sua personalidade, torna-se capaz de alcançar memórias de outras vidas. Isso ocorre naturalmente, mas pode ser intensificado pelo conhecimento da anatomia energética. Nesse ponto, o alquimista aspirante começa a viagem consciente de identificação com sua herança divina. Deliberadamente, acende o fogo dentro do coração e inicia o árduo caminho de subjugação das reações instintivas dos três corpos inferiores. À medida que progride, terá acesso aos chakras superiores e, através deles, a outras realidades, outras dimensões da existência. Então começa o terceiro estádio de exploração: a existência multidimensional.

Você pode perguntar: "Qual a diferença entre este caminho e aquele trilhado por todos os adeptos, alquimistas e metafísicos do passado?" Em alguns casos pode não existir qualquer diferença. Na grande maioria, porém, o objetivo era o amor ao poder. Aqui, na Alquimia Interior, o objetivo é o poder do amor e a profunda compreensão de que este é, de fato, o poder maior. Todos os estágios acima descritos são possíveis apenas através da atividade do espírito. Ao crescermos na consciência desse fato, em profunda humildade e gratidão, o poder do espírito se intensifica, como o faz um amigo em resposta ao amor. Pois o Eu Divino é, realmente, a Única Presença agindo em todas as coisas. Este é o segredo da Arte da Alquimia Interior.

As Faculdades Humanas

O Poder do Sentimento

Você já se perguntou: "O que são sentimentos?", "De onde eles vêm?", "Para onde vão?", "Qual é a dinâmica por trás deles?" e, finalmente, "Para que servem?" Talvez você não tenha feito essas perguntas exatamente deste modo e, contudo, gostaríamos muito de saber de onde provêm a raiva, o medo e a tristeza. Não satisfeitos com as explicações comuns de que estes estados simplesmente acontecem, que são estados de ânimo e que todos nós os temos (embora algumas pessoas sejam mais melancólicas do que outras), começamos a explorar a causa dos sentimentos.

No curso dessa exploração, chegamos a discernir os bons dos maus sentimentos, a motivação, a intenção e toda relação de atividade para um sentido de valores evolutivos. Porém o que não compreendemos de início é que a emoção é um fenômeno coletivo. Estamos, na realidade, nos movendo num oceano de sentimento e emoção, gerados por milhões de pessoas que já se foram antes de nós, milhões que estão ao nosso redor e milhões que estão esperando para continuar a sentir as emoções ou as ações das leis de causa e efeito nos níveis inferiores da matéria.

SENTIMENTO E EMOÇÃO

O sentimento é a energia do amor, criativa e autogerada. A emoção são os movimentos humanos do sentimento, a miríade de permutações e qualidades do amor e de sua ausência. O sentimento é a faculdade de experimentar, e a energia gerada por tal experiência. A emoção é um fenômeno humano, enquanto o sentimento é uma faculdade, uma potência, um poder que se origina do além — um dos três poderes básicos no homem.

Há um mundo de diferenças entre sentimento e sensação. A sensação está relacionada aos sentidos físicos. O sentimento é não-físico. É realmente uma função do coração traduzida em irritação, raiva e ganância, medo, possessividade ou orgulho, pelo indivíduo, cuja consciência pode estar alojada num dos chakras inferiores. Para o indivíduo, cuja consciência está sendo expressa através de um dos chakras superiores, este sentimento traduz-se em humanitarismo, alegria, prazer, generosidade, realização e uma vasta gama de satisfações estéticas.

MECÂNICA

Somos uma consciência, uma inteligência dentro de um veículo de matéria. A matéria é composta de diferentes ingredientes em diferentes tipos de atividade (atômica e molecular, elétrica, magnética, eletrônica, sônica etc.). Vivemos também num corpo de sentimento que, no que se refere à substância, não tem nada a ver com a matéria física, mas ressoa em sincronia com ela. Este é o segundo corpo. O terceiro corpo, ou corpo mental inferior, possui um tipo diferente de substância e ressoa em sincronia com o primeiro e o segundo corpos. Os três primeiros corpos realmente se movem como um só — estão entrelaçados naquilo que chamamos de personalidade.

Isso significa que o que quer que aconteça física, mental ou emocionalmente terá se originado ou motivado por agitações em um dos outros dois corpos. A psicologia está totalmente empenhada na compreensão dessa inter-relação, mas até hoje não compreendeu realmente os mecanismos subjacentes à inter-relação ou a dinâmica que atua em cada um. A psicologia tem se entrincheirado na linearidade, que é uma propriedade do corpo mental inferior. O sentimento não é linear; é concêntrico.

Poderíamos comparar a atividade dos três corpos inferiores à atividade dos elementos terra, água, ar e fogo. O corpo físico corresponderia à densidade, estabilidade e solidez da terra. O corpo emocional corresponderia à água, sua fluidez, suas propriedades de congelamento e evaporação, sua capacidade de correr, rolar, espelhar e contornar. O corpo mental corresponderia às propriedades do ar, frio, seco, cortante ou refrescante e estimulante. O fogo diz respeito à consciência, ou espírito, e acende todas as coisas para as quais e dirige — é a centelha da vida superior dentro dos corpos.

Estes três corpos e suas propriedades são parte da experiência do planeta. Todo mundo as tem, embora em diferentes graus e qualificações. É como se a cada um de nós tivesse sido confiada por esta grande entidade, o planeta Terra, uma parte de si mesma — estes três corpos. A maneira como deles cuidamos refletir-se-à na própria Terra.

Aqui é onde entra o conceito de qualificação, do qual tratei rapidamente na introdução. O sentimento amplia a energia. Como inteligência, temos a capacidade de pressentir algo e dar-lhe energia através de nosso sentimento. Quando achamos que uma coisa é bela, esta coisa se torna realmente bela; quando achamos uma coisa feia ou pavorosa, tal coisa assim se torna. Tudo aquilo que observamos cria em nós um sentimento, ou através de repetição do passado, de novidade do presente ou através de uma intenção construtiva — um ato de vontade.

"Qualificamos" tudo o que olhamos. Estamos constantemente qualificando todas as coisas de nosso ambiente através de nossos sentimentos. Quanto mais as pessoas vêem alguma coisa de uma certa meneira, mais esta coisa se conformará ao modo como as pessoas a vêem. Se muitas pessoas, por exemplo, encararem o sexo como um mal, então o sexo manifestar-se-à como um mal. Se muitas pessoas enxergarem a morte como pavorosa, então a morte será pavorosa. O que sentimos amplia aquilo que existe e, quanto maior o sentimento, maior a ampliação. Há muitos conceitos assim compartilhados, inclusive o processo de envelhecimento e degeneração. Nosso tempo de vida é tão curto nesta época (quando comparado com o dos antigos), não apenas devido aos poluentes e ao *stress*, mas também por causa de um consenso de que nos deterioramos com a idade.

Quando muitas pessoas de uma mesmo localidade pensam e sentem de um mesmo modo, formam-se as idiossincrasias culturais. Quando toda a população da Terra sente do mesmo modo, temos uma crença poderosa e profundamente enraizada. Este sentimento de massa cria tendências emocionais e turbilhões de energia, que agem com tremendo impacto sobre o indivíduo, influenciando suas próprias energias através da superstição, sugestão ou controle hipnótico.

A energia do corpo emocional, em seu estado puro e não contaminado, parece e é percebido como um misto cintilante de finas cores, quase como elas aparecem numa bolha de sabão. Quando esta energia é qualificada — modificada, intensificada ou congelada — pelo indivíduo, toma uma coloração e uma densidade diferentes. Suas cores tornam-se mais profundas e mais turvas. As cores não estão mais atuando através do espírito, como quando se encontram em seu estado puro. Elas agora refletem o egoísmo ou obstinação da vontade individual. Nesse ponto, através da agitação das correntes inerentes de energia dentro do corpo emocional, em turbilhões. Todas as vezes que o indivíduo sente de um mesmo modo, ele aprofunda o sulco, cria um turbilhão mais poderoso, que age como um remoinho, como que para captar magneticamente energias para si mesmo, para colorir essas energias e, então, irradiar suas propriedades, afetando todas as coisas à sua volta. O sentimento, agora, transforma-se em emoção, suga você e você se sente desamparado. Antes que o saiba, estará projetando raiva, medo, tristeza... através do energia do *momentum*. Você perde o controle sobre si mesmo. O turbilhão serve para estimular, agitar, seduzir ou, por outro lado, engolfá-lo em sentimentos negativos, tais como irritação, insatisfação, frustração, ganância, orgulho ou repressão, fora da estimulação habitual e inconsciente.

Quando os turbilhões criados pelo indivíduo são diferentes daqueles de sua localidade ou Era, ele sente-se mal. Quando esses vórtices correspondem àqueles que o cercam, são, naturalmente, ainda mais intensificados.

Os corpos emocional, mental e físico, como já disse anteriormente, são criados a partir de uma cópia etérica — o quarto corpo. Esta cópia etérica contém o registro (conhecido como "registro akáshico") de todas as ações, sentimentos e tendências experimentados em encarnações anteriores, inclusive os turbilhões emocionais. Quando você chega à atual encarnação, tem a história de todas as suas atividades passadas para aprimorar — seus gostos, desgostos, medos, dúvidas, orgulhos e limitações. Tais registros não mudam até e a menos que *você* (o único a ter a chave, pois eles são *parte* de você) os altere, através da requalificação deliberada, consciente. Não controlados, estes impulsos ou compulsões continuarão a se intensificar, como características de sua vida atual e somando-se à profusão de impulsos gerados pela Época, pela cultura, pelo plano de vida individual e pelas sementes do comportamento passado.

Você pode ver então quão importante é trabalhar suas emoções — compreendê-las, enfrentá-las e dominá-las, de modo que o poder de sentimento possa ser liberado para animar e aumentar a criação consciente. É importante desembaraçar-se da influência concentrada de energias e de seus próprios hábitos inconscientes, que o compelem e o dirigem para padrões de comportamento não autênticos ou que alimentam um *momentum* passado, que pode não ser mais seu objetivo nesta vida. No passado, tentamos dominar nossa emotividade pelo retiro realizado de algum modo — no Oriente, através da meditação e da ciência esotérica; no Ocidente, através da filosofia e do pensamento introspectivo ou da psicologia.

A causa das doenças dos dias atuais provém de uma falta de compreensão da mecânica do corpo emocional. Este corpo tem, por assim dizer, uma mente própria, a dos hábitos, impulsos e desejos não expressos ou incontrolados, anseios e aspirações das mais grosseiras às sublimes. Em algumas escolas psicológicas de pensamento, tais impulsos são denominados de ego, id, libido etc. No Oriente são chamados simplesmente de ego — aquilo que separa você da Fonte.

Está se tornando cada vez mais óbvio que a maneira, em tudo e por tudo, de conduzir as emoções não é através da filosofia ou da mente, mas através de uma outra freqüência, uma freqüência mais alta do que a do espírito. Este é o poder de transmutação citado pelos alquimistas, que reconhecem o poder oculto do sentimento na criação dos universos, partindo do pessoal para o cósmico.

Mas antes que possamos falar sobre a criação de universos, precisamos compreender nosso universo pessoal, principalmente a interrelação de corpo, mente e sentimento. Eu disse que o sentimento era uma função do coração e que ele é um poder que vem do além. O coração, você se lembrará, é "A Residência do Mais Alto Deus Vivo": o Deus "EU SOU". É nossa ligação direta com nosso Eu Divino individualizado no nível do décimo segundo plano, a fonte de nossa Vida e nossa Luz. Este Eu Divino fala através das atividades do coração, e os ensinamentos bíblicos, bem como muitas escrituras antigas, concordam sobre a necessidade de "se nascer novamente" nos atributos do coração — inocência, pureza, humildade e fraternidade.

Esta voz do coração é "A Vontade de Deus" ou vontade divina. *O sentimento, então, é uma função da vontade.* Quando ouvimos o coração, estamos em sintonia com a Divindade; quando ouvimos nossas mentes, sem considerar o coração, fazemos mau uso da vontade ou atuam sob nossa vontade pessoal. Talvez fosse isso o que o Mestre Jesus quis mostrar, ao dizer: "Pai, Seja feita a SUA (e não a minha) Vontade!". E eis a chave do segredo para a arte da transmutação — o poder do sentimento através de um coração puro, que expressa a Vontade da Divindade.

Neste ponto, devemos responder, nós mesmos, à pergunta: "Para que servem os sentimentos?". A resposta é: para gerar a Vontade de Deus. Criar através do poder do espírito. Transformar os turbilhões de sentimento em instrumentos de transmutação. E como, você poderia perguntar, fazemos isso? Através da compreensão de quem e do que somos; pela escolha deliberada, consciente, ou pela força de vontade. Fazemos isso escolhendo nos identificar com nossa herança divina, nossa unidade com Tudo O Que Existe, mais do que nos identificar com as leis físicas da matéria e com a temporalidade. Nossa decisão, nossa afirmação, nossa pretensão como Seres de Luz nos trazem o domínio, a maestria e a unicidade com a Divindade.

Há práticas específicas recomendadas aqui para este processo de transmutação. Todas elas começam com a vedação do eu às energias influenciadoras, através da formação de uma forma-pensamento que se assemelha a um cilindro de luz. Dentro desse cilindro, convidamos o fogo do espírito, através da atividade do sétimo raio de transmutação: a chama violeta. Então, nos determinamos a exercer nossa divina vontade, para nos identificarmos com a Luz e para fazer de cada ação um ato consciente a serviço dessa Luz.

Precisamos, então, enfrentar nossas próprias criações errôneas através das vidas e olhar para o que temos evitado por tanto tempo. Alguns de nós terão mais trabalho do que outros. Mas, para todos, o primeiro passo será o domínio dos turbilhões de energia dentro do corpo emocional. Ter as emoções sob controle e manter esse controle (o que, às vezes, assemelha-se ao ato de domar um cavalo bravio) até que escolhamos, como disse S. Francisco de Assis, consolar mais do que sermos consolados, compreender mais do que sermos compreendidos, amar mais do que sermos amados... "Pois é dando que recebemos, é no perdão que somos perdoados e é morrendo que nascemos para a vida eterna." Sim, espiritualidade e ciência são uma só, amor e conhecimento são um só, matéria e espírito são apenas as duas faces do Único Deus. Nascemos a cada novo momento de Vida consciente.

MEDITAÇÃO PARA HARMONIZAR AS EMOÇÕES E GERAR SENTIMENTO

(Serve também para dissolver substância "desqualificada" acumulada que juntou-se nos níveis dos três corpos inferiores.)

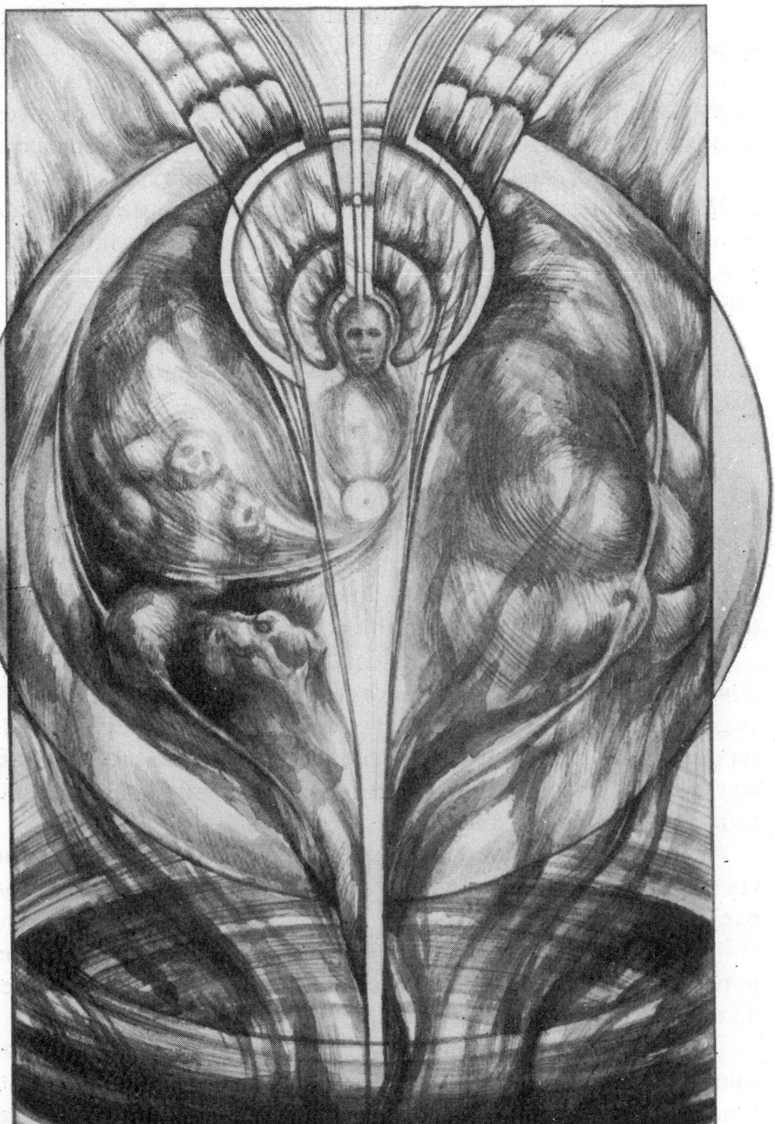

O VÓRTICE DA CHAMA VIOLETA

Determine-se a colocar de lado todas as conjecturas mentais que os seus sentimentos estão fazendo, de onde vêm, quais os seus defeitos etc. etc. etc. Prepare-se para uma descida em vôo picado ao oceano de emoções dentro e ao redor de você. Aceite esta experiência como uma experiência energética, que não tem nada a ver com você como pessoa.

Esse é um processo eficaz. Sugiro que você utilize toda sua habilidade. A substância do corpo emocional é espessa e densa e, particularmente se houver impressões fortes, é viscosa e muito sombria. Você deve fazer o máximo para gerar tanta energia física quanto puder para expulsar a negatividade da estrutura celular.

Inicie com a prática da oscilação da chama violeta descrita nas primeiras páginas. Mantenha a visualização, enquanto intensifica a oscilação para que ela atinja todo o seu corpo.

Amplie a atividade da chama violeta, para estendê-la a mais de um metro ao seu redor, em todas as direções.

Pare, depois de três a cinco minutos, e esfrie no local. Permaneça de pé. Se tiver problemas de perda de equilíbrio, pratique uma das visualizações de ligação com a terra sugeridas anteriormente. (Você pode também imaginar raízes reais estendendo-se a partir do umbigo, através das solas dos pés, para ancorá-lo profundamente na terra.)

Continue com a visualização das chamas violetas e intensifique sua atividade. Observe-as começarem a redemoinhar até criarem um vórtice girando ao seu redor. A coluna espinhal física e uma linha imaginária que se estende através de você, desde acima de sua cabeça até abaixo dos pés, servem como eixo central, ao redor do qual esta coluna rotatória de chamas violetas gira.

Se você estiver com toda a sua capacidade auditiva, nesse ponto você poderá ouvir um profundo zumbido, como se o imenso espaço oceânico o estivesse envolvendo.

Mantenha esta atividade por mais dois minutos. A quantidade de movimento da chama violeta giratória aumenta a coluna para cerca de três metros ao seu redor.

Note que toda densidade, como cinzas, cai ao chão. Imagine o solo absorvendo e transmutando essa substância. Note também uma fumaça escura elevando-se acima da coluna, para ser absorvida e transmutada pelos céus.

Retorne a esta realidade e sente-se silecionamente. Conscientize-se do sentimento de leveza dentro de você.

Agora, enquanto você se senta em silêncio, volte a sua atenção para o centro de seu peito, para o chakra do coração.

Observe um foco de luz nesse lugar, como um pequeno sol. Sinta a radiação pulsante desse sol, ampliando-se dentro de você... e estendendo-se... como ondas de calor... para fora de você em todas as direções. Continue a observar a luz radiante gerada pelo sol dentro de seu coração, até que ela o envolva totalmente.

Seja uma presença solar de seu Eu divino dentro de seu corpo físico. Gere esta energia de sentimento mais e mais e mais...

Deixe-a alcançar a tudo e a todos. (Mais tarde, você pode modificar isso, dirigindo a energia violeta para alguém com quem está tendo dificuldades, alguém que possa estar doente ou simplesmente para alguém que você queira ajudar.)

Ao retornar, espere um tempo para que se reduza a atividade vibratória que você colocou em movimento através do Poder de Sentimento.

Talvez você queira deitar-se e descansar, ouvindo música suave.

Observe, então onde estão seus sentimentos!

O CORPO EMOCIONAL

A conexão física para o corpo emocional é todo o sistema nervoso, mas poder-se-ia dizer que o cérebro emocional está localizado no mesencéfalo. Isso inclui o sistema límbico — um circuito que serve para transportar mensagens e lembranças. Aqui, o córtex cerebral se liga ao hipotálamo, ao sistema imunológico e ao sistema nervoso autônomo. O circuito emocional afeta todo o corpo.

O corpo emocional tem sido chamado também de corpo de desejo ou corpo astral, na literatura metafísica. A consciência neste corpo é a do desejo. Ela tem por objetivo a criatividade através da interação com outras energias; o seu propósito é aproximar-se, misturar-se e expressar-se. Seu objetivo original era envolver a criação e, através da fusão com ela, elevar sua vibração e retornar ao Criador.

Devemos lembrar que o corpo emocional é parte do corpo do planeta. Devido à natureza adesiva, amplamente egoísta, da má qualidade do sentimento no planeta, a liquidez, inicialmente fluida, deste corpo torna-se mais densa e viscosa. (Chris Griscom chama-a de *stickum**.) Essa substância expande-se e adere a substâncias semelhantes, criando a sensação de peso.

Este corpo também tem sido associado à projeção astral (que é

---

* Visgo (N.T.)

diferente das experiências fora do corpo, que ocorrem principalmente aos corpos etérico e mental superior). O desejo emocional, especialmente sentimentos fortes como a raiva, o medo, o desejo sexual e a curiosidade, farão com que você se projete astralmente até o objeto de seu desejo.

Tais viagens geralmente exaurem o corpo físico, pela simples razão de que o corpo astral ou emocional é mais um estado do ser do que propriamente um corpo verdadeiro. Ele capta a vitalidade do físico. O desejo reveste o duplo etérico de densidade, que é experimentada como uma vibração lenta, pesada, magneticamente atraída para a Terra. Qualquer um que tenha passado por essas experiências de projeção astral descreverá a sensação de se mover como se estivesse dentro d'água, algumas vezes numa ladeira, atravessando paredes e flutuando, como se nadasse, voasse, andasse sobre superfícies cheias de fendas... (Para maiores informações sobre esses tipos de experiência, o leitor deve procurar os trabalhos de Robert Monroe sobre o assunto.)

Os astrais "inferiores", termo inventado pelos teosofistas, estão relacionados aos desejos coletivos da humanidade no nível dos chakras interiores. O próprio corpo emocional é ditado pela atividade (as atrações, repulsões e lições kármicas) dos três primeiros chakras. Quando um sentimento atinge o nível do chakra do coração, a atividade foi transferida para um dos corpos superiores.

O corpo emocional fica mais excitado e interpreta a ausência deste tipo de excitação como monótona. Como o chakra do umbigo, com o qual é paralelo, o corpo emocional tem todas as propriedades da água e pode ser facilmente excitado ou agitado. Um indivíduo que tem a consciência bloqueada neste corpo, tem gostos e desgostos intensos e está um tanto viciado na estimulação do segundo e terceiro chakras (sensação, sensibilidade e ação emotivas).

Este é o principal corpo envolvido em todos os tipos de relacionamentos, pois tem em si as impressões na forma de turbilhões de outras vidas. Sua intensidade é, de fato, responsável pela perpetuação do karma: olho por olho... vingança... todas as questões relacionadas aos encargos condicional e contratual, às expectativas e às muitas formas de manipulação, que atuam nos relacionamentos.

Devido à tendência que essa energia tem para se projetar, nós projetamos nossas emoções no ambiente sob a forma de julgamentos e acusações. Odiamos, não gostamos e ficamos irritados com as pessoas e situações que espelham algo de dentro de nós mesmos ou de nossa história emocional, com a qual não chegamos a um acordo. Em outras palavras, ainda estamos lutando com ela.

Isso pode ser observado no perfeccionista, que influencia muito a si mesmo, mas que, mesmo que seu desejo seja o de aperfeiçoar-se, torna-se um fanático, que exige que os outros se comportem da mesma maneira que ele. Torna-se assim intolerante e petulante. Em suma, acaba sendo indelicado e pouco afetuoso, a despeito do fato de querer ser amável e amoroso.

Este mesmo indivíduo é um clássico exemplo de alguém que não se ama o bastante, que é intolerante e exigente consigo mesmo. O que ele considera como virtude é, na verdade, um traço negativo. O amor começa em casa.

O mesmo princípio se aplica à disposição para perdoar. Pessoas rancorosas acham difícil perdoarem a si mesmas. A solução está exatamente em nós mesmos. Amarmos a nós mesmos. Se não nos amamos, ou se não conseguimos nos amar, isso significa que aceitamos as atitudes, crenças e julgamentos que outros podem ter projetado sobre nós. Aprendemos a amar sendo amados e a maioria de nós não tem sido realmente amada, porque nossos pais não foram realmente amados... e assim por diante!

A vinculação existente em nome do amor é extremamente destrutiva. De modo clarividente isso é visto como linhas de força espessas, sombrias, que ligam os corpos emocionais das pessoas numa perpétua troca de energia, de atitudes e crenças. Já não sabemos mais como nos sentimos.

Isso tem que parar em algum lugar. Esse algum lugar está na energia espiritual e na perspectiva de vida. Precisamos reavaliar a atividade de nossas vidas diárias.

Por exemplo: observe como a dúvida e o medo constituem a passagem principal para a negatividade. Se você examinar a dúvida e o medo, verá que são criados pela crença errônea de que estamos sozinhos num mundo hostil. Quando não podemos confiar em um deus, no eu superior ou nas forças da Luz, ficamos assustados, vulneráveis. O medo é expresso como dúvida em nível mental. Você não pode confiar em si mesmo e, portanto, não pode confiar nos outros. Estas duas atitudes reduzem a freqüência de nossas vibrações e são um convite às forças negativas. De fato, todas as emoções são provenientes da dúvida e do medo, mesmo aquelas de nosso clássico perfeccionista, cujo medo interior pode ser o de cometer erros, de ser indulgente.

É especialmente importante manter, ininterruptamente, um corpo emocional harmonioso. Só assim podemos construir um *momentum* mais positivo do que negativo. E a energia emocional desenvolve-se através dele.

Neste nível, a obra da Alquimia Interior é a compreensão e a experimentação de nossas próprias atrações e repulsões, nosso comportamento tanto responsivo quanto reativo. Precisamos observar nossas "qualificações" (isto é, a maneira pela qual vemos a realidade através da projeção de nossas próprias emoções) e redirecionar as más qualificações em movimento positivos.

Além disso, precisamos observar nossas expectativas. Cada um de nós está preso dentro das miragens de seu próprio corpo emocional. Seja sensível não apenas consigo mesmo, mas também para o fato de que os outros, em virtude de suas próprias projeções, podem não ser capazes de enxergarem a si mesmos — *ou a você.*

Pergunte-se:

Como estou me sentindo?

Estou reagindo automaticamente ou estou verdadeiramente respondendo ao meu ambiente?

Como estou me saindo? Estou expressando bem meus sentimentos ou estou sendo interpretado de maneira diferente?

Como posso mudar a maneira pela qual vejo a mim mesmo?

Como posso mudar a maneira pela qual os outros me vêem?

Como sou em minha privacidade mais interior? E até que ponto ela é diferente daquilo que demonstro em público?

Como me comporto com meus amigos mais íntimos? E com um estranho?

Quais são meus gostos... e desgostos? Até que ponto estou habituado a eles... a certos padrões emocionais...?

De quem não gosto e por quê? Será que essas pessoas possuem peculiaridades que não estou reconhecendo em mim mesmo?

Uma vez respondidas essas questões com a mais profunda honestidade, precisamos agir tendo em vista aquilo que observamos. Particularmente, no que se refere a pessoas e características que não gostamos, mesmo aquelas que nos incomodam pouco. Essas vibrações, como ondas sonoras que são, viajam para o objeto de que não gostamos e a nós retornam com a mesma qualidade amplificada. E, então, se alojam em nossa aura e se somam ao "visgo".

A matéria do corpo emocional, em particular, como todas as substâncias, desde as mais refinadas até as mais grosseiras, responde ao ritmo, particularmente à música. Ela ama a arte, a natureza e toda a gama de emoções humanas. A intensidade emocional é especialmente propensa à atividade cíclica. Compreendendo isso, podemos organizar nossas vidas para contrabalançar o "colapso" que geralmente se segue ao pico de atividade e evitar a síndrome maníaco-depressiva que caracteriza grande parte de nosso comportamento social. Desse modo, começamos a exercer um certo autodomínio sobre as energias do corpo emocional — estabelecendo aquele equilíbrio que traz a harmonia.

INDEPENDÊNCIA E PERDA DE PODER

Talvez esta seja a mais forte lição da existência tridimensional, onde coexistimos com seres em todos os níveis de consciência, onde as atrações e repulsões estão constantemente sendo projetadas. Onde o controle hipnótico é empregado por sacerdotes e políticos, por nossos pais, pelas pessoas que nos amam e pelos melhores amigos, pela mídia e por nossas instituições educacionais. Onde a sugestão, sob a forma de conselho amigável de astrólogos ou amigos e uma multidão de "críticos" persuadem e influenciam nossos próprios sentimentos, criando medo e dúvida. Aquilo que, pela natureza, é independente transforma-se em dependência, especialmente dependência da autoridade e de figuras exteriores. No momento em que nossa atenção se afasta do Eu mais interior, o Eu Divino, renunciamos ao nosso poder ou o entregamos a outrem.

A aura humana é uma visão desoladora e talvez por isso é que o fato de a maioria das pessoas não possuírem visão clarividente seja uma bênção. Onde há a predominância dos três corpos inferiores, através da ampliação das faculdades do corpo emocional, predominam bolhas avermelhadas e amarronzadas da obstinação, do egoísmo e da falsidade, e as lágrimas e feridas de catástrofes passadas revelam os locais onde cedemos nosso poder, sexual, emocional e intelectualmente... Ali se alojam as energias de outras pessoas, que adotamos como nossas, e nossas energias se dispersam nas auras de pessoas que manipulamos, persuadimos ou coagimos de algum modo, e que nos deram poder em vez de o concederem a si mesmas.

Libertar-nos desta teia cancerosa é como arrancar nossa própria pele, nos dilacerarmos. Este é o longo e doloroso caminho emocional através do relacionamento intenso, inevitável e crítico com a nossa evolução espiritual.

MÉTODO PARA LIBERAR E ENFRENTAR AS EMOÇÕES

Liberação das Energias Emocionais

(Este método assemelha-se a um circuito secundário que a mente mantém sobre nossas emoções, permitindo que elas se expressem sem conteúdo ou significado intelectual.)

Sente-se o mais confortavelmente possível. Sozinho.

Desligue o telefone e certifique-se de que terá a maior liberdade possível para se expressar. Isso pode incluir a elevação de seu tom de voz.

Comece a balançar-se para frente e para trás. Diminua o domínio mental sobre seus pensamentos.

Comece a fazer caretas. Inclua também a língua.

Vibre a língua e faça ruídos... sons sem sentido... como o som de uma máquina... "Brrrmmmm... la la la prrrtto o offa...la...la...mmmuuu... laggaa..."

Continue fazendo esses sons sem sentido e lentamente construa uma linguagem sem sentido.

Dramatize. Finja que está se comunicando com alguém neste linguagem sem sentido e que está lhe contando uma história dinâmica.

(Preste atenção: se qualquer palavra que você disser tiver um significado, isso quer dizer que sua própria mente reassumiu o comando.)

Exagere mesmo, inclusive nos gestos e em todo o seu corpo. Nem se preocupe com o fato de parecer ou agir ridiculamente. Levante-se, quando a energia assim o exigir.

(Você perceberá o aumento de energia através de todo o seu corpo.)

Continue o monólogo, tornando-se mais e mais dramático... permitindo que ele se eleve e decaia... e gentilmente recomece.

Conscientize-se do desejo de se comunicar. Sinta a energia crescendo dentro de você e dê-lhe voz e gesticulação... Deixe a própria exergia dirigi-lo.

Faça isso por cerca de dez minutos e, então, pare. Descanse.

Conscientize-se das emoções expressadas. Se você tiver usado um gravador ou tiver filmado em videocassete, talvez queria saber como se saiu, antes de destruir todas as evidências!

Enfrentando as Emoções

(Você pode usar a raiva, o medo, a tristeza ou qualquer outra emoção que assome naturalmente ou aquela que você tenha dificuldade para lidar com ela.)

Suponha que você está enfrentando a emoção da raiva. O fato de você estar realmente com raiva de alguém no momento ou se esteve no passado é irrelevante.

Crie esse sentimento. Note como ele é provocado por um pensamento. Intensifique esse sentimento. Dramatize-o. Exagere-o.

Conscientize-se da energia nele contida.

Quando tiver penetrado na qualidade dessa emoção, encontre uma expressão positiva para essa energia.

Observando o Efeito das Emoções

(Este método deve ser praticado com um parceiro, alguém com quem você se sinta à vontade e a quem possa confiar suas emoções. Não deve haver inibições.)

Sente-se de frente para seu parceiro. Reconheçam a manifestem o seu reconhecimento por estarem se ajudando mutuamente nessa experiência.

Escolha uma emoção ou característica negativa, como a raiva, a ganância, o terror, a falsidade...

Cada um dos dois irá esgotar essa emoção diante do outro. É preciso que não haja interação física, mas completa liberdade de expressão. Decidam quem será o primeiro. A pessoa não-ativa observará cuidadosamente a outra, enquanto se observa também — seus próprios sentimentos e reações físicas — mas não pode reagir externamente ao outro de maneira nenhuma (inclusive rir ou tentar pará-lo ou acalmá-lo ou ainda confortá-lo).

A pessoa ativa deve começar trazendo à tona a lembrança de um tempo ou incidente, no qual tenha expoto esse sentimento em particular. Se for raiva, então deverá lembrar-se de alguma situação em que tenha sentido essa raiva... ira... indignação... Se a lembrança não vier facilmente, então imagine um personagem de livro ou de filme que tenha tido essa experiência. Deverá fazer isso de olhos fechados.

Pense em imagens ou acontecimentos que provocaram ou poderiam provocar essa raiva. Talvez a injustiça... Intensifique essa raiva.

(O parceiro poderá ajudar o outro, se este tiver dificuldades nesse ponto.)

Mantenha a intensificação dessa raiva. Quando estiver pronto, abra os olhos e sinta-se completamente livre para expressá-la verbalmente e através de gestos diante da outra pessoa.

(O parceiro não-ativo concordou em *não* reagir, mas apenas observar.)

Após três minutos de intensa expressão, pare.

Note os efeitos dessa emoção sobre o seu corpo físico. Deixe que qualquer reação emocional que tenha (choro, tremor etc.) se acalme, antes de inverter os papéis com seu parceiro.

O parceiro não-ativo também observou sua reação diante desse espetáculo emocional. Ele deve se fazer as seguintes perguntas:

> De quem isso me faz lembrar? Qual é minha tática defensiva habitual (correr, me esconder, atacar...)? O que meu corpo está sentindo? Como me sinto agora?

Troquem de papéis. Repitam todo o procedimento, com a mesma emoção.

Quando os dois parceiros tiverem desempenhado seu papel, só então você poderá compartilhar *em voz alta* as experiências que teve, durante a realização deste exercício.

Talvez você queira respirar profundamente ou praticar a Meditação da Presença do Sol, do capítulo anterior, para retornar ao estado de equilíbrio e ânimo.

Ou, quem sabe, você queira fazer a meditação para o equilíbrio espiritual, que exporemos a seguir.

Equilíbrio e as Três Forças ou Raios Primários

Os raios, como você se lembra, são qualidades cósmicas puras, que se originam do Sol Central. São os elementos constituintes de toda criação. A Luz emana sob a forma de raios, mas, ao atingir a superfície de densidade física da Terra e agir sobre a própria matéria, transforma-se em chama etérica, como a chama violeta com a qual você já está familiarizado.

No âmago de nosso Ser, sob a forma de três chamas, está a base de nossa forma espiritual e a semente de energia de toda a nossa atividade. Esta é uma réplica exata do coração da Criação. Em nossa forma física, no nível do chakra do coração, encontramos uma reprodução em miniatura desta atividade três-em-um do fogo sagrado. É um fenômeno etérico, que pode ser facilmente sentido e prontamente acessível para carregar, curar e equilibrar a nós mesmos, fortalecendo nossa aura e irradiando qualidades de perfeição para tudo o que estiver a nossa volta.

Em passado remoto, num tempo em que a densidade física do corpo humano não era tão compactada, porém mais translúcida, essa chama três-em-um era muito maior e realmente circundava o corpo. Com a desaceleração na vibração, a chama diminuiu até seu tamanho atual. A meditação indicada a seguir expande essa chama de volta a seu tamanho original e produz a harmonia que é nossa como seres de luz.

MEDITAÇÃO PARA O EQUILÍBRIO ESPIRITUAL

Sente-se num ambiente quieto, seguro.

Procure permanecer num estado de tranqüilidade: física, mental e emocional.

Sinta uma pequena chama no centro de seu peito. (Se você for católico, pode se lembrar do fenômeno do Sagrado Coração de Jesus ou de Maria.)

Sinta a atividade desse foco energético de luz interior e deixe que toda a sua atenção se concentre nele.

Penetre-o.

Note que no centro exato desse núcleo brilhante há uma chama dividida em três...

A primeira cor que o impressiona é o brilhante amarelo-dourado da chama central.... concentre-se nela. Sinta-a...

À esquerda há uma chama cor-de-rosa suave... com um centro de cor magenta profundo. Deixe que seu coração envolva essa chama rosa.

Agora... à direita há uma chama azul, pálida com listas de um azul vibrante. Deixe que seu coração se expanda para conter também essa chama.

Concentre-se nessa chama tripartida e note que ela se entrelaça, formando uma chama magnífica...

Tome consciência de uma esfera de cristal, que parece cobrir a chama... levando-a a desprender uma incandescência de iluminação pastel multicolorida.

Agora... enquanto você focalíza o interior dessa chama, sinta e veja-a tornar-se cada vez mais brilhante... e expandir-se cada vez mais...

Continue o processo até que a chama envolva completamente seu corpo e sua aura.

Permaneça dentro dessa chama tripartida... trazendo paz e equilíbrio a cada uma de suas partes...

Quando você já estiver pronto a retornar a seu mundo comum, deixe que a chama retorne a seu tamanho usual.

Respire profundamente algumas vezes e deite-se.

Expresse sua gratidão a essa Luz em reconhecimento à sua própria essência, seu Eu Divino. Tendo sentido a magnitude de Seu poder, deixe que seus sentimentos se curvem em humilde reverência.

REVISÃO

De onde as emoções vêm e para *onde* vão? Elas se originam em seu interior. Refletem você como um indivíduo, e o quanto está ajustado a si mesmo como Espírito. Os padrões emocionais individuais são tão variados quanto flocos de neve.

Você já examinou seu comportamento do ponto de vista físico? Ocupou um tempo para sentir seu corpo a partir do interior? Não estou me referindo à tensão e ao *stress* do desempenho atlético. Refiro-me às suaves agitações da respiração dentro de você, à maneira pela qual seu estômago se sente quando você o violenta através da superalimentação, de drogas como o álcool e outros venenos. Você já parou para sentir realmente o que está fazendo a seu corpo, quando fuma? E com que intenções você age, quando em estreita proximidade com outros corpos? Você se sente explorador ou fica aterrorizado diante da majestade da vida interior?

E a respeito de seus padrões emocionais de comportamento? Quanto de você está fora de si mesmo (mesmo que seja para *sua* iluminação)? Quão realística e completamente você inicia uma reversão de seus padrões negativos de energia? Você *realmente* se preocupa com a Vida que bate dentro de cada indivíduo? Você está muito preocupado com grandes causas, como dar alimento aos pobres ou casas aos desabrigados, mas encolhe-se de medo ao pensar em encarar um mendigo?

Como Seres tridimensionais, existimos num oceano de ondas de energia, que continuamente animam formas-pensamento que se renovam. Nesta realidade temos os poderes para direcionar e recriar energia e substância, através da aplicação consciente da Lei da Luz ou através do mecanismo inconsciente dessa mesma Lei. A Lei age, quer nos coloquemos a seu serviço ou não. A escolha é pela consciência ou inconsciência. Na consciência, criamos formas positivas. Na inconsciência, perpetuamos a miséria, a carência e a limitação, a doença e a disputa.

A Alquimia Interior defende a aplicação deliberada e consciente dos preceitos da Luz na vida diária comum, começando por nossa própria vida emocional. Nossa vida emocional, de fato, estabelece a base de tudo o que ocorre sobre o planeta. Necessitamos não apenas compreender os princípios subjacentes aos mecanismos inconscientes do corpo emocional, mas também aplicá-los construtivamente.

Não consigo salientar suficientemente o tremendo poder da faculdade de sentimento do homem, especialmente no que se refere à projeção de energia. Precisamos apenas olhar nossas ações, pensamentos e sentimentos momento a momento, para ver o predomínio de padrões de comportamento subumano automático. Vemos, pensamos e agimos guiados pelo medo. O medo é o sentimento-semente de toda negatividade, inclusive do ódio e da violência que anuviam nossos tempos.

Estamos constantemente bisbilhotando em nome da conversação. Estamos sempre cedendo nosso poder, através de um senso mal-orientado de amor e compartilhamento. E quando olhamos uns para os outros, o fazemos com avidez e lascívia, com possessividade, inveja e exploração, em vez de nos olharmos como os únicos Seres de Luz, de Amor e Poder Espiritual. Quando ficamos cara a cara com a injustiça, beligerantemente nos desforramos com mais injustiça ainda. Numa era onde há tanta propaganda voltada para as virtudes da resignação e do "dar a outra face", onde se fala tanto de paz e fraternidade, nós, de modo ignorante, interpretamos mal as mensagens, cedendo ainda mais nosso poder às formas mais novas de autoridade política e religiosa.

E contudo... em algum lugar, de algum modo estamos "conseguindo". Aqui e ali amigos da Luz estão surgindo: aqueles que estão incorporando aos ensinamentos da Luz, que estão mantendo a visão da Luz, que, com grande coragem, gentilmente mas com firmeza inexorável, sustentam a tocha que está Iluminando o mundo. Procure-os. Mas eu os advirto: estes são tempos enganosos. As coisas não são o que parecem ser. Você conhecerá e verá o "Real" apenas quando conhecer e ver a verdade do Deus interior. O caminho mais curto para a Verdade é o salto para dimensões desconhecidas de seu verdadeiro Eu. Não há mestres ou guias. E não há ensinamentos. Há apenas VOCÊ — em sua solidão. Quando você se regozijar na plenitude (isto é, *não* vazio) de sua solidão, terá chegado ao lar e a todos os lugares ao mesmo tempo. Só então você reconhecerá o mesmo nos outros... além dos limites do conhecido. Só então saberá o real sentido do Poder — o Poder da Luz.

O Poder do Pensamento

Pensamento é visão com significado. O poder de pensar é tão importante quanto o poder do sentimento em cada aspecto da criação. Os dois agem juntos. Todas as vezes que você tem um sentimento sobre alguma coisa, há uma contraparte visual — uma lembrança, um desejo — que o estimula. Um pensamento ou idéia ocorre quando há uma imagem ou uma série de imagens que conduz a um significado. Este significado, então, tocará uma corda responsiva no indivíduo, uma resposta ou reação (dependendo do grau de consciência presente), que leva à ação.

O pensamento é tangível. Os clarividentes e psíquicos sabem disso muito bem, assim como os parapsicólogos, que estão constantemente pesquisando poderes extra-sensoriais e telepatia. Os governos sabem disso também, quando favorecem a propaganda psíquica e os combates psicotrônicos. E, naturalmente, a mídia também sabe, quando cria imagens, *jingles* e sensações que permanecem nas mentes e sentimentos do público. Cada um deles está utilizando pensamentos, como coisas tangíveis, sem o reconhecer.

A verdade é que não apenas os pensamentos são uma realidade tangível, mas também são parte e parcela de nosso projeto contemporâneo, que está, na falta de seu reconhecimento, criando impressões negativas, confusas. Há um tráfego tão maciço de pensamentos poluindo nossa atmosfera, provenientes de pessoas que acreditam que, apenas porque esses pensamentos não foram expressos em palavras, de algum modo eles não existem. Mantemos segredos não apenas em relação a nossos entes queridos, mas também em relação a nós mesmos. Em níveis superiores de consciência, não há segredos. Não há necessidade de segredos, porque lá, onde a Luz prevalece, há Amor — honestidade, integridade e pureza. Os segredos são fenômenos diretamente relacionados à vida tridimensional, onde o manto de densidade permite a uniformidade de aparência e onde o ruído contínuo de freqüências mais pesadas obstruem e distraem a visão da Verdade.

Os pensamentos têm uma forma definida, ocupam espaço e têm a qualidade do sentimento a eles associado. Continuarão a circundar a aura de um indivíduo até que ele os dissolva através de alguma atitude. O pensamento se mantém enquanto um sentimento o animar. Ele se dissolve quando lhe é ordenado ou quando se dispersa por falta de energia ou atenção. Há muitas formas-pensamento ao redor de cada pessoa, algumas mais fortes do que outras, algumas tão velhas quanto as encarnações.

No campo de energia que circunda o indivíduo encontrarão morada não apenas os turbilhões criados pelo movimento dos sentimentos, mas também a profusão de formas-pensamento criadas através das encarnações. Qualquer um, com o treinamento adequado, pode perceber essas imagens e esses sentimentos e conhecer não apenas a história pessoal do indivíduo, mas as intenções atuais e propensões futuras. É um fato muito bem conhecido entre psíquicos e metafísicos que, nas cortes dos antigos governantes, desde os faraós do Egito aos czares da Rússia, os sumo-sacerdotes e psíquicos tinham poder junto a eles, devido à sua capacidade de compreender as pessoas e situações.

Do mesmo modo que o corpo emocional é um campo de energia, que vibra numa freqüência específica e uma substância de Luz que acende e gira de uma certa maneira, o corpo mental tem seu próprio campo, sua própria freqüência e seu próprio *modus operandi*. Assim como há emoções no corpo emocional, cuja capacidade é expressa através do sentimento, há formas-pensamento no corpo mental, cuja faculdade é expressa através do pensamento. O corpo mental, então, não é só a coletividade das formas-pensamento, mas também a substância na qual os pensamentos são estocados.

Então, o poder existente por trás do pensamento origina-se da mente. A mente é o veículo de consciência que coordena, organiza, compreende, enfoca e projeta forma e significado, através do uso da inteligência. O intelecto, tão interessante e útil, é uma forma básica da inteligência, usada no nível da terceira dimensão. Tende a ser tão míope quanto podem ser as coisas neste nível.

Naturalmente, a inteligência, expressa ao nível do detalhe, está relacionada às leis da materialidade. Há uma regularidade para ela. Ela é definível. Pode ser estabelecida por regras. Pode ser aprendida mecanicamente. Não exige flexibilidade nem espontaneidade. A inteligência neste nível é o que eu definiria como Corpo Mental Inferior. Em níveis de percepção e organização superiores, mais intuitivos, na encarnação, a mente operará através do Corpo Mental Inferior alinhado a um corpo de consciência semelhante, embora vibracionalmente superior, chamado de Corpo Mental Superior. Este não pode ser experimentado direta ou exclusivamente na encarnação. É uma consciência superior, que expressa inteligência interdimensionalmente e em estados fora do corpo.

Em ambos os níveis mentais do Corpo Mental Inferior e do Corpo Mental Superior, a energia se manifesta de um modo linear, direto. Em níveis inferiores, é às vezes experimentada como agressividade; em níveis superiores, mostra-se criativa e regeneradora.

A mente constrói moldes ou cópias através de sua faculdade de visualização. Tais formas aparecem como atitudes, que estabelecem padrões emocionais. Tais atitudes tomam diferentes conotações nos níveis inferior e superior. Por exemplo: a crença, tão necessária nos níveis inferiores para inspirar e redirecionar a energia, emerge como fé nos níveis superiores; o dogma, tão necessário à domesticação de instintos, transforma-se em experiência de conhecimento. A fé, vista sob sua própria luz, é uma inteligência superior irrefutável. E o conhecimento ultrapassa sua contrapartida nos níveis inferiores, a experiência.

Os corpos mentais Superior e Inferior operam em dois circuitos diferentes.

O Corpo Mental Inferior usa o plexo solar como seu centro de força, e governa as atividades relacionadas à mobilidade no nível das ações da vida diária. Em outras palavras, lida com a realidade exterior — eventos, fatos e cronologia. Para nossos propósitos, o Corpo Mental Superior usa o centro da garganta e o terceiro olho como fonte de força, vindo a sua energia básica do coração. Diz respeito à experiência interior e aos aspectos que ligam tal experiência ao mundo exterior. Ambos os veículos utilizam o centro da garganta, através da palavra falada, para levar à materialização as formas-pensamento animadas.

Os Três Poderes Criadores
Como Expressos Através dos Chakras

Poderes	Chakra		Manifestação
Pensamento	6	CMS	Manifestação de freqüência superior — substância de luz, formas-pensamento
Palavra falada	5		
Sentimento	4		
Ação/Poder	3	CMI	Manifestação inferior — Substância física, matéria
Sentimento	2		
Pensamento	1		

O CORPO MENTAL INFERIOR

O Corpo Mental Inferior, ou o terceiro corpo, expressa a mente no nível da substância física. Juntamente com os corpos físico e emocional, constitui a personalidade ou eu humano. Este corpo utiliza todos os chakras, mas se expressará através da energia gerada no plexo solar. Capta-a da inteligência superior, filtrada da Divindade no nível do terceiro olho e a reagrupa para a realidade concreta dentro do cérebro físico.

Enquanto a energia motriz origina-se do plexo solar, o próprio cérebro serve como conexão física com o Corpo Mental Inferior. O cérebro recebe os estímulos do ambiente e reage, enviando estímulos ao corpo emocional e ao corpo físico, por meio dos quais a ação é iniciada. O circuito de memória no cérebro interpretará os estímulos segundo o precedente histórico. Todo o sistema opera automaticamente, com o propósito de proteger o organismo, até que a consciência do indivíduo alinhe-se com os princípios superiores, que operam de acordo com as leis da Luz.

Para propósitos de simplificação, falaremos do Corpo Mental Inferior como se ele fosse uma entidade. O Corpo Mental Inferior toma as idéias de Deus, geradas pelo Eu Divino da 12.ª dimensão, adornadas ou alteradas pelo eu superior no nível da 7.ª dimensão, e as implementa no mundo físico através de uma abordagem lógica ou racional. Precisamos compreender então que a lógica é um outro efeito da vida tridimensional, da mente operando em detalhes e em seqüência. A Mente Superior não age pela lógica ou por partes. Ela intui o todo. É visionária e também enxerga além do tempo e do espaço.

O Corpo Mental Inferior age em lógica seqüencial e chega a se orgulhar de sua eficiência de curso suave. Este orgulho leva a certa arrogância e a um sentimento de auto-suficiência, que é ilusório. É como se o administrador de uma empresa se arvorasse de presidente do conselho-diretor. (Isso ocorre o tempo todo, literal e simbolicamente.) Desse modo, o Corpo Mental Inferior se arvora de controlador.

Por causa disso, sua visão, por necessidade, é míope ou tridimensional. Divide suas percepções (para formar conceitos) em categorias e pares e se esquece da unidade existente por trás destes opostos aparentes. (Lembre-se de que a dualidade é um produto da materialidade, que opera através da polaridade, ou tensão, para sustentar uma forma. A dualidade é um reflexo da polaridade. É a maneira da mente aplicar os princípios da matéria sobre o pensamento.) Desse modo, surgem a dualidade e a moralidade. O Corpo Mental Inferior começa a construir sistemas sobre estas dualidades, sobre conceitos do bem e do mal, do certo e do errado, escolhendo apenas um lado do par de opostos. Assim, o Corpo Mental Inferior distorce a Verdade com a ilusão e torna-se unilateral ou egoísta.

Ao construir sistemas sobre bases falsas, o Corpo Mental Inferior continua a defender seus dogmas, de um modo muito semelhante ao do mentiroso que precisa continuar a mentir para defender sua posição. E, como o mentiroso, a Corpo Mental Inferior chega a esquecer que está mentindo, tornando-se o processo uma segunda natureza. É por isso que ele se torna mais ativo na proteção a si próprio do que na expressão do Eu Divino.

Assim, o Corpo Mental Inferior fica tão hábil na manipulação de dados, que segmenta e compartimentaliza partes de si mesmo, muito semelhante ao que faz um arquivista, para facilitar a recapitulação do fato. Os arquivos ocultos do Corpo Mental Inferior são aqueles pensamentos e memórias que servem pelo menos aos seus propósitos gerais ou que ameaçam sabotar seus planos imediatos. É assim que surgem os aspectos sub e supraconscientes da mente.

Estas porções ocultas do Corpo Mental Inferior não estão apenas fora da mente; estão efetivamente desligadas do organismo todo, particularmente do corpo emocional. E têm de estar. Quando ligados ao sentimento, estes pensamentos podem se mostrar perigosos, ameaçando até mesmo a vida. Aqueles pensamentos que são considerados "maus" ficam alojados no subconsciente; os pensamentos considerados "bons" (que se originam mais da cultura do que do Corpo Mental Superior) estão relegados ao supraconsciente.

Você pode compreender agora como não só é possível, mas também lugar comum, viver num mundo cheio de mensagens duplas e tríplices. As palavras dizem uma coisa, os sentimentos conduzem a outra, e a mente planeja uma outra "realidade".

Nos subplanos inferiores do Corpo Mental Inferior, encontramos pensamentos de dominação e possessividade, crueldade e sadismo. Nos subplanos superiores, encontramos pensamentos de beleza, arte, música e ciência.

Todos três aspectos consciente, subsconsciente e supraconsciente da mente são parte das funções do Corpo Mental Inferior relacionadas à linearidade, à vida tridimensional e, de modo reduzido, às idéias de Deus. Mesmo os arquivos arquetípicos do inconsciente estão relacionados às formas-pensamento e às emoções coletivas intensificadas pelo homem através dos séculos. Este é o domínio de nossa psicologia atual.

Neste ponto, chegamos a compreender o absurdo das teorias psicológicas de nosso tempo, particularmente quando seu alcance limita-se à lógica tridimensional — tanto racional quanto irracional. *Todo o campo da psicologia limita-se ao estudo do Corpo Mental Inferior, visto mais como criador do que como instrumento da Divindade.* É como lidar com um impostor. Nunca chegaremos a compreender as verdadeiras obras da mente, a menos que o poder retorne à fonte, a menos que compreendamos nossa divindade. E isso em profunda humildade.

Para restabelecer o poder daquele aspecto mais superior, mais completo de nós mesmos, precisamos encarar o Corpo Mental Inferior como ele é — um instrumento do Eu Divino para propósitos de análise minuciosa, classificação, avaliação e implementação de idéias. Isso ele pode fazer de forma magnífica. É um servo maravilhoso, no entanto, um chefe arrogante, com tendências a julgar e a tirar proveito.

O poder do Corpo Mental Inferior é grande. Seu objetivo é ser o construtor de formas-pensamento. Tem a capacidade para mobilizar as energias físicas. Traduz idéias. Reduz a voltagem das energias. Liga-se diretamente ao corpo emocional e com ele capta os materiais necessários à manifestação no plano físico. O Corpo Mental Superior não tem acesso direto ao eu pessoal, exceto através das percepções e faculdades do Corpo Mental Inferior. Este é o guardião e o porta-voz do que existe na mente. É bom sermos seus amigos.

Pare por um momento e examine suas atitudes e crenças. Seja profundamente honesto em relação a seus preconceitos e tendências. Compare aquilo que você pensa com aquilo que sente em áreas em que você se considera fraco ou muito indulgente. Está emitindo mensagens duplas? Uma maneira fácil de saber se você está fazendo isso é verificar como o mundo ao seu redor responde às suas necessidades. Você está manifestando o que você quer? Olhe a realidade de seu mundo imediato. Ele se ajusta às suas idéias? Quão freqüentemente você age mais a partir daquilo que conhece do que a partir daquilo que pensa que deveria fazer?

Quão realista você é em relação a si mesmo e a seu mundo? Você sabe, realisticamente, o que pode fazer e o que não pode? Você se subestima ou superestima? Você está em desacordo com suas emoções? Em outras palavras, até que ponto está ligado a seus sentimentos e a seu corpo físico? Você vive em sua mente? Pensa naquilo que sente e sente aquilo em que pensa? E, finalmente, você *age* de acordo com esses pensamentos e sentimentos?

Não apenas os seus três corpos ou aspectos inferiores precisam estar ligados e equilibrados, mas também você precisa integrar a energia em cada nível e ordenar essa integração através do comportamento e da atividade celular. A verdadeira integração é demonstrada através das ações e num sincronismo de sentimento com as coisas vivas — não só em pensamentos, por mais belos e grandiosos que possam ser. Neste ponto você começa a usar as faculdades da mente superior.

O CORPO MENTAL SUPERIOR

Ambos os corpos mentais são, por natureza, frios e calculistas. A diferença entre eles está na consciência. O que em um nível é visto como julgamento, em outro é encarado como discernimento e discriminação. O que poderia parecer arrogância destituída de espírito, em níveis superiores pode ser chamado de honra, integridade e ausência de medo. A essência do Corpo Mental Superior age através das faculdades do Corpo Mental Inferior, quando ja se atingiu o equilíbrio entre o Corpo Mental Inferior e o corpo emocional.

Há sempre alguma atividade do Corpo Mental Superior se infiltrando em todos os níveis da natureza humana. Ela se revela nos pensamentos de paz, fraternidade e boa vontade e onde quer que a coletividade seja considerada acima da vontade individual. Sua linguagem é basicamente simbólica e abstrata. Na maioria das vezes, porém, tais ocorrências não são capazes de fazer parte de uma atividade sustentada pelo indivíduo, a menos que ele tenha dado um passo a mais em sua própria evolução.

A fim de atuar basicamente no nível do Corpo Mental Superior, precisamos ter tido a coragem de ir além da lógica e da racionalidade e permanecermos sozinhos. Precisamos também ter integrado as lições do corpo emocional. Neste ponto, o Corpo Mental Inferior e o corpo emocional movem-se harmonicamente: a capacidade cerebral expande-se tanto para o lado esquerdo quanto para o lado direito do cérebro e, além disso, ativa a porção central do cérebro, responsável pela percepção além da dualidade. Todo cérebro pensante é, deste modo, uma faculdade do Corpo Mental Superior.

Há, hoje, inúmeras maneiras de se estimular todo o cérebro pensante e promover visões de uma vida superior, mais completa. Como a maioria das coisas, essas metodologias e tecnologias podem ser usadas por pessoas que buscam mais escapar à realidade do que dominá-la ou que buscam intensificar os níveis de energia para propósitos de autogratificação em vez de empregá-la em serviço. A utilidade dos instrumentos depende da consciência de quem os utiliza. Mesmo que se alcance o funcionamento total do cérebro, esse funcionamento só poderá ser mantido se houver integridade mental e emocional.

Quando o funcionamento total do cérebro é alcançado naturalmente, surge um estado de ser totalmente diferente, qualitativamente diferente. Você poderia dizer que, neste nível, o Corpo Mental Superior transformou-se em Mente de Cristo. A direção da vida do indivíduo — sua energia e sua atenção — move-se para além do sexto corpo ou corpo causal (o repositório de todo bem alcançado através das encarnações).

O Corpo Mental Superior de Cristo é verdadeiramente a inteligência do coração. Sua energia é não-linear. É o domínio da intuição e daquele "conhecimento", que procede das lições aprendidas no passado, a partir da compreensão e da experiência acumuladas. Neste nível, a natureza do sentimento já foi refinada do calor de intensidade ardente para a frialdade da compaixão, e está pronta para servir.

Considerando que o Corpo Mental Superior reflete aquilo que chamamos de supraconsciente ou impulsos de discriminação e discernimento da alma transmitidos ao indivíduo, quando este corpo passa a ser de Cristo, as ações e decisões são consideradas com compaixão, amor, compreensão e perdão. Ele continuará a funcionar como o Corpo Mental Inferior em sua capacidade de supraconsciência, tomando decisões do tipo ir ou não-ir, mas faz isso sem objetividade e de forma impessoal, na perspectiva do amor, que dá origem não apenas à revelação do Plano Divino do indivíduo para aquela vida, mas também a cada possibilidade de sua execução.

A Mente Superior de Cristo é, de fato, uma associação com o Eu do sétimo plano. É através da graça do eu superior (o próprio Corpo Mental Superior) que somos capazes de intuir princípios superiores em primeiro lugar. Nossa associação será tão íntima quanto o formos para o eu superior. Por haver trabalhado na purificação ou aperfeiçoamento do eu pessoal, o nível de vibração é elevado a uma freqüência na qual o eu superior pode permanecer dentro do corpo físico por tanto tempo quanto o indivíduo possa manter essa freqüência. Não é possível manter essa freqüência numa base permanente. Por essa razão, seres iluminados no Oriente buscaram maneiras de conscientemente aterrar as energias que prolongariam a materialidade, para ensinar e despertar. Isso se apresenta como imperfeições, artimanhas, parecem inconsistências. Entretanto, é muito raro que essas coisas sejam escolhidas conscientemente. A maioria de seres despertados, tanto no Oriente quanto no Ocidente, têm, por uma ou outra razão, uma profusão de características da personalidade inconsistentes e freqüentemente irritantes.

Para nossos propósitos de compreensão dos princípios subjacentes à Alquimia Interior, buscamos aperfeiçoar os veículos físicos, emocional e mental a um tal grau que nos permita coexistirmos, numa proximidade bastante consciente e íntima, com nosso eu superior e com dimensões além da sétima, por meio das quais temos acesso às idéias criadoras, às forças e poderes que nos capacitam a reconstruir o eu, o mundo, o planeta, à semelhança do plano original da Divindade. Podemos fazer isso apenas através da pacificação das emoções e do silenciamento do palavrório sem fim que provém da mente.

Só se pode alcançar o controle da mente depois de se pacificar as emoções. Não podemos minimizar a importância de se experimentar as emoções de uma maneira total e profunda. E, como salientamos anteriormente, isso não significa supressão ou desligamento. Você precisa ter a coragem não apenas de se encarar, mas também de mergulhar nas partes mais profundas, mais feias e mais vulcânicas de suas emoções. Da aceitação *experimental* total emergirá a maestria. *As emoções servem para nos treinar a suportar voltagens cada vez mais fortes de energia.*

Precisamos compreender agora que a mente, em sua arrogância

típica de Corpo Mental Inferior, "pensará" que experimentou, "pensará" que perdoou e passará a agir "como se", perpetuando as influências subliminares venenosas e ilusórias, que estão confundindo a humanidade. Podemos dizer que a pessoas assim falta sensibilidade emocional em relação a seu meio.

A mente temperada pelo sentimento purificado reduz a velocidade do raciocínio auto-indulgente, voltando-o para a reciprocidade e para uma visão maior do Todo. Esta redução na velocidade cria bolsões de silêncio, que levam a formas-pensamento cada vez maiores e mais elevadas, bem como à força regeneradora do Espírito. Este é o silêncio buscado e atingido através da meditação. O silêncio que contém o Todo.

A pureza é uma virtude do silêncio, e a pureza final é a experiência do Vazio Primordial ou do Todo Infinito. Nessa realização irresistível e humilde passamos a entender que "EU SOU" O ÚNICO PODER ATUANTE... através do sentimento, através do pensamento, e agora, também, através da faculdade da palavra falada.

ENERGÉTICA DA MENTE
MÉTODOS DA DINÂMICA ENERGÉTICA

Experimentando a Projeção do Pensamento

Este exercício deve ser executado em pares. Fica melhor se for realizado com um grupo de pelo menos seis pessoas.

Como no exercício feito em dupla explicado no final do capítulo sobre o poder do sentimento, este exercício exige sua total participação e o comprometimento com a exploração desinibida das energias existentes nas formas-pensamento, que em geral são subliminares.

Sente-se de frente para seu parceiro. Reconhecam a luz interior de cada um de vocês e agradeçam um ao outro pela oportunidade de explorarem o eu num ambiente controlado de confiança e cooperação.

Vocês agora explorarão três energias básicas, que geralmente são projetadas em vocês e que vocês freqüente e inconscientemente projetam nos outros. Essas energias constituem a base da sedução, da manipulação e da coerção. Os pensamentos estão fortemente ligados à força de sentimento dos chakras inferiores.

A Energia do Sexo

Este exercício é melhor executado com parceiros de sexos opostos, mas é também aconselhável a experiência com a energia do mesmo sexo. Ambas devem ser experimentadas, para que você possa reconhecer mais rapidamente a sua influência.

Decidam qual de vocês será o parceiro ativo em primeiro lugar. O parceiro não-ativo deve também concordar em não reagir. Deve apenas observar-se, observar seus sentimentos, suas flutuações de energia, suas reações habituais (de fuga ou tolerância) etc.

É preciso acrescentar que, neste processo, *o parceiro não-ativo deverá se defender da energia que emanará em sua direção*. Deverá fazer isso de um modo que lhe seja natural. Não deve haver comunicação ou sugestão prévia. O principal ponto do exercício é descobrir *como projetamos* e *como nos defendemos*, inclusive o quanto isso pode ser eficaz ou apropriado.

O parceiro ativo deve então começar a trazer à tona os pensamentos que provocam os sentimentos de sexualidade em seu interior. (Obs.: isso pode ser bem difícil para algumas pessoas. Por essa razão, deve ser feito de um modo seguro, suportável. Todo o processo deve ser realizado *sem palavras* e sem que haja contato entre os parceiros. Podem ser utilizados sons, gestos e movimentos.)

Continue a intensificar tais pensamentos e sentimentos. Descubra quais são os pensamentos que funcionam melhor. Observe o padrão respiratório e intensifique-o. Permita-se produzir sons... e, quando estiver pronto, abra os olhos e projete essa energia sobre seu parceiro.

Observe se há algum medo nesse momento e vá em frente. Você está explorando essa energia num ambiente de amor. Você está retirando-a de seu esconderijo e trazendo-a à luz.

Deixe que a energia aumente de intensidade e continue a projetá-la por mais dois minutos.

Pare. Conscientize-se de como está se sentindo física, mental e emocionalmente.

Simultaneamente, o paceiro não-ativo deverá tentar se defender dessa energia. Poderá mover-se ao redor do ambiente, pensar em alguma outra coisa... o que quer que se sinta inclinado a fazer para *não sentir* os efeitos da energia sexual que lhe está sendo lançada.

Segunda fase:

O parceiro ativo continua a projetar a energia sexual, mas agora o parceiro não-ativo recebe a energia no coração. Visual e emocionalmente, esse parceiro aceita a energia *no coração*.

Ambos devem tomar nota de suas experiências, mas ainda sem discuti-las entre si.

Os papéis então devem ser invertidos.

Após os dois parceiros terem tido sua vez de projetar a energia sexual e de tentar se defender dela, bem como de receber a energia no coração e experimentar o sentimento que isso produz... podem compartilhar abertamente as experiências.

A Energia do Poder

O processo é idêntico ao anterior, exceto que agora a energia a ser projetada é a do poder — a energia do plexo solar.

Cada parceiro deve projetar o esforço de fazer alguma coisa. Vencer uma competição. Vender uma coisa boa. Falar por uma causa. Promover uma campanha política... encontre as maneiras pelas quais você aplica essas energias em sua vida. E se você for um indivíduo completamente passivo, então pense numa pessoa que não seja assim e aja da mesma maneira que ela.

Procure fazer o máximo para se tornar aquela pessoa e para envolver o seu parceiro em sua encenação.

O parceiro não-ativo deve tentar resistir da maneira que puder.

Depois de cerca de três minutos assim agindo, o parceiro não-ativo (num momento indicado por ambos ou por uma terceira pessoa) aceita a energia no coração.

Invertam os papéis como anteriormente.

Energia Intelectual

Desta vez, a energia a ser projetada é aquela que provém diretamente da mente, aquela de tentar vencer um argumento.

Atribua a si mesmo a disposição de ânimo de saber que você está certo e o outro está errado. *Você* sabe mais. Em sua mente, tente convencer o outro com seu raciocínio. Tente penetrar qualquer resistência que possa existir.

O parceiro não-ativo se defende e, no momento indicado, aceita a energia no coração. Isso geralmente requer que você visualmente oriente a energia que está sendo dirigida da parte frontal do terceiro olho e veja-a entrando no coração.

Invertam os papéis.

Conclusões

Cada uma dessas técnicas não só é altamente reveladora de sua própria psicologia e das atividades de sua mente, mas também das maneiras pelas quais você busca se defender, muitas vezes sem sucesso. Tais exercícios não são perigosos quando realizados num ambiente protetor, embora para alguns o medo os faça acreditar que são. Se houver qualquer dúvida ou temor, *não os realize*. Se não estiver seguro em relação a seu parceiro, *não os faça*.

Essas técnicas fornecem um treinamento excelente para o discernimento e discriminação das diferentes qualidades de energia, que são projetadas através da mente em conjunção com os chakras. Tome nota das diferentes sensações.

Observe qual das três foi a mais difícil de projetar. Qual foi a mais difícil de resistir. Qual a mais difícil de aceitar. Observe, então, o que você experimentou, como emissor, quando qualquer uma dessas energias foram recebidas no coração. Eis o segredo de sua autodefesa.

MEDITAÇÃO SOBRE A SABEDORIA

Essa visualização esclarece e limpa de impurezas o cérebro e acelera o seu padrão vibratório.

Após a atividade e tranqüilidade apropriadas, visualize uma pirâmide dourada com aproximadamente um metro de lado, voltada para cima, vários centímetros acima de você no centro do aposento.

Com seus olhos fechados, imagine um olho singular dentro dessa pirâmide.

Veja raios transparentes de luz emanando do olho em todas as direções.

Sinta os raios penetrando em seu próprio cérebro físico e abrindo o Olho Que Tudo Vê da Divindade dentro de você.

Descanse no silêncio dessa percepção.

MEDITAÇÃO PARA UNIR CORAÇÃO E MENTE

Visualize um triângulo dourado voltado para cima, à distância, à sua frente, na altura de seu terceiro olho.

Veja o triângulo chegando mais perto, até ficar rente à sua testa. Puxe-o para dentro de sua cabeça, formando uma base triangular — um vértice em cada têmpora e o terceiro voltado para a parte posterior da cabeça. O vértice superior da pirâmide está exatamente no centro da coroa. Enquanto você reduz o triângulo, inspire e produza o som interior "Pai"....

Ao expirar, com o som inteior "Iuuuu", visualize o triângulo sendo virado do avesso (como uma meia) de dentro para fora e de cima para baixo a partir da base. Veja a base do triângulo elevando-se acima de sua cabeça e o vértice apontando agora para baixo, para o coração.

Faça essa visualização novamente, só que, agora, preencha a base do triângulo voltado para cima com todos os pensamentos e problemas que o estejam preocupando. Enquanto você expira, ofereça essas formas-pensamento à Divindade para transmutação. Sinta a luz que brota, de volta, de cima para o seu coração.

MEDITAÇÃO PARA ESTIMULAR O CÉREBRO

Esta visualização específica é especialmente útil para trabalhos interdimensionais e para se ter acesso a vidas passadas e outras realidades.

Visualize um brilhante sol amarelo-ouro, do tamanho de uma ameixa, diante de você.

Puxe esse sol para dentro de sua cabeça. Mantenha a visualização do sol dourado brilhante dentro do cérebro e visualize-o colorindo a substância cinzenta do cérebro de luz amarelo-dourado. Veja seu cérebro ficar dourado.

Sinta a sensação desse escaldante sol amarelo-dourado dentro de sua cabeça e veja-o emitindo raios dourados em todas as direções.

Após mais ou menos um minuto, siga o sol dourado à medida que ele se eleva e sai de sua cabeça, e posicione-o a cerca de trinta centímetros acima dela. Relaxe a cabeça e mantenha a imagem pelo maior tempo possível.

Deixe que as imagens que aprecem em sua mente fiquem lá. Tome nota delas, sem julgamentos.

Retorne gradualmente à sua realidade normal. Volte para a Terra completamente, preenchendo todo o receptáculo de seu corpo com sua presença.

Quando estiver bem em seu corpo, retorne. Você pode fazer um registro de suas observações.

MEDITAÇÃO PARA PURIFICAR A MENTE

Esta meditação foi retirada de uma antiga prática essênia e faz parte de uma série de exercícios para construir um revestimento de luz.

Comece ligando-se à fonte do Grande Sol Central através da consciência de seu Eu Divino. Invoque as forças da inteligência central para que desçam. Ao mesmo tempo, traga à lembrança a imagem visual de seu eu superior ou de um Ser de Luz, como a figura de Cristo, Buddha, Quan Yin... ou a Presença Sol sem forma, mas que representa a força de Deus individualizada.

Além disso, esta meditação usará palavras de poder que procedem da linguagem que se pensa tenha sido aramaico antigo.

Visualize um raio de luz branca vindo do infinito (acima e por trás de você), descendo em frente ao rosto, transpassando a garganta e reluzindo a meio caminho da parte superior e posterior da cabeça. Ele irradia-se por toda a cabeça, saindo pela parte central da testa, trazendo diretamente de volta à testa a imagem do mestre ou guia interior, que você invocou.

Este exercício pode ser feito tanto de pé quanto sentado.

O poder da Luz, derramando-se através da cabeça, lava a mente, limpando-a de todos os pensamentos aborrecidos acumulados durante o dia. Muito embora este exercício possa ser feito a qualquer hora, é uma boa prática realizá-lo à noite. Pela manhã a mente despertará purificada das frustrações do dia anterior.

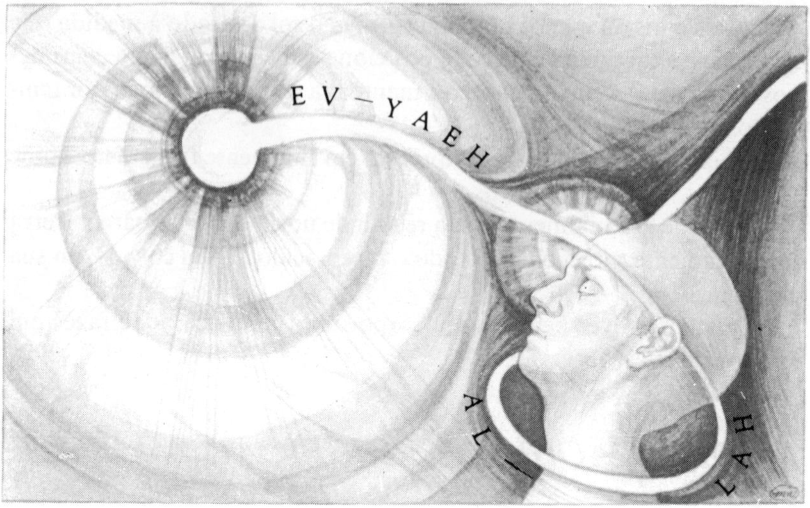

MEDITAÇÃO PARA LIMPAR A MENTE:
ALLHA-HE-AY-VEH

Procedimento

Com o som AHLAH numa inalação profunda, traga a Luz para baixo, através da garganta e para cima, para a parte posterior da cabeça.

Com o som HEAY-VE, numa expiração vigorosa, irradie a Luz através da cabeça e para fora, pelo centro da testa, de volta à radiação visualizada da mente do símbolo Cristo.

A cabeça deverá ficar inclinada para trás e este exercício deve ser feito três vezes, sempre que a necessidade de purificar o pensamento seja urgente.

Pronúncia: HE como em "ri".
AY como em "Ei".
VE como em "Vê".

O Poder da Palavra Falada

Quem já não ponderou sobre o sentido das palavras bíblicas "No início era o verbo e o verbo tornou-se carne e habitou entre nós"? Por que e como o verbo é "o início"? E, de qualquer modo, o que *é* "o verbo"?

Não posso dizer com certeza o que significa essa afirmação bíblica, mas posso compreender o que poderia significar. Gostaria de deixar de lado a informação a respeito da vibração sônica que caracteriza todas as coisas vivas com uma impressão única, que as distingue de todas as outras coisas o tempo todo, pois isso será explicado no capítulo referente à interdimensionalidade. Gostaria de explorar aqui o poder e o impacto da vibração sonora sobre a criação da forma.

Imagine a Fonte primordial como uma conexão de vibração, da qual toda substância e todos os atributos derivam. Essa Fonte é o UM. Tem de ser. É a soma total universal de energia não qualificada — não-coisa. No instante em que a energia é qualificada, sua ação vibratória é reduzida e se transforma em alguma coisa. *O processo de qualificação ocorre através do som* — de um zumbido oceânico, que a tudo penetra (Om, Aum, Eu sou...) ele se individualiza em notas ou ressonâncias particulares. Cada ressonância vibrará de uma maneira única, solidificando-se em algum tipo de forma ou definição. Em outras palavras, adquire substância. O som é a atividade precipitadora que cria substância ao coletar energia como que em grupo, moldando-a então numa forma. A cor é substância de som. Podemos agora começar a compreender como os raios constroem ou criam Tudo O Que Existe. Da cor e das combinações de cor/freqüência do som, a Substância-Luz e a matéria física emergem como forma.

É lógico também que, do mesmo modo que o som cria, pode também destruir. A esta última atividade já estamos acostumados neste século, onde Caruso quebrou copos, e jatos supersônicos ultrapassaram a barreira do som.

E como isso se aplica a nós? Utilizamos o mesmo princípio na criação de nós mesmos e de nossos mundos. Não sabendo como usar o som puro, usamos a energia do som através da palavra falada. Uma palavra é um som que foi investido de significado; ela carrega uma forma-pensamento e um sentimento. As palavras não precisam ter um sentido para a mente, ou ter uma intenção consciente, para que tenham efeito. O próprio tom transmite adequadamente sentimento e cor ao ambiente. Quando, porém, o tom é injetado numa palavra que transporta intenção, temos a força da palavra. "Preocupação, preocupação, trabalho e preocupação..." ou "Fique calmo e saiba..." são exemplos de frases de poder, encantamentos, sentenças ou afirmações, que produzem os resultados previstos.

Já estabelecemos como o chakra da garganta, um veículo da atividade do primeiro raio, é responsável pela expressão da Vontade — tanto pessoal quanto divina. A Vontade é a força propulsora da manifestação e da criação. Sendo a garganta um veículo para a vontade dos chakras inferiores, ela transmite as qualidades dos mesmos para o ouvinte, criando os efeitos da emotividade amargo-doce, do romance, da sensualidade ou do poder bruto e até da violência. Estando por outro lado, o chakra da garganta a serviço dos chakras superiores, o som produzido inspira exaltação, tranqüilidade, e desperta o ouvinte para as verdades interiores. A função do chakra da garganta também é a de nutrir (concedendo a vontade de viver) — transmitindo a sensação de envoltórios quentes da segurança sensual, bem como de espaços cheios de sonhos de Luz e Amor.

Uma vez que a forma-pensamento tenha sido estabelecida, a impressão fotográfica (etérica), produzida pela combinação das atividades dos Corpos Mental Inferior e Emocional, serve como molde. Precisamos agora do material para construir a equivalência física ou criar as condições para que ela se materialize. Precisamos de substância. Neste ponto, seguimos o procedimento exato do princípio de Criação anteriormente descrito. Usamos o som: a palavra.

Todas as palavras estão envolvidas por um poder cumulativo ou *momentum*. Encantamentos e fórmulas mágicas estão envolvidos pela energia de milhares de magos e adeptos dos séculos passados, que criaram um vórtice poderoso para a manifestação. Embora tenhamos retido o conhecimento de algumas fórmulas, perdemos a maioria e certamente a compreensão mais profunda da dinâmica envolvida.

Agora, como sempre, temos de agradecer a graça do Espírito e daquelas Presenças Luminosas, que nos guardam e inspiram, por terem mantido em segredo o conhecimento da dinâmica da Lei para uma civilização que não estava preparada para usá-lo sabiamente e por terem revelado este segredo neste tempo. Agora é a hora de recriar, de redescobrir as obras da Lei, não da mecânica, mas da consciência e da associação divina com a Divindade — o "guru interior", o eu superior.

FAZER O APELO (OU CHAMADA)

"Fazer o Apelo" envolve uma ligação consciente com o Eu Divino por intermédio do Eu Superior e o estabelecimento do que eu chamo de "Circuito Alquímico". Isso é feito energeticamente através de visualização e firmado através de oração ou afirmação — repetição de palavras de poder.

As Fórmulas Alquímicas atuais seguem os mesmos procedimentos empregados para o Circuito Alquímico e consistem dessas etapas simples:

1. *Invocação* — Envie sua força vital física (pensamento ou visualização, sentimento e palavras) para o alto, para o Eu Divino, o que serve para alcançar e se conectar com aquela freqüência superior, de um modo em que reverbera de volta sobre o corpo físico. Neste estágio, você faz em voz alta o Apelo, o resultado desejado, de uma maneira clara e perfeita.

2. *Identificação* — Reconheça aquela freqüência como sua e tornese uno com ela, de modo a permitir que as ondas de energia jorrem para cima e sejam mantidas dentro dos veículos físico e emocional fixados abaixo. Ao mesmo tempo, você pronuncia uma afirmação daquela identificação, como por exemplo: "EU SOU" Toda Luz. Dessa maneira, você mesmo projeta energia desse nível mais alto para baixo, sobre a forma física. Você pronuncia a resposta que invocou no primeiro estágio.

3. *Aceitação* — A redescida da Luz experimentada em dimensões superiores para a consciência do corpo físico e da encarnação. Você aceita sua identidade como um Eu Divino dentro da matéria e aceita a realização do "Apelo", feita na primeiro estágio através da invoca-

ção. A aceitação é estabelecida como um fato que já ocorreu. Desse modo, você estabelece a cópia mental, ou forma, dentro da qual ocorre a condição ou atividade invocada.

Essa fórmula tem sido usada por milênios e muito recentemente foi popularizada por Leonard Orr (que deu origem ao "Renascimento"), em seus princípios para a manifestação, e por muitas outras escolas que se juntaram ao carro-chefe, advogando a responsabilidade na criação do mundo de uma pessoa. É o método fundamental nos Laboratórios de Prosperidade e nos Cursos de Pensamento Positivo e em todos os tipos de técnicas, tanto espirituais quanto piscológicas, para o aperfeiçoamento individual. Ele funciona.

"Fazer o Apelo" segue os mesmos princípios da lei de oferta e procura. Ao "Fazer o Apelo" você cria uma demanda para que a oferta (daquilo que você está procurando) seja liberada. Você, na verdade, está obtendo para si mesmo e dando a si mesmo, mas está vindo de um lugar de centralidade e totalidade, com um foco no coração e nas faculdades da Mente Superior

AFIRMAÇÕES OU SENTENÇAS

Uma afirmação, ou sentença, é um decreto espiritual. Toda substância, Luz ou matéria, precisa seguir o comando da Palavra. Esta é a Lei.

A maior parte da humanidade está cercada de impressões contraditórias e discordantes, que se negam entre si e se dissolvem ao longo do tempo pela desatenção. Há também formas-pensamento criadas pelo uso habitual e inconsciente da Palavra, que perduram por milênios na aura dos indivíduos. Isso forma impressões fortes que atuam como forças magnéticas de captação para compelir o indivíduo a padrões de comportamento perturbadores. A única maneira de quebrar o selo dessas impressões é através do uso do mesmo mecanismo que o criou e manteve desde o início.

Diz-se que uma afirmação tem poder — quando repetida *muitas vezes* com o grau adequado de intensidade de sentimento e visualização — de produzir uma força dinâmica de vida, que se solidifica numa imagem positiva dentro da aura. Um novo padrão é estabelecido e pode ser usado para manifestação física, para o sentimento ou para a maneira de pensar.

O Murmúrio

O murmúrio é uma das maneiras mais poderosas de se equilibrar, pois ele o afeta em cada um de seus corpos. A atividade vibratória estabelecida por seu murmurar redistribui a energia por toda a estrutura celular.

O *momentum* produzido pelo murmúrio é importante. Tendo começado, permaneça murmurando por pelo menos dez minutos.

Os olhos devem estar fechados.

Sente-se confortavelmente numa posição em que possa permanecer sem ficar se ajeitando ou mudando de posição. Afrouxe as roupas.

Comece a murmurar. No início, você sentirá o murmúrio localizado, na região da garganta e na cabeça. Deixe que ele se espalhe por todo o seu corpo.

Permaneça dentro de seu corpo e suavemene, através do poder de sua visualização e sentimento, espalhe a vibração até atingir os dedos e as solas dos pés...

Sinta todo o seu corpo pulsando a cada som.

Agora estenda sua consciência para o espaço ao seu redor e sinta o murmúrio como uma membrana invisível vibrando naquele espaço.

Veja seu corpo físico como uma corda central liberando ressonâncias, que vibram através de todo o aposento.

(Se houver qualquer área de seu corpo que não estiver bem, dirija o som para lá por alguns minutos, usando suas mãos para focalizar a energia, se for preciso, e então volte a expandir a atividade vibratória.)

Você pode intensificar a atividade estendendo seus braços ao seu redor. As palmas voltadas para cima ajudam a liberar energia; palmas voltadas para baixo ajudam a captar energia. Explore ambas as posições.

Agora, impregne de cor o fluxo com a energia de seu coração. Libere, através do som e das palmas das mãos, sua própria força de sentimento individual para o universo.

Permaneça assim pelo tempo que desejar.

Depois pare. Sente-se (ou deite-se) silenciosamente, pelo tempo que for necessário. (Um processo de cura profundo freqüentemente ocorre então. Você pode senti-lo como se fosse cair no sono. Permita que isso aconteça.)

MURMÚRIO EM GRUPO

Um processo muito poderoso, principalmente se vocês se derem as mãos. Quando o murmúrio é feito em grupo, o *momentum* é muito mais intenso, se o som for continuamente mantido. Certifique-se de que haverá sempre alguém murmurando, enquanto outros estão respirando.

Um pilar magnífico de chama azul forma-se naturalmente no centro do círculo onde as pessoas estão murmurando. Você pode colocar pessoas ou imagens de pessoas ou lugares, que você gostaria de curar ou abençoar com esta força, dentro desse pilar.

OUTROS SONS

As vogais são especialmente poderosas. Explore por si mesmo a qualidade de energia criada por cada uma. Note como se sente ao entoá-las. Observe como se sente quando alguém mais as entoa.

Talvez você queira investigar as propriedades da entoação com uma outra pessoa.

Você pode fazer isso em dupla. Melhor ainda, faça-o em trio. Uma ou duas pessoas podem produzir o som verdadeiro, enquanto a receptora se deita, com os olhos fechados, e experimenta o efeito do som sobre seu corpo.

Entoe cada vogal suavemente. Quando o fizer com outra pessoa, verifique a harmonia dos tons. Fique bem próximo da outra pessoa e da área do corpo que você está focalizando.Talvez você queira começar com a área do abdômen e ir descendo, pelo fio de terra, pelas pernas e pés... E depois você pode tentar o circuito de cura, a partir do coração e para baixo, pelos braços e mãos.

Sugiro que você não entoe ao redor da área da cabeça. Neste nível o próprio indivíduo pode fazer isso muito melhor.

Observe os diferentes efeitos de cada vogal. "A" serve para expandir. "E" vai um pouco mais profundamente e ao redor, criando um turbilhão suave. "I" é bem focalizado e parece girar numa forma de espiral. "O" penetra e reverbera no interior. "U" é de todas a que vai mais profundamente, quase como um raio laser.

Agora explore as diferentes amplitudes do som.

Sempre que realizar esse processo com alguém, conte para as pessoas o que irá fazer. Nunca crie desconforto e sempre os deixe partir sentindo-se bem. Talvez você queira terminar a prática com uma silenciosa imposição de mãos, com uma pessoa à cabeça e outra aos pés, harmonizando-se suavemente com ela na intenção de amor.

O propósito deste exercício é experimentar o efeito do som sobre seus corpos físico, mental e emocional. Uma vez familiarizado com ele, você pode preferir utilizá-lo para harmonizar ou estimular a si mesmo, quando necessário.

Explore os efeitos de entoar a combinação poderosa de vogais, que formam a palavra sagrada "I-A-O-U-E".

MANTRAS

As palavras têm um efeito ainda mais forte. Há combinações que você pode fazer por si mesmo. Eu adoro cantar especialmente "EU SOU" vezes sem fim. O som e o sentimento associados à visualização servem para me harmonizar e energizar.

Explore. Quando você estiver ligado a si mesmo em níveis interdimensionais (como será explicado no próximo capítulo), pode descobrir seu próprio som em níveis diferentes do ser. Quando ouvir esse som ou nome com seus sentidos interiores, entoe-o e descubra suas propriedades.

Há também os mantras tradicionais, que contêm séculos de *momentum* e qualificação, como por exemplo "Aum". Embora produzam efeitos fenomenais, este canto em particular pertence a um ciclo anterior de atividade. Por esta razão gosto de substituí-lo por "EU SOU"

Eis um exemplo de um canto budista, para o coração, extremamente poderoso. Ele produz paz e tranqüilidade:

Aditya Hridayam Punyam... Sharu Shastru Bina Shanam...

Treine até conseguir entoá-lo por inteiro com apenas uma respiração.

E aqui está um dos meus favoritos: a afirmação sufi "Nada existe, apenas Deus!".

La Illah Lahi'l Allah!...

E muitos outros. Experimente!

SOM E MOVIMENTO

Esta é uma combinação muito poderosa usada pelos sufis na forma de *zikhrs,* que são mantras entoados em combinação com movimentos e danças realizados ritualmente, semelhantes a muitos costumes tribais primitivos.

Os sufis são talvez os melhores praticantes de um esoterismo terrestre, que une corpos, mente e espírito. Se a dança, o canto, o ritmo e a devoção constituem um apelo para você, seria bom investigar as práticas sufis, inclusive a dança rodopiante dos derviches.

Por enquanto, quero propor uma prática simples, que lhe permite sentir por si mesmo o poder do som e do movimento para, neste caso, centralizá-lo tanto dentro da corporalidade quanto da espiritualidade.

É melhor sentar com as pernas cruzadas no chão ou numa plataforma plana. Se isto não for possível, então sente-se num banquinho, com os pés firmemente plantados no chão, mas sem tensão. Você não precisa apoiar as costas para fazer este exercício.

Após a prática inicial do murmúrio, sugerida anteriormente, coloque as duas mãos no nível do chakra do umbigo, enquanto continua a murmurar.

Situe a energia vorticial do centro dentro de seu corpo. Se você ainda não conseguir senti-la, virá a senti-la em pouco tempo.

Comece a girar o corpo no sentido horário, a partir da cintura pélvica. As costas devem ser mantidas retas. O eixo para o movimento encontra-se exatamente no nível do chakra do umbigo.

Tome consciência de seus ombros e evite a tendência de relaxá-los. Também evite a rigidez oposta do dorso curvado, que impediria de se ligar experimentalmente a este centro.

Continue a girar enquanto murmura, por mais dez minutos.

Você parecerá sentir-se mais forte e mais centrado em seu corpo. O equivalente visual será um Buddha com um ventre enorme ou, mais comumente, uma pessoa rechonchuda.

Pratique e veja.

Procedimentos Protetores

O MAPA VERTICAL

Para nos ligarmos experimentalmente a freqüências vibratórias superiores, precisamos utilizar o vocabulário tridimensional. Embora não haja, naturalmente, uma mapa *real* das dimensões além desta, podemos nos guiar através do uso de certas visualizações e da sensação, traduzindo assim a realidade multidimensional numa lógica tridimensional. O melhor mapa de consciência que já encontrei é o mapa vertical. Este mapa é tão velho quanto a humanidade no planeta, mas foi reapresentado ao público no final do século passado, pelo movimento teosófico e popularizado na década de 30 pelos Sr. e Sra. Guy W. Ballard. Desde então têm havido inúmeros intérpretes deste mapa, muitos deles reivindicando serem mensageiros da Grande Fraternidade Branca, da qual foi obtida essa técnica.

À medida que visualizamos uma ascensão vertical, realmente movimentamos interdimensionalmente a energia e efetuamos uma aceleração vibratória. Experimente fazê-lo.

Nosso Eu Divino individualizado é a freqüência vibratória mais elevada possível para qualquer entidade encarnada neste mundo, que não tenha se dissolvido na Fonte ou Vazio primordial. A intensidade puramente mantida desta freqüência da décima segunda dimensão é algo que não é acessível ou possível neste estádio de evolução ou dentro desta dimensão. Além disso, ela não tem qualquer ponto de referência para nós. Ocorre, de fato, no interior. Do mesmo modo que as dimensões além desta e abaixo do Eu Divino individualizado, é experimentada como espaço coincidente dentro do Agora.

O MAPA VERTICAL

O fato de que é coincidente e experimentada como uma freqüência de energia mais refinada do que esta é prova de que temos também nossa existência naquela dimensão, ou não seríamos capazes de experimentá-la.

De nossa perspectiva de linearidade, de tempo e espaço, ela se localiza a cerca de nove metros diretamente sobre a nossa cabeça, quando de pé ou sentados, e sobre todo o corpo, quando deitados. Não há correlação exata entre distância e dimensionalidade, mas simplesmente uma aproximação. (Esse ponto é tratado no capítulo sobre interdimensionalidade.) Quando você ascende, há uma sensação de estar pilotando um jato supersônico e levantar vôo.

Antes de se entregar à "decolagem", você precisa estar totalmente em sua materialidade — sensorial, emocional e mentalmente. Isso serve como âncora. Além disso, é precisamente o veículo físico que queremos carregar e utilizar para transmitir as freqüências superiores e colocar a serviço da Luz.

Em seguida você localiza o centro do coração, pois é no coração que você se liga à interdimensionalidade e ao Espírito. Nas tradições esotéricas do passado, isso era visto como o Sagrado Coração ou residência do Fogo Sagrado, o lar da Centelha Divina. Como dissemos na meditação para o equilíbrio espiritual, explicada no final do capítulo sobre o poder do sentimento, os primeiros três raios têm sua base aqui, no coração, na forma de uma chama tripartida. Quando os três raios se encontram na forma de chama, uma chama multicolorida se forma e se irradia em todas as direções, proporcionada pela intensidade de pureza e desenvolvimento espiritual do indivíduo. Esta chama pode ser ampliada e expandida uma vez mais, e mantida segundo nossa capacidade de residir dentro da Luz.

Dentro do Fogo Sagrado, no coração, residem todos os poderes da Divindade e as faculdades da Luz, algo que não tem sido compreendido pelos alquimistas e metafísicos de épocas mais recentes. Considerando que poderíamos obter certos poderes através do desenvolvimento da ciência interior, via chakras superiores, e da aplicação da Lei de Energia, *nunca iremos além de um certo nível sem o desenvolvimento da espiritualidade*. Isso é algo que alguns de nossos irmãos do espaço, que avançaram tecnologicamente para um nível além de nossa compreensão, mas que não se desenvolveram nem emocional nem espiritualmente, estão enfrentando hoje. São estes mesmos irmãos do espaço que estão buscando prolongar suas espécies (pois estão beirando a extinção) pelo intercruzamento conosco. (Isso está documentado na obra de Budd Hopkins e na de Whitley Streiber.)

Assim, este Sagrado Coração é uma réplica exata de nós mesmos nos níveis eletrônicos da décima segunda dimensão, descrita na anatomia energética sutil do corpo físico. Poderíamos, neste ponto, considerar que somos, de fato, coincidentes e compreender como nosso eu físico é uma projeção de dimensões muito mais distantes.

Ao seguir uma linha energética, um raio de luz, subindo do coração para o Criador cerca de nove metros acima, você parte do coração, passa pela garganta, pela cabeça, pelo topo da cabeça e continua a subir até que experimenta um foco de luz tão intensa, que você mal pode olhar para ele, quanto mais conter sua energia.

A luz é de um branco brilhante e contém todos os diferentes raios e cores do espectro. Consiste em círculos concêntricos ou globos de Luz liberando emanações de substância primordial, como um sol. (A propósito, o Sol físico é uma entidade por si mesmo, como nós, e delineia fisicamente a forma do Grande Sol Central.) Nosso Eu Divino é, de fato, um sol interior individualizado. O Eu Divino é o que tem sido chamado de "EU SOU". Considerados em nossa totalidade de Ser, chegamos a compreender agora o ditado" "EU SOU (aqui na encarnação física) O QUE "SOU" (lá em cima, na substância-Luz). Dizer isso é uma afirmação que estabelece o Circuito Alquímico na forma etérica, ligando a matéria de seu corpo terrestre à substância de seu corpo de Luz.

CIRCUITO ALQUÍMICO

PASSOS

1	O despertar dos pontos de luz no centro dos átomos físicos do corpo inteiro, que, como um todo, faz parte do Corpo de Luz. Este é o processo através do qual se toma consciência tanto do peso da matéria quanto da eletricidade do corpo sutil, culminando na criação de uma âncora na materialidade: aterramento.
2	A focalização ou reestimulação consciente do chakra do coração como um ponto de identidade e energias cósmicas, constituindo-se numa réplica do Eu da 12.ª dimensão dentro da matéria.
3	A Invocação ou ato direcional de aceleração energética: a chamada que provoca a resposta.
4	Identidade Cósmica: o ato de sentir-se Um com a Fonte de Vida ou Essência Divina Individual. Fusão.
5	A projeção consciente a partir da perspectiva do Eu da 12.ª dimensão para o Eu da 3.ª dimensão, que serve para atravessar realidades e completa o circuito iniciado no terceiro passo indicado acima: a Resposta.
6	A aceitação. Incorporação de realidades, tanto cósmica quanto física, em uma simultânea consciência energética do Ser, que inclui toda a família de Eus em sua multidimensionalidade.

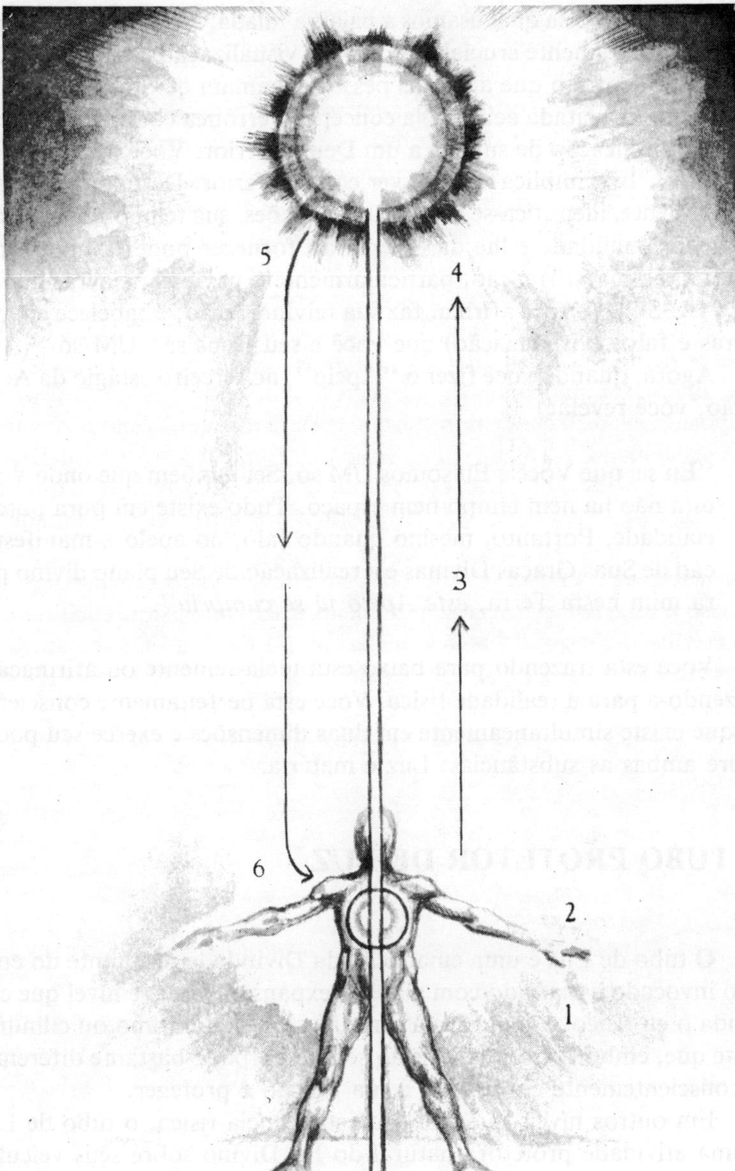

O CIRCUITO ALQUÍMICO

A maneira pela qual usamos a palavra falada, ao fazermos o "Apelo", é absolutamente crucial, como o é a visualização envolvida. Note a diferença entre o que algumas pessoas chamam de orar e uma afirmação como a citada acima. Na concepção errônea comum da oração há uma implicação de súplica a um Deus exterior. Você busca auxílio "lá fora". Isso implica você se ver como inferior. Deste modo, inadvertidamente, identifica-se com suas limitações, sua temporalidade, sua tridimensionalidade e lhe dá energia ao fornecer poder a uma fonte externa. Numa afirmação, particularmente o uso das palavras de poder "EU SOU", você afirma, faz sua reivindicação, estabelece em palavras e fatos (visualização) que você e seu Deus são UM só.

Agora, quando você fizer o "Apelo", no terceiro estágio da Aceitação, você revela:

> "Eu sei que Você e Eu somos UM só. Sei também que onde Você está não há nem tempo nem espaço. Tudo existe em pura potencialidade. Portanto, mesmo quando falo, no apelo à manifestação de Suas Graças Divinas e a realização de Seu plano divino para mim nesta Terra, *este Apelo já se cumpriu*".

Você está trazendo para baixo esta idéia-semente ou afirmação, trazendo-a para a realidade física. Você está perfeitamente consciente de que existe simultaneamente em duas dimensões e exerce seu poder sobre ambas as substâncias: Luz e matéria.

O TUBO PROTETOR DE LUZ

O tubo de Luz é uma emanação da Divindade resultante do contato invocado e mantido com ela. É a expansão daquele nível que circunda o eu físico, numa forma semelhante à de um tubo ou cilindro. Note que, embora assemelhe-se ao sétimo corpo, é bastante diferente. É conscientemente construído e sua função é proteger.

Em outros níveis que não o da substância física, o tubo de Luz é uma atividade protetora natural do Eu Divino sobre seus veículos de expressão. (Também serve como túnel ou passagem, que são utilizados na viagem fora do corpo e da morte.) No início da encarnação física sobre o planeta, este tubo era uma atividade automaticamente mantida. Com o passar dos séculos, nos voltamos cada vez mais para as satisfações pessoais e físicas, sem integrá-las à experiência espiritual. Assim, reduzimos nossa orientação, danificando nossas couraças protetoras, e renunciamos a nossos poderes divinos. Isso, compreenda, aconteceu naturalmente, quando a atividade vibratória foi reduzida: as freqüências de Luz não podiam mais se manter e nosso acesso a elas se turvou.

Estamos operando sem proteção por essas verdadeiras "idades das trevas" da alma em encarnação sobre o planeta. Isso nos tornou presas fáceis da manipulação e da superstição. Não é de se estranhar que tenhamos nos tornado desesperançados e tenhamos chegado a questionar a existência da Divindade! Mesmo onde métodos protetores são ensinados, aparecem encobertos pelo medo e pelo fanatismo numa tal extensão que são praticados ritualmente sem a compreensão interior. Rezamos a um Deus exterior por tanto tempo, que, mesmo que *digamos* que sabemos que somos UM com Ele, simplesmente não vivenciamos isso. Se o fizéssemos, mesmo por um dia, testemunharíamos milagres.

Para obter novamente a proteção que perdemos, precisamos nos voltar para a Luz e conscientemente reconstruir o tubo de Luz, através do método que utiliza os três poderes criadores: pensamento, sentimento e palavra falada. O primeiro passo requer fé no poder do Eu Divino, identificação com ele, confiança na experiência, relembrando-a o mais freqüentemente possível e aplicando-a. Em outras palavras, *ousando a crer*. Então você *faz o apelo*.

Tudo se move em ritmo. Tudo aquilo que parte retorna energeticamente ao emissor. UM APELO OBRIGA A UMA RESPOSTA. Esta é uma verdade energética e o sentido oculto da afirmação do Mestre Jesus: "Bata e as portas se abrirão". Todos os apelos são respondidos. O problema não reside no processo de resposta, mas na maneira pela qual o apelo é feito. Se for projetado com medo e consciência de limitação, retornará ao emissor deste mesmo modo. Se projetado em inocência e confiança, os efeitos positivos estarão assegurados. Se projetado em total consciência e força, com pureza de intenção, comprometimento e propósito determinados, nenhum milagre será tão grande.

Revisando: o processo de reconstrução requer a invocação do Eu Divino ou a ligação com o mesmo. Inicialmente, isso parecerá como se estivéssemos rezando a um deus exterior, mas, uma vez criado o espaço de recebimento da energia da Divindade, a experiência será inegável. Você precisará trocar de lugar com a Divindade. Lembre-se de que a energia projetante é a do Amor; você a invocará e, então, se projetará lá, através do uso de visualização criadora.

Na reconstrução do tubo de Luz, o aspecto Invocação, do Apelo, exige o endereçamento ao Eu Divino, com palavras tais como estas:

Amada Presença de Deus que "EU SOU"! Envio-lhe meu amor e peço que me envolva em sua Luz de pura substância eletrônica, que me mantém protegido e isolado de tudo o que não é Luz, e conscientemente sensível a você dentro de mim.

À medida que você pronuncia palavras semelhantes a essas (e sugiro que componha a sua própria invocação, apegando-se a ela por um momento, até que experimente por si mesmo o crescimento do *momentum*), precisa conscientemente *sentir* o que está dizendo e experimentar o poder desse sentimento verdadeiro e o circuito que está criando com ele. Também precisará manter a visualização e torná-la tão real a ponto de querer levantar os braços e estendê-los ao seu redor, sentindo a forma-pensamento que criou pelo poder do espírito (Identificação).

Sinta-se e veja-se como o Eu Divino acima. Quando você olhar para baixo, veja-se envolvido por um cilindro, como um amplo raio de Luz, que você projetou como um Eu Divino. Envie tanto amor a si mesmo (lá embaixo), que você sentirá como se seu coração fosse explodir. Visualize esse amor chegando a seu corpo físico, fortalecendo o tubo ou cilindro de pura substância-Luz eletrônica. Então volte para baixo e sinta-se da perspectiva do eu humano, envolto por este tubo de Luz. Talvez você queira afirmá-lo novamente e pode fazê-lo com palavras tais como estas:

"EU SOU" um filho da Luz. Eu amo a Luz. "EU SOU" protegido, iluminado e selado pela Luz. Movo-me na Luz e vivo sempre na Luz.

A partir desse momento, conscientize-se de seu uso das palavras "EU SOU". Coloque-o a seu serviço como uma lembrança do Eu Divino, o Deus "EU SOU".

Talvez você queira dizer algum coisa assim:

"EU SOU" o círculo de proteção ao meu redor, que é inexpugnável e repele instantaneamente tudo o que discorda de meu ser e de meu mundo. "EU SOU" a perfeição de meu mundo, agora e sempre.

Termine sempre com uma afirmação de aceitação e com uma benção — uma expressão de reconhecimento, gratidão e louvor. Você pode fazer isso mais ou menos assim:

Na consciência de que "EU SOU", todo tempo e espaço são Um só, e, até mesmo enquanto estas palavras são ditas, Está Feito! Eu sei. Eu vejo. Eu creio. Eu aceito. E (humildemente, humildemente) agradeço!

Esta experiência é de humildade e, contudo, de poder. Ao fazer o apelo para o seu cilindro protetor de Luz, como para todas as coisas, você exerce sua autoridade sobre a substância física e sua responsabilidade de criar seu mundo. Mas também reconhece seu Eu divino e o poder da Luz que é Espírito. Aqui também a oração tradicional falhou. No passado, erramos pelo emprego de muito poder (pessoalmente qualificado) ou de muita humildade. O primeiro nos tornou insensíveis; o segundo nos fez ineficazes no mundo.

A fase final do Apelo é o selo, o reconhecimento que traz a visualização para a realidade física:

ASSIM SEJA. ESTÁ FEITO. AMÉM.

A CHAMA MESTRA

Uma vez que você, por assim dizer, já estabeleceu seu território, através da invocação do tubo de Luz protetora, proveniente da Divindade, precisa trabalhar nesse território. Em outras palavras, em você mesmo, em sua aura — em seu eu físico, emocional e mental. Precisará confrontar e mudar, requalificar e transmutar tendências, hábitos, impulsos e compulsões, crenças e até mesmo substância física, doenças e deformações, disfunções e projeções. Como já sugerimos, você faz isso através da invocação de energia do sétimo raio ou raio violeta.

A atividade desse raio serve para transmutar toda energia e substância e é *básica para toda obra alquímica*. É a energia "misteriosa" de transubstanciação e graça. É também a que caracteriza esta Era, onde velhas formas-pensamento estão sendo dissolvidas e onde grande parte da humanidade e da substância do planeta está sendo transmutada. Neste sentido, a Chama Violeta poderá exemplificar a purificação e a redenção, defendendo a transmutação e a sublimação (que é realmente a elevação de uma energia a uma freqüência mais alta).

A Alquimia Interior ocorre quando a Chama Violeta é atraída para uma situação, através do uso dos três poderes, com a intenção de alterá-la. Este ato dirige-se à inteligência existente naquela energia, que então se acelera numa tal medida que salta para um outro padrão vibratório, para produzir uma substância completamente diferente. Essa atividade necessita de um ser humano encarnado, uma consciência que tenha acesso direto à substância física e que está, através de seu verdadeiro compromentimento com a evolução do planeta, numa posição de autoridade sobre a substância.

A Chama Violeta é invocada e dirigida a cada um dos três corpos inferiores. Sua presença servirá para conduzir à revisão e à requalificação todas as impurezas ou deformidades. O que significa que temos de encará-las, temos de lidar com elas, física, mental e emocionalmente, enquanto também as observamos da perspectiva do eu superior e do processo de transmutação. Precisamos ainda usar nossa vontade e determinação para recanalizar a energia. E, em casos de distúrbios físicos reais, precisaremos enfrentar as causas existentes por trás das doenças e aflições.

Uma vez enfrentadas, estas deformações estão prontas para serem liberadas. Aqui, o processo é chamado de *eterealização*. A eterealização é a liberação das partículas estruturais ou elétrons (físicos ou não-físicos) de volta à não-forma. Em outras palavras, o processo de desmaterialização. Neste ponto cria-se um centro magnético, que fornece um espaço para a Luz descer e recriar a substância à sua semelhança, que é a perfeição. Esta parte do processo é chamada de *magnetização*. A Chama Violeta é responsável tanto pela eterealização quanto pela magnetização em todos os níveis de substância, desde as substâncias de Luz até as da matéria. Talvez você possa compreender agora por que essa chama tem sido denominada de chama da bondade e da graça. Vista da perspectiva do eu pessoal, é experimentada como graça de Deus.

Além do Vórtice da Chama Violeta sugerido no capítulo sobre o sentimento, a Chama Violeta Transmutadora pode ser usada no processo de transmutação da seguinte maneira:

1. Visualize-a envolvendo seu corpo. "Sinta-a"; sinta-a do lado externo de seu corpo e na pele, e também dentro de seu corpo: no plexo solar, nos órgãos reprodutores etc. Veja-a também ao seu redor, estendendo-se para englobar sua aura dentro do tubo protetor de Luz.

2. Dirija-a para onde quer que dela precise: física, mental e espiritualmente... e veja-a agindo lá, quebrando formas-pensamento e dissolvendo substância.

3. Reivindique a energia transmutada. Você pode irradiá-la como parte de si mesmo com amor e bondade, com benção e boa vontade, ou pode reconhecê-la dentro de sua própria cura.

4. Teste ou verifique seus efeitos, reconhecendo que os disparadores de pensamentos, doenças ou emoções não estão mais presentes.

5. Atue no plano físico para assentar e selar a operação.

É imperativo que toda obra esteja assentada na materialidade. Não basta orar. Não basta imaginar. Não basta convencer-se de que você já se perdoou ou a alguém que tenha sido injusto para com você. Será preciso incorporar a operação através da atividade física. Você precisará se comportar com bondade e realmente ver ou escrever ou telefonar para a pessoa envolvida. Precisará checar seus pensamentos habituais de carência e limitação, para assegurar que a condição não será recriada no corpo, na mente ou no sentimento.

Sua afirmação ou sentença para o uso da Chama Violeta pode ser feita da seguinte maneira:

> Amada Presença de Deus que "EU SOU"! Espalhe através e ao redor de mim a Chama Transmutadora Violeta, *Agora*. Purifique e transmute em mim e em meu mundo tudo o que não é da Luz: todas as impurezas, maus sentimentos, conceitos errados, registros etéricos destrutivos — causa, efeito, registro e memória — conhecidos ou não. Mantenha esta ação sustentada e tudo poderosamente ativo. Requalifique e substitua tudo pela substância purificada, poder de consumação e plano divino realizado.

O modo pelo qual você deve se preparar para a obra multidimensional mais elevada é adquirir o hábito de praticar a visualização de seu tubo de Luz e da Chama Violeta. Esta proteção separa-o da teia de formas-pensamento e desejos humanamente construídos, para que você possa transmutar suas próprias criações e continuar com sua evolução, seu serviço, seu propósito de vida. Criar o hábito estabelecerá a quantidade de movimento da forma-pensamento, solidificando-o e fortalecendo-o.

Uma boa idéia é praticar o revestimento protetor logo depois de acordar e antes de dormir. No começo, você quererá realizá-lo durante o dia, principalmente se você sentir medo, dúvida ou irritação, pois estas freqüências mais baixas penetrarão e destruirão as vibrações mais refinadas da Luz que forma a sua proteção. Agora você pode ver por que é tão importante treinar-se na sustentação de padrões positivos de comportamento.

Quando você visualiza sua couraça protetora à noite, antes de dormir, sabe que seu corpo físico está dentro do fogo transmutador. Por outro lado, sua consciência sobe através do tubo para domínios vibratórios superiores. Sem este caminho, você poderia ser afetado por forças astrais psíquicas e inferiores envolventes, que interpenetram nossa realidade.

Talvez você queira conversar freqüentemente com seu Eu Divino; reconheça-o, estabeleça com ele um diálogo e lhe dirija verticalmente seus pensamentos e sua visão interior. Ouça as respostas, que, inicialmente, serão vibratórias, mas que, com o tempo, virão sob a forma de imagens e palavras. Se você praticar bem esses dois processos, os segredos alquímicos revelar-se-ão automaticamente em seu interior.

Devido à nossa perspectiva limitada deste estágio tridimensional, precisamos conversar com ele da mesma forma que o fazíamos com o Deus exterior. É um pouco artificial, mas ajuda. Peça-lhe auxílio. Peça-lhe para levá-lo até lá onde ele mora. Peça-lhe para ensiná-lo, para aperfeiçoá-lo. Peça-lhe para mostrar-lhe o que você precisa fazer.

Ofereça-lhe seu serviço, particularmente quando for dormir, pois você pode oferecer maiores serviços em estados fora do corpo. Logo você estará ligado à realidade interdimensional e aos seres de Luz. Você também começará a sentir seus próprios poderes espirituais e começará a ver com o que você se parece (e isso também em relação às outras pessoas) do ponto de vista do eu superior. Terá acesso direto ao conhecimento e compreensão superiores, sem intermediários.

Chegará o tempo em que lhe serão mostradas vidas passadas e as respostas a questões ou dilemas de sua vida atual. Deste modo, você passa a compreender certos aspectos de si mesmo, que o fazem se comportar de certas maneiras, que podem ser diferentes. Sua personalidade será revelada. O mesmo se dá com seu fluxo de vida individual. Os registros akásicos revelarão sua memória de maneira visual e tangível, e as passagens dimensionais se abrirão.

Esta prática de recorrer a seu Eu Divino pode ser usada também para recorrer ao Eu Divino de outras pessoas com as quais você quer se comunicar, simplesmente através da visualização do mesmo nos outros.

Primeiro, porém, você precisa expressar a intenção: "Eu quero saber". Desse modo você cria o espaço para respostas e compreensão, e o acesso direto superior lhe será dado. O espaço é criado vibratoriamente. Todas as vezes que você criar o circuito e o aceso a estas freqüências superiores, estará afetando sua estrutura celular física. Você estará se recalibrando nos padrões da substância-Luz. Estará se tornando Luz.

OUTROS RAIOS, OUTRAS CHAMAS

Quando você esteve no nível mais superior do Eu Divino, notou que havia anéis concêntricos de cores diferentes, indicando que você tem acesso direto a cada um dos raios. As energias dos outros raios podem ser usadas na Alquimia Interior para efetuar mudanças sobre si mesmo e em seu meio ambiente. Essas energias podem ser usadas em combinação com a Chama Violeta, que, como dissemos anteriormente, é fundamental. Você pode dirigir, circundar, envolver a si mesmo e a outros em Luz e cor.

Talvez a próxima cor mais importante, usada para o corpo emocional em particular, seja o dourado. O dourado suaviza, estimula a atividade saudável e pacificadora do plexo solar, que é a sede energética dos chakras inferiores. A visualização da Luz Líquida Dourada é especialmente útil, como o é a visualização de um sol dourado colocado exatamente no centro do plexo solar ou um revestimento dourado visualizado ao redor do corpo físico. Esse revestimento de Luz também pode ser elaborado na cor azul ou violeta.

Outra boa cor para o corpo emocional é o rosa, penetrando suave e rapidamente onde outra cor talvez fosse muito berrante ou abrasiva. Um amigo meu gosta de envolver em luz rosa as irritadas vendedoras das lojas de departamentos de Nova York. Em questão de segundos elas ficam tão meigas quanto gatinhos!

Talvez, neste ponto, você queira dar uma outra olhada no quadro relativo aos raios e seus usos. Sinta-se à vontade para explorar os efeitos da cor em si mesmo.

Ao usar as cores, como quando faz os apelos, você pode invocar a pureza, a cura, a iluminação do intelecto, a abundância... Você testemunhará a emanação das cores a partir de dimensões superiores, sem que precise selecioná-las e dirigi-las a si mesmo, ou pode participar da alegria de projetar cores curativas para si mesmo, se assim o desejar. Tudo o que precisa fazer é afirmar "EU SOU O QUE SOU". De uma simples mortal, peregrino sofredor, você se transforma no Eu Divino. Para onde quer que dirija sua mente, você se transforma naquilo que está visualizando.

É importante compreender que não precisa ter medo de usar ou não estas práticas protetoras ou de projeção, pois isso seria contraproducente para aquilo que está tentanto transmitir. Você não pode se sentir submerso nas práticas a ponto de se sentir oprimido por usá-las ou ficar com medo de não utilizá-las. Esses *insights* são dádivas do Espírito e evocam o poder da Luz. Devem ser usados com satisfação e não como obrigação. Devem ser usados com profunda compreensão e não com medo.

O Amor é a melhor proteção. Mas, exatamente por isso, você não pode ser tão complacente e ingênuo a ponto de crer que ser indiscriminadamente vulnerável e aberto a todo mundo e a todas as coisas signifique Amor. O Amor é também a ação correta e a vigilância perspicaz. O Amor envolve consciência e precaução. E isso, quer seu caminho seja ou não através da Alquimia, requer disciplina e obediência à Lei.

O poder de sentimento serve para gerar o combustível ou energia necessário a toda as atividades, principalmente à da criação. Para que ocorra realização de suas chamadas e a liberação para você daquilo que está pedindo que aconteça, é preciso acreditar e agir em associação com seu Eu Divino, e é preciso praticar o discernimento no uso da palavra falada. Este é um trabalho de vinte e quatro horas ao dia, realizado enquanto você dorme, trabalha, se diverte... agindo através de seu corpo, através de seus sentimentos e pensamentos, em sua alegria ou tristeza, em sua morte e em seu renascimento.

A NATUREZA DA COR

Vamos, agora, compreender a mecânica existente por trás das cores e como esta se relaciona ao som e, mais importante, como podemos usar a cor para afetar nossa atividade vibratória no nível da materialidade.

Metafisicamente, Deus = Vida. Cientificamente, Vida = Luz. Para todos nós, a luz se manifesta como *cor* e como *som*. "No início era o Verbo..." poderia ser tomado no sentido de que no início também era cor.

A Fonte, que gosto de chamar de Grande Sol Central, expressa-se dimensionalmente como o Sol físico em cada um dos sistemas de galáxias. Este Sol físico irradia luz/vida ao projetar uma certa substância ou força vital que, encarnada na matéria, transforma-se em vida como a conhecemos. O Sol continua a alimentar esta vida com mais vida, através de sua Luz ou Fogo Sagrado — que contém a matéria primária dos raios e das várias chamas responsáveis por toda a vida existente em qualquer lugar.

A Luz, como luz solar no sentido físico, atinge o indivíduo através da glândula pineal e do nervo ótico, afetando o funcionamento do cérebro e de todos os processos vitais, inclusive o sistema nervoso autônomo e a glândula pituitária, que, por sua vez, regula todos os sistemas orgânicos através da secreção de hormônios. O efeito da luz e da cor sobre nossa vida física é indubitavelmente fundamental.

A cor no ambiente afeta o comportamento. Respirar na cor verde, ao estar em contato com a natureza, é o melhor alimento que podemos dar a nós mesmos. O verde é a cor predominante da natureza e é também a cor do centro do espectro, além de ser a cor do raio que afeta o chakra do coração. É a cor do equilíbrio e da harmonia.

Pela exposição do sistema físico à vibração pura da cor ou de seu equivalente sonoro, somos capazes de equilibrar o sistema neuroendócrino do organismo. Enquanto crescemos em consciência, nos tornamos mais atentos à coloração de nossos ambientes, nossas roupas, nossos pensamentos e nossa música. Há muitos estudos realizados sobre a cor e o corpo humano. Recomendo a obra do Dr. John Ott e os trabalhos de Dolph Ornstein, entre outros.

Respirando a Cor

A maneira mais eficaz que encontrei de usar a cor não é apenas respirá-la, mas dirigi-la a circuitos energéticos sutis do corpo.

Este é um método que aprendi há muito tempo em um livro sobre desenvolvimento psíquico publicado na Califórnia. Desde então desenvolvi diferentes combinações de cores. Eu ainda acho que é uma das maneiras mais rápidas de se atingir estados alterados de realidade, quando o indivíduo é capaz de visualiar a cor. Se houver qualquer dificuldade em trazer à tona as cores, sugiro que você compre lâminas pintadas com as cores fundamentais. Pendure a(s) cor(es) indicada(s) na parede e olhe para ela(s) tanto quanto for necessário, de modo a transferir a impressão para a imaginação, com os olhos fechados.

Esta técnica funciona não apenas por causa da vibração das cores usadas, mas porque utiliza as correntes de energia dentro do corpo, afetando os vários corpos, funções, poderes e capacidades inerentes a elas. É também capaz de afetar o desalojamento do veículo etérico, possibilitando os estados fora do corpo e as faculdades interdimensionais, através da ativação dos chakras existentes fora do corpo.

Siga para a cor os mesmos princípios descritos para os raios, inclusive: força para a cor rubi; paz e compaixão para o azul; alegria para o amarelo; vitalidade para o laranja; e visão para o violeta. Branco transparente, prata e ouro, e as intermináveis variações e combinações das mesmas, são também colorações que, embora não evidentes na realidade física, existem e afetam estados sutis de energia.

A esse respeito, é interessante notar que o OURO (a cor tradicional da Alquimia) é uma combinação de laranja e azul (o Alfa e o Ômega), que, na metodologia da Árvore da Vida Cabalística (a tradição Alquímica Esotérica Hebraica), denota felicidade e beleza. Invocar o ouro traz aceleração energética instantânea.

Invocar o ouro traz, para nossa consciência pessoal, a chama eterna de Vida/Luz. Ele estimula a mente e purifica o sangue. É a Chama do Rejuvenescimento. Invocar o violeta (a outra cor básica usada na Alquimia) como já foi dito, traz propriedades transmutadoras para nosso sistema físico, basicamente para o sangue... afetando as células de luz de todos os corpos.

Comece usando a cor verde. Visualize um verde-floresta, mais profundo, para a Terra e um verde-maçã, mais pálido, para a fonte cósmica. Capte fluxos de verde-floresta do centro da Terra e absorva-os, através das solas dos pés, para cima, para a cintura pélvica. Simultaneamente, capte o fluxo verde-maçã da fonte cósmica, por intermédio do seu Eu Divino, e absorva-o para baixo, fazendo-o passar pelo topo da cabeça, através do corpo, até a cintura pélvica. Capte-os de ambas as direções na inspiração.

Retenha a inspiração, mesmo que por pouco tempo, enquanto visualiza os dois matizes se misturando dentro da cintura pélvica. E, na expiração, projete a mistura através do corpo, para cima e para fora

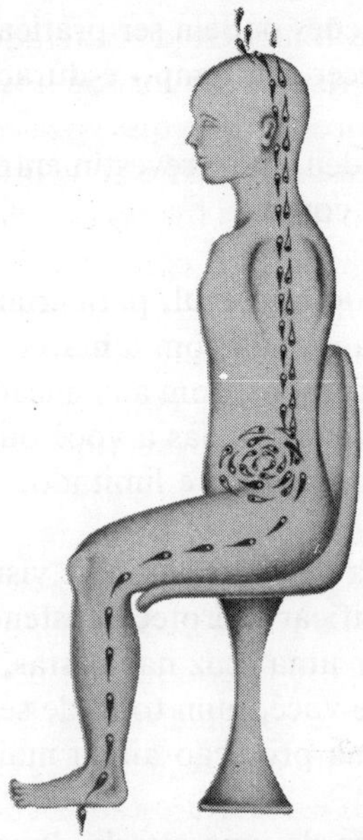

RESPIRANDO A COR

da cabeça, através do corpo, até a cintura pélvica. Capte-os de ambas as direções na inspiração.

Retenha a inspiração, mesmo que por pouco tempo, enquanto visualiza os dois matizes se misturando dentro da cintura pélvica. E, na expiração, projete a mistura através do corpo, para cima e para fora pela parte frontal superior da cabeça. Faça isso enquanto se sentir confortável. Logo você estará num estado alterado.

De outra vez, talvez queira experimentar uma outra combinação de cores. Tente, por exemplo, o cobre, vindo do centro da Terra, e o turquesa, da fonte cósmica... ou púrpura e cor-de-alfazema... verde-claro e azul-celeste.

VISUALIZAÇÕES E AFIRMAÇÕES PROTETORAS

O tubo de Luz e a visualização da Chama Violeta são técnicas de proteção que devem ser a primeira coisa a ser praticada pela manhã e a última à noite.

Estas outras visualizações podem ser praticadas a qualquer hora. É sempre melhor estabelecer um tempo e duração definidos.

1. Visualize um solidéu e um revestimento claros, semelhantes a cristal, sobre o corpo.

2. Invoque o poder do raio azul, para criar uma espada de chama azul. Segure a espada com a mão e gire-a vigorosamente em movimentos cruzados, com a intenção de se livrar de quaisquer linhas de força enviadas a você ou por você, que o podem estar mantendo preso e limitado.

3. Invoque uma cruz de fogo branco e visualize-a à sua frente. Você pode intensificar a proteção estendendo a visualização de modo a incluir uma cruz nas costas, em ambos os lados, acima e abaixo de você, num total de seis. (Cruzes de chama azul fornecem uma proteção ainda maior.)

4. Visualize-se dentro de uma estrela dourada de nove pontas, no interior de uma cruz de fogo brando.

5. Imagine um revestimento de substância dourada sobre seu plexo solar ou um disco giratório de Luz às costas.

6. Circunde a área de seu diafragma com uma faixa de chama azul. (Bom também ao redor da garganta.)

7. Veja-se dentro de uma pérola efervescente de luz flamejante.

8. Invoque a estrela da pureza, para que desça à estrutura do cérebro. Veja, então, seus raios saindo de sua cabeça como um sol; faça a mesma coisa para a área do peito. Talvez você queira encerrar isso dentro de um oval de Luz (fora do tubo de Luz).

9. Imagine uma esfera de luz azul-prateada dentro da garganta.

10. Imagine-se dentro de um pilar de Luz: violeta, branco, azul... Então projete essa luz em todas as direções, começando por seu ambiente próximo e estendendo-se para além de sua cidade, de seu país e da Terra.

11. Invoque a Chama Dourada e veja-a descer para seu crânio como uma grande espiral de líquido dourado, descendo para o centro do corpo e para o centro da Terra. Faça uma pausa, para deixá-la fluir para cada nervo e célula de seu organismo. Proteja especialmente seus pés e resolva permitir a corrente dourada fluir, através de você, para todos os lugares aonde for.

12. Faça o apelo para a dissolução de todos os seus registros etéricos — em seu corpo, sua mente, suas emoções... em seu ambiente, relações e atividades.

13. Envolva sua casa, seu carro, seu local de trabalho com um anel protetor de chama azul (ou cruzes de chama azul).

Afirmações:

1. "EU SOU" um Ser de chamas brancas, proveniente do Sol Central, vivendo dentro deste corpo de matéria e expressando-me como perfeição através de cada célula. "EU SOU" a presença de meu Eu Divino manifestando perfeita saúde, juventude e beleza, perfeita inteligência, equilíbrio e paz.

2. "EU SOU" a inteligência que conhece tudo o que precisa conhecer. Eu vejo através de tudo o que não é de Luz!

3. Amado Eu Divino, que "EU SOU", e todos os Grandes Seres de Luz e Amor! Protejam-me de tudo o que não é da Luz, especialmente:

todos os acidentes, inveja, injustiça, mexericos, impurezas, ódio...
(e qualquer outra coisa que você ache necessária)

4. "EU SOU" a presença de meu Eu Divino, no perfeito controle sobre:

minha mente, meus sentimentos, meu corpo... meus assuntos, minhas finanças, minhas relações...

5. "EU SOU" dentro da Luz do Fogo Sagrado da Divindade, que é eterna segurança.

6. Amado Eu Divino que "EU SOU"! Ajude-me quando eu deixar meu corpo durante o sono desta noite. Preencha meu cor-

po e minha mente com descanso e paz, com pureza e compreensão... e com tudo o que precisarei para realizar meu trabalho do dia seguinte com êxito e harmonia.

7. ... faça com que eu traga de volta à minha consciência desperta, a memória de meu estado fora do corpo, para que possa utilizá-la em minhas atividades diárias.

(Siga o procedimento descrito anteriormente para selar sua afirmação.)

Visualizações para Emergências ou para se carregar:

1. Depois de estabelecer o Circuito Alquímico, visualize raios azuis, na forma de iluminação azul, colidindo com todas as formas, sentimentos ou pensamentos que sejam negativos ou destrutivos (seus ou de outros). Envolva-se com um revestimento espelhado e o apelo para que a força Divina, através de seu Eu superior, seja o seu guia.

2. Imagine-se recebendo mais e mais luz de seu Eu Divino.

3. Visualize alguém com quem você possa estar tendo alguma dificuldade. Peça permissão para dialogar com o eu superior desse indivíduo. Fale, da perspectiva (e sentimento) de seu próprio eu superior, para o eu superior dele. Peça-lhe para ajudá-lo a estabelecer a harmonia que busca ou a mensagem que deseja transmitir. Confie que isso seja feito.

Isso é sempre mais poderoso quando você usa a palavra falada juntamente com suas visualizações. Em sua privacidade, crie suas próprias afirmações.

A Natureza da Influência Negativa

MEDO

Já falamos sobre o fato de que o medo e a dúvida constituem os portões básicos para a negatividade. Tais atitudes servem de alimento ao consenso a respeito da crença de que estamos separados da Divindade. Vamos agora examinar a dinâmica existente por trás do medo.

O medo é prerrogativa da vida na matéria física. Está sempre relacionado ao corpo e a alguma forma de sobrevivência. Examine-o e verá que se relaciona à ansiedade referente a ser magoado fisicamente, a não ser de algum modo persistente, a não ter dinheiro suficiente para sobreviver, a morrer...

Quando você sabe que não é seu corpo físico, a dinâmica do medo começa a perder sua influência sobre você. Mas há ainda a memória do medo dentro das células de seu corpo. Ele é intrínseco ao corpo de matéria e reminiscente da consciência do animal. É a maneira pela qual o corpo nos adverte. Quando você atravessa uma rua e há um carro se aproximando, o corpo, instintivamente, o sentirá e o mobilizará. Quando há um vulto ameaçador no ar, ou seja, a presença de um criminoso ou uma sensação de morte ou destruição iminente, você a sentirá também no seu corpo emocional. Você registra vibrações opressivas ou violentas através da premonição. Seu corpo mental serve também para alertá-lo, através de deduções intuitivas. Essas formas de medo são parte dos mecanismos dos corpos inferiores em sua expressão na vida na Terra.

A manipulação ocorre quando alguém ativa estes mecanismos, com o propósito de obter o controle sobre pessoas e situações. Pergunte-se *quem* se beneficia com o medo induzido. Os sacerdotes, os políticos, as instituições, as autoridades... O medo escraviza. Quando uma mulher tem medo de seu marido deixá-la, ela renuncia a seu poder, sua autoridade como ser-Deus, sua autonomia e sua independência. Ela adquiriu a crença de que não pode sobreviver (mesmo emocionalmente) por si própria.

Quando uma pessoa tem medo de não conseguir o aluguel do mês seguinte, passa a crer que não tem sorte nem capacidade. De algum modo, acredita que não tem valor. A falta de recursos físicos está intimamente ligada ao medo e à culpa.

Desse mesmo modo, as pessoas têm medo de aviões, de ruídos altos, do comunismo, do capitalismo... faça você mesmo a lista! Tememos que algo possa nos prejudicar, a menos que acreditemos em tal ou tal ritual, pessoa, causa ou produto — exterior a nós mesmos.

A arte não está apenas em compreender essa dinâmica, mas em aprender a decifrar os sinais e separar os temores reais (que são avisos verdadeiros) daqueles induzidos (propaganda). A arte também reside na desidentificação dos estímulos diretos do medo (mesmo quando real) e na liberação das faculdades superiores para desobstruir nosso caminho.

Uma boa maneira de eliminar as crenças acumuladas em nossa cura é afirmar: "EU SOU Luz", "EU SOU a Divina Proteção, "EU SOU a Verdade... a Claridade... a Paz..." etc. Repetindo afirmações tais como "A Luz de Deus nunca falha!" ou a famosa afirmação do Mestre Jesus, "EU SOU a Ressurreição e a Vida!", reprogramamos nosso circuito mental e emocional e nos distanciamos de nossa mortalidade.

É surpreendente como muitas pessoas se vêem como um corpo, um nome, uma profissão, um sexo ou uma personalidade, pouco percebendo que a identidade é uma criação, que pode ser descartada e refeita, que é dispensável, ilusória, irreal. A percepção disso marca o passo principal na nossa libertação do medo. Ou, mais especificamente, do *medo* do medo.

O medo é o assassino. Ele abre a porta para a negatividade, a manipulação e o controle externo. O contato experimental com o eu divino é o antídoto.

CONTROLE HIPNÓTICO E SUGESTÃO

O controle hipnótico e a sugestão são tão amplamente praticados, que mal sei por onde começar!

É parte da ética da Vida e da Lei da Vida nunca intrometer-se em outro fluxo de vida, exercendo a vontade sobre ele, mesmo quando a pedido. A verdade é que ninguém pode ser hipnotizado quando não quer sê-lo. Mas o fato de *milhões de pessoas quererem ser hipnotizadas* não dá a ninguém o direito de o fazer. E, contudo, isso é feito diariamente em todo o mundo, do coletivo ao privado, de chefes de Estado a maridos, esposas e filhos.

O controle hipnótico é um resultado da mentalidade de massa. Se ouvimos algo muito freqüentemente e se muitas pessoas acreditam nisso, ele se torna um fato a ser aceito. Quando as pessoas não sabem quem ou o que são, quando suplicam para dizerem-lhe o que fazer... quando querem ser amadas e aceitam a qualquer custo, porque não se amam ou aceitam-se... o que se pode esperar?

Quando, porém, muitas pessoas desejam aceitar o risco de ficarem sozinhas... quando muitas pessoas estão alegres, felizes, absortas em sua solidão, sem desespero ou necessidade, sem medo... então o controle hipnótico será impossível. Uma vez que você tenha entrado em dimensões verticais da consciência, será impossível a qualquer pessoa hipnotizá-lo.

O efeito hipnótico de uma coletividade de vozes dizendo "Isto é feio", "Isto é bonito", "Você está ficando velho... (o que implica dizer que você está decrépito e que seus dias estão contados)"... serve para nos influenciar tanto subliminar quanto evidentemente. Começamos a acreditar e "compramos" esses assim chamados fatos. Você pode não estar com a mínima fome, mas, na hora em que você acaba de assistir aquele filme na TV, estará ávido pela profusão de tentações formidáveis apregoadas nos intervalos. Mensagens subliminares estão constantemente bombardeando nossos corpos mental e emocional, seduzindo nossas bocas, nossos órgãos sexuais e nossos instintos de poder.

O controle hipnótico age através do poder de sugestão. "Por que você não experimenta isso... ou aquilo?" A sugestão é o controle hipnótico do leigo. As sugestões são dadas, na maioria das vezes, em total inocência, mas com inconsciência e por hábito, sem levar em conta o efeito que podem produzir nos indivíduos. Em outras palavras, sem sensibilidade e cuidado. As pessoas estão continuamente dando suas opiniões, e outras pessoas estão continuamente adquirindo-as como próprias. Muito pouco se faz original, individual e autenticamente. Isso não serve e nem pode servir ao *status quo*. É um comportamento de natureza revolucionária. E Deus é a maior revolução possível.

Sempre que alguém o aconselhe ou sugira o que fazer, pare por um momento. Lembre-se de seu Eu. Você pode ouvir por cortesia ou dar uma resposta verdadeiramente afetuosa, mas, no final das contas, lembre-se onde reside seu poder. Lembre-se do Deus interior. A liberdade é o valor mais alto: liberdade para o Eu. Até o amor é secundário.

A melhor solução seria aprender a dizer: "Não, obrigado... não estou interessado", de maneira gentil. Infelizmente, até o mais indulgente dos conselheiros ficará ofendido, quando você não quiser ouvir o conselho *dele*.

O indivíduo precisa se libertar das impressões e forças sociais e do hábito de influenciar outros indivíduos em nome do "bom conselho". Precisamos aprender a respeitar nossa divindade e a divindade dos outros.

Talvez você queira dialogar com seu Eu Divino da seguinte maneira:

> Amado Eu divino, que "EU SOU"! Livre-me de todo controle hipnótico e sugestão. Purifique minha mente e meus sentimentos, para que eu possa ver, sentir e manifestar Você em meu mundo.

A hipnose e a sugestão agem sobre o eu inferior, especialmente nos indivíduos que não se voltaram, de algum modo, para valores superiores. A Alquimia Interior oferece uma maneira de se proteger das forças que nos prendem, coagem e limitam. Sem o tubo de Luz e o uso da Chama Violeta, ficamos exatamente como qualquer pessoa — movendo-nos num mar de influência e reação. O maior serviço que podemos prestar a alguém é envolvermos a nós mesmos e a uma outra pessoa na Chama Violeta. Isso não apenas protege e desobstrui o seu caminho, mas se irradia para tudo ao seu redor.

PSIQUISMO

O psiquismo opera sob os mesmos princípios do medo. Sua influência é muito mais forte do que compreendida. Há hoje muitas escolas de autodefesa psíquica, que expõem a dinâmica oculta da influência psíquica.

O poder psíquico está intimamente ligado às entidades astrais bem como à realidade astral, que, por sua vez, está ligada aos impulsos e desejos do chakra inferior. Em outras palavras, é construído pelo homem. As vibrações são consideravelmente inferiores às do Espírito, mas não muito intensas. Elas agem sobre você através de seus próprios desejos físicos, através da sujeição emocional e da influência mental (que pode ser projetada para meio mundo e ser eficaz).

O poder psíquico existe e é um perigo real. Há indivíduos lá fora que usam tudo o que é atraente. Sua motivação está longe do humanitarismo. Há até mesmo aqueles que usam este ensinamento de Luz e o poder do "EU SOU" individual para propósitos de auto-engrandecimento. Capitalizam a necessidade crescente que as pessoas estão externando de se ligarem a uma força superior. São os gurus — orientais e ocidentais — que poluem nosso mundo. Quase sempre é difícil resistir a eles, pelo fato de que dizem a verdade. Mas suas ações, seu verdadeiro ser está corrompido pela densidade do desejo pessoal. Podem até mesmo possuir um elevado grau de magnetismo e capacidade de cura, porque estão, de fato, usando a Lei, que é impessoal.

Os magos negros de antigamente eram usurpadores dos poderes de Luz. Há, hoje, magos negros menores, que usam o medo e o poder do controle hipnótico para manipular as pessoas, levando-as a pensar que são livres. Sempre que você abordar estas pessoas, elas lhe garantirão que são, de fato, completamente livres.

O assunto é amplo. Muito maior do que posso esperar cobrir nestas páginas.

Passemos para uma explicação relativa ao fenômeno astral, que talvez sirva para encorajá-lo e fortalecê-lo.

COMPREENSÃO DO FENÔMENO ASTRAL

Este fenômeno ocorre diariamente, especialmente à noite, quando nossa mente consciente está desprotegida e as atividades emocionais assumem o comando. As manifestações astrais são responsáveis pelos sonhos de realização de desejos, inclusive sonhos desanimadores e pesadelos. Tudo o que pertence à decisão de interação emocional poderia ser denominado de Astral.

A mente sempre busca a decisão e a plenitude. O que quer que seja deixado sem fazer ou dizer e que exerça influência sobre os sentimentos torna-se uma força motriz subliminar.

A dimensão Astral não é na verdade uma dimensão, como veremos no capítulo sobre Interdimensionalidade. O Astral é parte da realidade tridimensional. Consiste não apenas em desejos e medos não manifestados, mas também em todos os medos e temores não manifestados e não sentidos dos seres humanos que nos antecederam. Há milhões de formas-pensamento astrais, que vagueiam sobre a superfície da Terra, buscando manifestação. Todas as vezes que sentimos algo semelhante, nos prendemos a esta forma astral (ou ela se prende a nós).

Desse modo, as assim chamadas imagens arquetípicas foram criadas, assim como os deuses e deusas, demônios e espíritos invocados, criados e mantidos pela feitiçaria e por práticas semelhantes, que serviram de alimento à superstição e a outros mecanismos emocionais.

O Plano Astral, como é comumente chamado, é vibratoriamente inferior à nossa realidade física do terceiro plano. É mais denso, mais espesso, mais pesado. Atraiu substância das duas primeiras dimensões elementais, que tornam a matéria astral viscosa e mais densa do que uma forma-pensamento comum, criando formas que persistem pelo tempo em que forem alimentadas pela emoção humana. Demos e continuamos a dar poder a essas formas.

A maneira mais fácil de se testar essa verdade e a mais velha fórmula para a dissolução dessas influências em nossas vidas é usar o mesmo método empregado no exorcismo (que é um fenômeno semelhante, onde espíritos desencarnados são atraídos por energias semelhantes existentes em indivíduos encarnados). Recupere o poder da Divindade dentro de você.

Primeiro, compreenda sua própria emotividade e procure reduzila. Isso nem sempre significa livrar-se dela. Significa compreendê-la e libertá-la da mecânica que inconscientemente cega e distorce a realidade. Coloque estas coisas de lado ao se preparar para dormir. (Veja as Práticas de Preparação para a Noite, sugeridas a seguir.)

Permaneça com o seu poder, diretamente alinhado à Presença Divina acima de você, dentro do Circuito Alquímico. Quanto mais você criar o hábito de visualizar e ver constantemente o mundo como uma extensão do Espírito, mais profundo e automático ele se torna, no que se refere àquilo que ocorre também em seus sonhos. Você saberá que isso está profundamente enraizado, quando se encontrar afirmando ou mantendo a sua divindade num pesadelo.

Se no meio de uma forte emoção, que lhe pareça não conseguir controlar, ou num pesadelo ou alucinação, você precisará usar palavras de poder em conexão com o Circuito e o sentimento de Verdade engendrado pelo Circuito.

...Em Nome do senhor, eu Ordeno que você PARE/VÁ EMBORA (ou o que seja necessário)

... Em Nome do Excelso Jesus Cristo...

... Pela autoridade do Eu Divino que "EU SOU"...

... Com o Poder da Luz...

... Em nome da Verdade...

Use sua autoridade para ordenar àquilo que não seja da Luz que VÁ EMBORA. Se ele persistir, dirija-se diretamente a ele e diga com convicção e força: VOCÊ NÃO TEM PODER! Repita isso tantas vezes quantas forem necessárias e em voz alta. E, então, com o domínio do mais elevado dentro de você, afirme:

"EU SOU O ÚNICO PODER, A ÚNICA SUBSTÂNCIA, A ÚNICA INTELIGÊNCIA ATUANDO EM MEU MUNDO!"

PROGRAMA DE CONSCIÊNCIA DURANTE O SONO
(Para ser feito quando for dormir)

Compreenda a natureza do sono e prepare-se adequadamente. Em situações ótimas, o sono é um período para o ajuste, a purificação e a iluminação, bem como para o serviço. Prepare-se física e mentalmente para ele, como se fosse entrar num templo para visitar o Próprio Deus.

Durma em uma cama com lençóis e cobertas limpas e frescas. Purifique o seu quarto (e toda a casa) das desordens psíquicas, usando uma técnica de purificação como a da Chama Violeta, ou a das cruzes azuis ou dos raios etc. Convide reiteradamente os Seres de Luz, para que povoem seus aposentos. Reconsagre-se e ao seu ambiente ao serviço da Luz. Edifique e mantenha uma parede de Luz (visualizada por você) ao redor de seu aposento e, mais particularmente, quando estiver pronto para dormir, ao redor de sua cama. (Tudo isso pode ser feito silenciosamente, se necessário, quando estiver dormindo com mais alguém.)

Deixe que seus últimos pensamentos do dia (bem como os primeiros da manhã) sejam de Luz e permita sua identificação consigo mesmo como ser de Luz. (Use qualquer uma das afirmações dadas ou crie a sua própria.)

1. Revise os acontecimentos do dia. Treine-se para ligar à imagem mental quadros dos acontecimentos do dia e de sua presença neles. Observe-os honestamente, mas sem julgamentos. Se houver qualquer ação sua que tenha sido inconsciente e/ou levemente prejudicial a outras pessoas, ou se você foi prejudicado por alguém, observe como isso poderia ter acontecido de maneira diferente.
2. Perdoe-se pelo comportamento inconsciente e decida como poderia corrigi-lo através de ação posterior direta. Perdoe aqueles que talvez o tenham prejudicado por quem você, talvez, tenha alimentado rancor. (Imagine-os envolvidos pela Luz e a si mesmo curado em seus corpos inferiores, bem como compreenda profundamente o evento, isto é, como você o deixou começar.) LIBERE A COISA TODA: inclusive *todos* os acontecimentos diários. Se houver qualquer processo que o esteja incomodando há dias ou semanas, traga-o de volta desde o início e LIBERE-O. (Este processo de liberação lhe permitirá adentrar a consciência do sono com mais sensibilidade em relação às vibrações mais refinadas de seu Ser, sem o "ruído" da vida física.)
3. Libere, perdoe e abençoe aquelas pessoas (imagine-as na Luz mais elevada de seu próprio Eu Superior) com as quais você tem lições kármicas a completar. Fale com seu Eu Superior e peça-lhe purificação e cura, e a liberação das ligações. Também peça a dissolução de qualquer registro etérico destrutivo que possa existir entre vocês. Imagine a Perfeição nessas pessoas e estenda-a a seu bairro, à sua cidade, a seu país e a todo o planeta. (Esta imagem animada por seu sentimento é seu serviço/"cura à distância" para a humanidade e o planeta.) Agora você está pronto para entrar em outras realidades mais sutis.
4. Crie suas couraças protetoras, inclusive o tubo de Luz. (Este tubo atuará como seu corredor interdimensional, quando você deixar seu corpo, e o impedirá de ativar as dimensões psíquicas ou astrais inferiores, levando-o diretamente a freqüências mais elevadas.)

5. Estabeleca sua intenção, se tiver alguma, isto é, se houver qualquer coisa que esteja buscando, seja orientação e iluminação, cura ou verificação, defina-a, imagine-a, peça (verbal e *especificamente*) sua revelação. Peça para se lembrar daquilo que você encontrar, veja e se disponha a assim proceder. (Com o tempo você *conseguirá*.) Peça para ser levado para onde talvez você possa prestar maior serviço.

   (Saiba que tudo o que invocar ou imaginar diante de você antes de dormir, estará impresso na substância-pensamento através de formas-pensamento e age muito mais profunda e convenientemente, enquanto você dorme.)
6. Encha seu coração de gratidão por esse conhecimento da Lei da Luz e vá dormir com a certeza de que seus pedidos serão atendidos por seu próprio Eu Divino, com o auxílio e a proteção de todos os Seres de Luz de todos os lugares.

Você pode deixar seu corpo conscientemente, através de qualquer técnica de projeção, ou pode deixar de lado a ativação das células de Luz e surgir no plano mental nas oitavas superiores de vida.

Se você decidir ativar as células de Luz de seu corpo de sonhos, conscientemente, ou quiser testemunhar o processo que realmente sempre e de qualquer modo ocorre, precisa acostumar-se a manter a consciência através das diferentes estágios que levam ao sono. Lembre-se de que os principais ingredientes são: consciência, determinação e ausência de medo. Esta última só é alcançada pela compreensão e aceitação de sua própria divindade e seu circuito direto com ela. Quando você sabe que você e seu Deus são UM... como pode temer? Compreenda que a natureza do medo provém da consciência física e está sempre ligada à memória celular e à sobrevivência: não atinge e nem pode atingir a sua essência. Todos os treinamentos e crescimento em programas de conscientização ajudarão a facilitar a transferência da identificação com a matéria para a identificação com a Luz.

Talvez você queira manter um registro de suas atividades durante os sonhos, não importando quão disparatadas elas possam parecer inicialmente.

Comece sempre seu dia louvando a Luz dentro de você.

5. Estabeleça sua intenção, se tiver alguma, isto é, se houver qualquer coisa que esteja buscando, seja orientação e iluminação, cura ou verificação, defina-a, imagine-a, peça (verbal e *especificamente*) sua revelação. Peça para se lembrar daquilo que você encontrar, veja e se disponha a assim proceder. (Com o tempo você conseguirá.) Peça para ser levado para onde talvez você possa prestar maior serviço.

(Saiba que tudo o que invocar ou imaginar diante de você antes de dormir estará impresso na substância-pensamento através de formas-pensamento e age muito mais profunda e convenientemente, enquanto você dorme.)

6. Encha seu coração de gratidão por esse conhecimento da Lei da Luz e vá dormir com a certeza de que seus pedidos serão atendidos por seu próprio Eu Divino, com o auxílio e a proteção de todos os Seres de Luz de todos os lugares.

Você pode deixar seu corpo conscientemente, através de qualquer técnica de projeção, ou pode deixar de lado a ativação das células de Luz e surgir no plano mental nas oitavas superiores de vida.

Se você decidir ativar as células de Luz de seu corpo de sonhos conscientemente ou quiser testemunhar o processo que realmente sempre e de qualquer modo ocorre, precisa acostumar-se a manter a consciência através das diferentes estágios que levam ao sono. Lembre-se de que os principais ingredientes são: consciência, determinação e ausência de medo. Esta última só é alcançada pela compreensão e aceitação de sua própria divindade e seu circuito direto com ela. Quando você sabe que você e seu Deus são UM, como pode temer? Compreenda que a natureza do medo provém da consciência física e está sempre ligada à memória celular de sobrevivência; não atinge e nem pode atingir a sua essência. Todos os treinamentos e crescimento em programas de conscientização ajudarão a facilitar a transferência da identificação com a matéria para a identificação com a Luz.

Talvez você queira manter um registro de suas atividades durante os sonhos, não importando quão disparatadas elas possam parecer inicialmente.

Comece sempre seu dia levando a Luz dentro de você.

Procedimentos da Meditação Alquímica Básica (Revisão)

O material a seguir inclui os ingredientes básicos utilizados para induzir a freqüência acelerada de vibração necessária a toda obra alquímica, seja no que se refere à sua própria Alquimia Interior, seja em sua influência no mundo. São introduzidos aqui, neste estágio, para que você possa experimentá-los e explorar as possibilidades por si mesmo.

Antes de começar qualquer prática, reconheça sua divindade. Veja-se como um Ser de Luz dentro da matéria. Reconheça emocionalmente seu lugar no universo, sua gratidão à Vida, sua beleza e magnificência. Reconheça o apoio que a Existência através de suas muitas formas de vida — particularmente a sua própria — lhe está dando.

A seguir estão sugestões sobre as maneiras pelas quais você pode iniciar suas práticas, sempre incluindo seu corpo físico, todos os seus sentidos e a existência de um universo de Seres de Luz. Nesse ponto, você poderá dizer uma oração. O mais importante: a sua atitude deve ser aquela de quem ora.

A Invocação real, que marca o início de toda prática Alquímica, é feita após você ter gerado o *momentum* de suas próprias energias no nível de seus chakras inferiores. À medida que cresce sua capacidade de fazer o apelo às suas próprias energias, talvez você queira começar diretamente com a Invocação.

Liberação Física:

Se você estiver especialmente tenso ou se sentir que seu corpo necessita de liberdade de movimento, dance por alguns momentos ou alongue seu corpo da maneira que melhor lhe convier. Você não apenas exercita a liberdade de movimentos de seu corpo, como também gera a energia vital, que pode ser transferida para níveis mais sutis em sua meditação. É sempre melhor levar a energia para fora do nível físico. Quando sentir a energia atravessando seu corpo, é hora de se sentar calmamente e transferi-la para outros níveis.

Ativação Etérica:

Neste ponto, talvez você queira energizar o corpo etérico, imaginando que está se movendo, se agitando, dançando, levantando um braço... Você pode criar suas próprias variações. O importante é notar a diferença entre a sensação do movimento físico e a do movimento etérico.

Por exemplo: se, nesse momento, você estiver sentado, imagine-se de pé diante de si mesmo. Imagine-se girando. Imagine-se olhando para a sala ou aposento em que esteja, ou vendo o chão da perspectiva em que se encontra. Retorne a seu corpo físico e tente fazer tudo de novo. Observe as mudanças. Talvez você comece a perceber um zumbido nos ouvidos, uma sensação mais elevada de visão ou sensibilidade...

Imagine-se encolhido no chão. Imagine-se crescendo, ficando mais alto... Imagine-se girando...

Ativação Sônica:

Você pode também utilizar o som. Experimente o murmúrio. Observe o efeito do murmúrio em seu corpo físico. Ouça o som dentro de seu corpo e sinta a superfície dos órgãos ressoar. Deixe que toda a sua galáxia de células vibre com o murmúrio. Você estará ativando todos os seus corpos ao mesmo tempo, através da freqüência sônica. Experimente com outros tons e anote os efeitos.

Fluxo de Cor:

Você pode usar a cor. Utilize tons pastéis. Respire-as, trazendo-as de seus pés para cima, para todo o corpo. Respire-as nos chakras. Explore-as. Uma de minhas práticas favoritas é visualizar um fluxo de luz dourada inundando-me, e já notei que, se o dirijo dos pés para cima, a sensação me tira do corpo. Se o dirijo de cima para baixo, da cabeça para os dedos dos pés, o efeito é curativo, calmante, suavizante.

Use a cor, particularmente os tons frios, para acalmar e suavizar, e os tons quentes para reativar e regenerar. Você pode localizar a cor na forma de esferas de luz. Imagine-se segurando um globo de um brilhante azul vibrante! Ou um sol de fogo dourado fraco! Sinta-o, veja-o, cheire-o, ouça-o...

Combine a cor com o som ou a respiração ou, ainda, como o movimento, se quiser. Você pode se imaginar girando, balançando, sob uma cachoeira de coloração translúcida...!

Afirmações:

Estas têm o poder de acalmar a mente, enquanto você entabula um diálogo com ela. É uma maneira de conscientemente enganar a mente tagarela, dando-lhe alguma coisa para fazer. Também força o inconsciente, implantando pensamentos e frases que bem o informam, quando você menos espera, exatamente como o fazem os *jingles* da propaganda.

Como foi explicado nos capítulos anteriores, o pensamento é um dos poderes básicos do homem.

O que quer que faça ou diga, torne-o o mais *real* possível. Exercite sua criatividade. Saiba que está criando algo em pensamento e que o está animando com seu sentimento. Você está *criando*!

Neste ponto, você sabe que já fez o máximno que pôde para gerar suas energias no nível dos quatro primeiros corpos. Já está pronto para se associar a seu eu superior, aos Seres de Luz, à força Divina.

Invocação:

Fisicamente, levante os braços. Abra seu coração e seu sentimento para a majestade da Criação. Deixe sua mente, seu corpo, seus sentimentos subirem... subirem... subirem para o manancial de toda Vida!

Agora, junte a isso as suas palavras. Comece com o reconhecimento de seu Eu Divino individualizado, em reverência e gratidão. Invoque os Grandes Seres de Luz do Grande Sol Central, as Forças Curativas, os anjos ou Seres de Luz do sistema solar... Invoque quem puder, em reconhecimento. Solicite a associação com o que é seu e traga essa realização para baixo com você.

Afirme a Luz. Seja Luz. Esteja em seu corpo físico e em seu eu superior no nível do Eu Divino. Sinta energeticamente a conexão e, enquanto a sente, saiba que está criando o Circuito Alquímico através de tudo o que é possível.

Enquanto apela para cima, sinta a resposta energética descendo. Seja aqui; seja lá.

O Apelo ou Pedido:

Na autoridade de seu Eu Divino e através da autoridade que você mantém no nível da materialidade em virtude de estar encarnado, faça sua afirmação ou pedido específico. Este pode ser para a cura de si mesmo ou de outrem. Pode ser dirigido ao bem estar de qualquer indivíduo ou país, ou de todo o planeta. Pode ser também tão específico quanto for necessário. Não tenha medo de pedir por si mesmo. Visualize-se num ambiente em perfeita harmonia, preenchido com tudo o que é bom, sem ligações. E visualize outras pessoas do mesmo modo.

Sempre peça a realização dos desígnios divinos, particularmente se estiver pedindo por outra pessoa. Você nunca sabe que motivação ou causa está envolvida naquela condição ou situação. Tudo o que pode fazer é pedir para que a Luz atinja aquela pessoa e a ajude da melhor maneira possível. Se as coisas não acontecerem da maneira que acha que deveriam, então você sabe que está impondo sua vontade pessoal. Afirme e confie na Luz e não se preocupe se está certo ou errado. De qualquer modo, mantenha a imagem.

Imagine a projeção se manifestar; imagine aquela situação clarear e ser curada... e assista-a. Afirme-a com força total. E, se possível, em voz alta. Imagine-a já manifestada.

Durante esta fase, você pode visualizar um raio de Luz emanando de seu Eu Divino e lhe manifestando isso. Saiba que em sua afirmação e sustentação da imagem, você está drenando da Fonte. Imagine-se como um instrumento daquela Fonte. Coloque-se em ação.

Se você precisar intensificar a impressão daquilo que quer ver manifestado, pode escrever, desenhar... encontrar imagens daquilo que dá apoio a seu Apelo. Novamente use todos os seus sentidos e envolva-se de beleza em cada nível.

Benção:

Reconhecendo a manifestação de seu pedido, agradeça por ele já ter sido atendido. Sele-o, como sugerido nos capítulos anteriores.

Saiba que já está feito e não insista mais nisso. Se desejar continuar trabalhando aquela condição ou situação, estabeleça uma prática rítmica, repetindo o procedimento regularmente, em cada momento livre, a cada vez com todos os seus sentidos, com todo o poder de seu reconhecimento na Luz.

ASSIM SEJA. ESTÁ FEITO. AMÉM.

UM EXEMPLO DE MEDITAÇÃO UTILIZANDO A COR

(Usada para ativar os chakras superiores, para curar e para despertar os sentidos inferiores.)

Depois de um procediemnto de preparação adequado a você, deite-se numa esteira sobre o chão. Respire longa e profundamente pelo tempo que julgar necessário, para relaxar sua sustentação sobre o corpo físico e para perder a sensação de tensão dentro dele.

Reconheça seu Eu.

Sinta o seu corpo se fundindo com o chão ou com a esteira. Sinta seu peso e o chão suportando esse peso. Imagine que está pronto para dormir e, desse modo, está encerrando as atividades do dia. Liberte também a pressão da mente.

Sinta a energia fluindo através de seu corpo por dentro... por fora...

Captando o poder da Luz em virtude de sua identidade, como um eu Divino individualizado, imagine um foco de luz no centro de seu peito, dentro do chakra do coração.

Torne esta luz de um verde-maçã brilhante e assista, sinta-a crescer e atingir o tamanho de um pequeno sol (cerca de 8 cm de diâmetro).

Sinta as pulsações desse sol verde-maçã brilhante dentro de seu peito, emitindo radiações ondulantes verde-maçã para tudo ao seu redor.

Sinta agora este sol se dissolvendo em vapor e lenta, lentamente se elevando dentro de seu corpo, passando pela garganta, pela cabeça... juntando-se exatamente acima de sua cabeça... cerca de 3 cm além... e formando uma nuvem de radiação verde-maçã.

Mantenha essa nuvem por alguns momentos e então... sinta-a dispersando-se para baixo, sobre, sob e ao seu redor... descendo para baixo de seus pés... envolvendo-o numa nuvem de radiação vaporosa verde-maçã.

Agora, deixe que seu corpo físico absorva essa luz verde-maçã. Sinta-a penetrando em suas células... até a medula dos ossos, até que se dissolva totalmente em seu interior.

Agora...

Seguindo o mesmo procedimento aplicado para a luz verde-maçã, capte, da Divina Presença que você é, uma fonte de azul-vivo brilhante e veja uma luz azul-vivo brilhante emergindo do centro de sua garganta. Deixe-a crescer e atingir o tamanho de um pequeno sol.

Sinta as órbitas que emanam desse azul brilhante — semelhante ao azul de uma bela janela de vidro colorido — indo em todas as direções... Ouça o seu som...

Agora, sinta esta esfera de azul-vivo se dissolvendo numa mistura de azul, e lenta, suavemente, se elevando para a sua cabeça, saindo dela e se juntando numa nuvem de vívida coloração azul exatamente acima de você.

Mantenha a nuvem ali por alguns minutos e então veja-a se espalhar sobre, sob, ao redor e abaixo de seu corpo... envolvendo-o num manto de brilhante coloração azul-vivo.

Sinta-o, veja-o... à medida que é drenado para dentro de seu corpo físico e se dissolve dentro das células, do sangue, da medula dos ossos.

Finalmente...

Sinta uma esfera de um branco brilhante, quase cegante... um branco como você nunca viu antes... sem qualquer traço de amarelo... um branco tão branco quanto neve fresca...

Veja esta brancura na forma de uma luz brilhante dentro de sua cabeça, na área do terceiro olho, e preencha toda a sua cabeça com ela. Sinta que há um sol na cor branco-brilhante mais pura dentro de sua cabeça...

Sinta suas emanações fluindo em todas as direções. Sinta suas pulsações... Ouça seu som...

Agora, suavemente testemunhe o processo de dissolução, à medida que este sol de branco puro se derrete e evapora, elevando-se para formar uma nuvem sobre sua cabeça...

Mantenha a imagem dessa nuvem sobre sua cabeça por um momento... e, então, sinta a nuvem se espalhando sobre, sob, ao redor e abaixo de seu corpo, embranquecendo-o, envolvendo-o, sustentando-o dentro de uma nuvem da mais pura radiação branca...

Suavemente, sinta seu corpo absorvendo essa radiação branca; enquanto cada célula a absorve, está sendo alimentada, curada, elevada, purificada... até que toda a brancura se dissolva completamente em seu corpo... até a medula dos ossos.

Sinta O Que você é agora.

Nessa tranqüilidade, saiba que "EU SOU".

Permita-se permanecer nesse estado tanto quanto possível. Em seu retorno, retenha o registro do que experimentou ou encontrou visual, sensorial e energeticamente...

O Retorno:

Talvez você queira delinear visualmente a sua forma física ao retornar, exatamente depois que decidir voltar ou tenha sido chamado de volta por um parceiro. Defina o espaço que seu corpo ocupa e então preencha-o com a sensação que tem dele... seu peso, suas correntes de energia, a sensação de temperatura, as condições do aposento, as texturas, os odores etc.

Para mim, uma das melhores maneiras de retonar à "normalidade" é respirar com o abdômen, para voltar à consciência do chakra raiz, das pernas... mover e apertar as mãos e os pés. Freqüentemente o reajuste leva tempo. Dê-se esse tempo.

Uma boa prática a ser estabelecida neste ponto é a dança. Dance com uma música particularmente alegre e sinta a magnificência da vida... de ser capaz de estar aqui... e lá... e em qualquer lugar!

As Faculdades Espirituais e a Interdimensionalidade

Introdução à Interdimensionalidade

O primeiro aspecto da obra, como já vimos, tem a ver com a definição do eu no espaço e no tempo. Consiste no trabalho da personalidade, no que se refere à forma e a quem você é dentro e fora do tempo. Relaciona-se com o aspecto horizontal do Tempo. É seqüencial e atua sob a lei de causa e efeito, ou karma.

Nesta fase de pesquisa, o eu explora questões de identidade, particularmente em relação aos outros. Todos os problemas de relacionamento de funções orgânicas — inclusive cura, causas de doenças, viagem no tempo e exploração de vidas passadas — e a utilização de habilidades inerentes herdadas através de impressões genéticas ou kármicas estão relacionadas a este aspecto. É importante compreender que este é o aspecto emocional ou psicológico do desenvolvimento, que proporciona a maestria ou transcendência necessária às faculdades humanas, para que atinjam freqüências vibratórias superiores do ser. Nessa fase aprendemos a utilizar a emoção e o pensamento, quando aplicados à matéria no nível mais denso. É aqui que aprendemos os poderes de criar e manter intensidaes crescentes de expressão, através do desenvolvimento de uma consciência unificada do eu.

O segundo aspecto do desenvolvimento ou exploração do eu, que é coincidente com o primeiro, está relacionado à multidimensionalidade. Nesta fase de pesquisa, o indivíduo não está preocupado com o eu menor, ou personalidade. Começa a desenvolver faculdades espirituais e a explorar aspectos cada vez mais superiores da Mente e do Espírito, o que poderá ser visto como uma dimensão vertical. Nesta fase ele se preocupa com faculdades puras e com dimensões cada vez mais amplas.

O terceiro aspecto da obra sobre o eu, que também é coincidente com o primeiro e o segundo, está relacionado ao processo de expansão da consciência — da primeira até a décima segunda dimensões e além, até o Espírito. Relaciona-se com o desenvolvimento da alma, ou espiritualidade. A alma poderia ser encarada como uma substância-energia, formada pela atividade do espírito sobre a matéria. Pode ser experimentada como Luz ou Inteligência encarnada, que transcende seu aspecto-forma para se tornar pura fonte de energia. É a dimensão do Espírito que é espiral. É a energia da criação e nossa percepção dela refletirá o grau de identificação que temos com o Criador e nosso papel como co-criadores.

A dimensão horizontal é linear. A vertical é esférica e concêntrica. A espiral permeia toda Criação. Se você conseguir visualizar e sentir simultaneamente as três atividades energéticas, terá uma visão rápida de si mesmo como existe em todos os níveis, simultaneamente.

O truque está em saber o que é o quê. A percepção das realidades do primeiro e segundo níveis freqüentemente é confusa. Como posso saber se estou me vendo numa vida passada ou futura, se estou participando de uma realidade alternativa ou de uma outra existência planetária, se estou vendo a mim mesmo ou a outras projeções astrais, ou se estou em meu estado fora do corpo? O que é o quê? Não há abordagem realmente estruturada para a compreensão da interdimensionalidade e de aspectos da existência na multirrealidade. Há poucas visões globais do Eu e da Existência, e a maioria delas tem estado oculta na terminologia religiosa e na metafísica, tão abstrata, tão distante da compreensão comum do dia-a-dia.

E, contudo, cada um de nós tem tido acesso direto e experimentado todos os três aspectos da realidade em sonhos e estados de devaneio, em estados quimicamente alterados, na dinâmica da inter-relação e criatividade comum.

Primeiro, vamos compreender que os assim chamados estados incomuns não apenas são uma banalidade, mas são intrínsecos à nossa experiência de vida. A razão pela qual não são vistos ou compreendidos como comuns está relacionada à miopia da percepção tridimensional. Tudo o que percebemos e comunicamos é percebido ou projetado através da linguagem desta consciência. Porque vivemos numa existência tridimensional expressando detalhe e seqüência, temos mãos e pés, órgãos digestivos, transporte, um tipo particular de habitação e até pensamento lógico. Esses são reflexos dessa dimensão e são necessários apenas aqui. Nas outras dimensões não precisamos dessas funções. Em níveis mais superiores pode nem mesmo existir uma distinção entre realidade interior e exterior — apenas espaço, pulsações de freqüência crescente.

Talvez uma das formas mais comuns de acesso ao que chamo coletivamente de faculdades espirituais, seja através da meditação. Através da tranqüilidade da mente exterior, a energia se move para realidades superiores e, dependendo do desejo ou motivação inconsciente ou supraconsciente do indivíduo, vidas passadas abrir-se-ão, os domínios interdimensionais manifestar-se-ão, ou estados espirituais, sem forma, tornar-se-ão acessíveis.

Lembro-me de uma experiência que tive durante uma operação, que me fez lembrar de outras que tive durante estados meditativos. Ao tomar a anestesia, testemunhei a dissolução gradual de meu corpo. Era como se alguém estivesse reduzindo gradualmente a luz, até que tudo fosse invadido por uma nebulosidade cinzenta, como um lençol primordial envolvendo tudo dentro do quarto. Eu mesma, o médico meu amigo, cuja entrada foi permitida na sala de operações e que estava segurando a minha mão, o cirurgião e todos os enfermeiros, os objetos da sala... tudo se dissolvia nesse cinza, que parecia pulsar e emitir um zumbido.

Dentro desse mar de pulsação cinza, partículas de luz se moviam parecendo dançar. Cada partícula não era diferente das outras. Eu estava percebendo a substância, o material fundamental de toda Criação: seu e meu, dos objetos e da realidade. Tudo era feito de um único material. Eu podia ver e sentir que todos éramos, de fato, Um só movendo-se num mar de energia. Quando recobrei a consciência, experimentei o processo inverso. A partir do Um nos tornamos muitos. A partir de então eu soube que Deus nada mais é do que nós mesmos.

De uma outra vez, anterior a esta, durante a remoção de um dente do siso, sob os efeitos do sódio pentatol, tive a minha primeira experiência de vida interdimensional num outro plano ou planeta. Não me recordo de haver deixado meu corpo, mas, de repente, fui lançada para baixo, para corredores brilhantemente iluminados. As paredes e os objetos dos aposentos adjacentes a estes corredores eram de uma substância brilhante. As cores eram vívidas, limpas, belamente claras. As pessoas por mim observadas eram translúcidas. O sentimento era de paz e beleza. Eu, de algum modo, pertencia àquela lugar. Foi breve e rápido. Eu viajei para lá em meditações posteriores.

Tenho tido momentos de sensações espiraladas, sem relação com a linearidade, onde tenho me sentido e a outrem como uma presença pura, sem forma. E tenho também experimentado as sensações pesadas do plano astral, de atrações e repulsões emocionais, movendo-me num corpo denso, embora sutil, através de ambientes fisicamente familiares.

Tenho tido estas e outras experiências semelhantes, e momentos de energia intensificada, dançando e fazendo amor, em períodos de pico de atividade, de focalização ou concentração. E assim se dá com qualquer um. O extraordinário existe dentro do ordinário, se ousarmos apenas olhar e lembrar. Mas normalmente colocamos estas experiências de lado. Não as levamos a sério. O clamor de nossas atividades diárias tem precedência.

Você já teve sonhos em que estava olhando para alguém e se comunicando através do pensamento? Sonhos onde repentinamente você sabia o que eles estavam pensando ou ouvia realmente as suas vozes em sua mente? Em suas intuições, suas premonições, seus pressentimentos e inspirações estão as faculdades do seu superior. Artistas, músicos, filósofos e cientistas... todos têm fortes ligações com as dimensões superiores da mente. Estão ligados a essas dimensões e constantemente têm acesso a este material sem reconhecê-lo como algo incomum.

É preciso raciocinar então que, se tivéssemos como saber, vibratória e qualitativamente, quais são as diferentes dimensões e como diferenciá-las, seríamos capazes de ir até lá e, conscientemente, captar desses planos a informação e as capacidades de que necessitamos. A mensagem de esperança deste livro é que todos consigamos atingir essas capacidades, que são nosso patrimônio hereditário.

O postulado essencial a ser compreendido é que estamos situados numa existência tridimensional, com faculdades, linguagem e densidades adequadas a ela. Compreendendo isso, podemos começar a transcender os obstáculos aparentes que bloqueiam nossas percepções elevadas, particularmente os sentimentos emocionais de desmerecimento, carência e limitação. Você pode terminar seu karma já, neste instante. Ainda precisará limpar a desordem que criou, mas isso pode ser feito com vigor e excitação renovados no conhecimento de que está aprendendo o autodomínio.

Estamos, como consciência do corpo planetário, nos afastando da existência pessoal. Mas o movimento é *através de* e não ao redor de. A experiência pessoal nos dá a energia, a quantidade de movimento para dar origem a criações cada vez mais perfeitas. Precisamos nos lembrar de que somos muito mais do que o eu menor. Neste reconhecimento está o alimento, o estímulo e a energia que começam a nos alinhar com a verdade superior. Cada um de nós não é apenas um indivíduo localizado num mundo tridimensional. Cada um de nós é uma família de eus, coexistindo simultaneamente em doze planos ou faculdades e percorrendo três aspectos da realidade: no tempo, no espaço e em espírito. À medida que cada um de nós vai se familiarizando cada vez mais com as partes de si mesmo, alinha-se e reobtém aquela energia, aquela faculdade, crescendo cada vez mais, mais e mais luminosa e poderosamente.

MEDITAÇÃO SOBRE A REALIDADE DE NÍVEIS MÚLTIPLOS

O Raio de Luz

Este raio é a linha de força que nosso Eu, como espírito, tem usado para se projetar na terceira dimensão. É o eixo central ao redor do qual a substância de seus corpos foi tecida.

As forças elementais constroem ao redor das linhas de força (tanto os átomos de nossos corpos quanto aqueles de qualquer outra coisa em criação). A substância é tecida primeiro num giro vertical horizontal e, depois, num giro vertical vertical. A teia desses giros cria os átomos e a substância ao nosso redor.

De uma maneira bem real, somos como átomos num corpo maior do que qualquer universo que possamos conceber. O raio de luz (firmado no coração) é a Linha Vital central e a principal ligação com o eu da pessoa, bem como uma entidade interdimensional composta de muitos aspectos, corpos e consciências.

Invocação

Feche os olhos. Sente-se confortavelmente. Ocupe seu corpo totalmente e deixe-o repousar em profundo relaxamento. Use o mesmo procedimento empregado nas práticas meditativas anteriores.

Pedimos auxílio, orientação e iluminação à Fraternidade da Luz em toda parte. Pedimos a nossos Irmãos e Irmãs de Luz, a nossos próprios Eus Superiores e a nossos amigos Anjos para nos conduzirem.

Buscamos conhecer todos vocês, de modo que possamos trabalhar em associação, em harmoniosa cooperação para a iluminação de todos. Buscamos encarnar a Luz e conhecer o Criador nos níveis mais elevados da Verdade e do Amor e em profunda integração.

Visualize-se em relação a seu Eu Divino individualizado, usando o mapa vertical da Grande Fraternidade Branca. Veja aquela centelha divina ancorada em seu coração físico. Veja o raio de Luz, que liga seu Eu Divino a seu eu físico. Coloque-se no interior de seu Tubo Protetor de Força Eletrônica.

Acenda a chama em seu coração. Com o mais profundo amor e um sentimento de imensa gratidão para com esta Luz, permita-se subir cada vez mais através do raio de luz... atingindo, com todo o amor de seu coração, aqueles domínios superiores.

Meditação

Deixe sua cabeça ser preenchida por uma incandescência dourada. Deixe agora esta luz dourada, no centro de sua cabeça, acender-se. Permita que ela preencha todo o seu cérebro.

Sinta esta luz dourada intensificar seu brilho por toda a sua cabeça.

Torne-a o mais brilhante possível. Continue a ativá-la. Agora, localize o raio de luz de seu Eu Divino individualizado, que está firmado em seu coração físico, e dirija-o para o centro de sua cabeça.

Oriente o raio de luz dourada para cima, passando pelo topo de sua cabeça e subindo cada vez mais.

Projete-se sobre sua cabeça para um ponto de luz ou foco, a cerca de um metro acima de sua cabeça.

Tome conhecimento da vibração experimentada em seu corpo físico, enquanto faz isso, e também das imagens, dos sons e das sensações que possa experimentar.

Agora, mova-se um pouco mais para cima, para um outro foco de luz a cerca de 2 metros acima de sua forma física.

Observe as mudanças em seu corpo físico e em sua percepção.

Permita-se subir um pouco mais agora, através do raio de luz de sua consciência fixada em seu coração.

Suba mais três metros...

Deixe que sua consciência se expanda com a sensação de luz e brilho, com a sensação de amor, de espaço e de paz.

A Chamada

Amado Eu Divino que "EU SOU": busco conhecê-lo. Quem sou eu?

Olhe ao seu redor. Onde você está? Quem é você? Deixe que o nome ou o som de seu próprio eu superior lhe seja revelado...

Permita-se subir ainda mais, agora, acendendo a chama do amor em seu coração, que o faz subir ainda mais.

Projete-se para mais além, para a fonte de toda a vida, subindo cada vez mais.

Permita-se atingir cerca de nove metros acima de sua cabeça, que, em consciência, é muito mais longe, as mais longíquas distâncias deste planeta...

Amado Eu Divino que "EU SOU": revele-se a cada um de nós...

Suba, suba, suba o mais alto que puder e saiba que "EU SOU"!

Note a atmosfera ao seu redor, onde quer que possa estar...

Observe os corpos, as estruturas ou formas de vida e a coloração.

Observe sua própria existência nesses níveis.

Agora, no nível de vida mais elevado, que lhe é acessível neste momento, imagine o foco de luz, que é a presença individualizada de Deus, seu Eu Divino...

Incorpore essa presença luminosa que "EU SOU"... o "EU SOU" em cada um de nós...

E sinta e conheça a si mesmo...

Enquanto você olha para baixo, para todos os eus que você também é, faça uma pausa no nível do sétimo plano, onde seu eu superior reside...

De lá, projete-se para baixo, para o eu tridimensional. Veja seu corpo físico e envie-lhe seu amor. Envolva-o com a chama de seu coração.

Agora, traga para baixo com você a claridade e a inteligência do sétimo plano, transportando com você todas as partes de seu eu acima e abaixo daquele, para o seu corpo físico. Traga aquelas consciências para o seu corpo físico e experimente o sentimento de plenitude...

Abra seus olhos por apenas um momento e observe o que e como você percebe as coisas agora, através de seu corpo. Deixe que todas essas partes de seu eu vejam através de seus olhos. Apenas por um momento. Depois, feche os olhos novamente.

Agora, você retorna para cima. Faz de novo todo o mesmo caminho... para a mais longínqua fronteira de seu ser.

Espere alguns momentos, dentro dos campos eletrônicos de sua Fonte de Vida.

Agora, você começa a descer novamente. Só então deixe os diferentes corpos de energia nos níveis correspondentes atrás de você.

Separe-se de cada um deles, à medida que retorna lentamente deixando para trás cada um dos revestimentos.

Traga de volta apenas o seu eu tridimensional.

Abra de novo seus ollhos e olhe ao redor rapidamente. Observe sua percepção e a sensação de si mesmo. Feche outra vez os olhos.

Agora, vamos convidar nosso eu superior para se ligar a nós através de nosso raio de luz, de modo que possamos estar em associação com ele.

Projete-se para o sétimo plano. Sinta-se lá e, simultaneamente, sinta-se aqui, na terceira dimensão. Visualmente, ligue-se a esse sentimento através do raio de luz ancorado em seu coração físico.

"EU SOU" AQUI E "EU SOU" LÁ. "EU SOU" A PRESENÇA CONSCIENTE EM QUALQUER LUGAR.

Restabeleça o circuito energético entre os planos.

Projete-se para baixo, para o eu físico da terceira dimensão, estando na condição favorável do sétimo plano.

Esteja aqui e lá simultaneamente.

E... muito, muito suavemente retorne... para cá.

Interdimensionalidade

A interdimensionalidade é uma freqüência do futuro provável, da maneira que ela aparece no presente. É um tempo concêntrico, alcançado verticalmente. É a arena do Espaço — interior e exterior.

Viver interdimensionalmente significa ser capaz de penetrar em freqüências simultâneas que existem num padrão de vibração mais rápido do que a nossa realidade tridimensional. Para compreender essas realidades, precisamos recordar os níveis de nossa viagem evolutiva na encarnação, à medida que projetávamos nossa consciência desde a ausência de forma até atingir progressivamente formas mais densas. Essa passagem através desses níveis de vida criou veículos em cada uma dessas situações. Esses veículos continuam a operar independentemente de nossa consciência deles.

Como inteligência ou consciência, uma centelha fora da Fonte ou Sol Central, adquirimos estes revestimentos que representam a redução de voltagem nas estações transformadoras bem como os veículos de expressão fornecidos para cada uma das modalidades de vida. Essas modalidades contribuem para nossa vida na terceira dimensão. Em outras palavras, podemos usá-las sem saber que as estamos usando. Então, cada dimensão pode ser grosseiramente traduzida como uma faculdade, poder ou habilidade de nós mesmos como inteligência — da mais vasta consciência cósmica até o mais diminuto nível de detalhe.

Durante a viagem inicial, cada dimensão continua a focalizar o espírito que está chegando, acrescentando capacidade criativa, através de um sistema de especializações, até que ele atinja a quarta dimensão, que é uma imagem refletida da terceira. Neste ponto ele está pronto para a experiência de uma especialização mais complexa ainda: a tomada de substância física do planeta, de um modo altamente detalhado, que, embora pareça frustrantemente míope nestes tempos, serve para focalizar e ensinar o autodomínio em pequenas doses.

A terceira dimensão fornece o revestimento neutro da substância física do próprio planeta, permtindo uma mistura com as consciências de todos os níveis de autodomínio, que também estão na encarnação física. Em todas as outras dimensões, só coexistem como vibrações. Desse modo, esta dimensão serve como aprendizado e campo de provas, um local onde podemos interagir com espíritos encarnados, que podem ser mais ou menos evoluídos do que nós. Essa interação cria o karma — bom ou mau. Continuamos a habitar este planeta, repetidamente, até que possamos nele atuar com autodomínio e responsabilidade. Isso inclui resgatar todas as energias e formas desqualificadas que criamos, em forma de relacionamentos e ações.

A parte de nós mesmos que existe aqui, no plano físico, é aquela parte de nosso mecanismo melhor equipada para lidar com o detalhe ou com a vida neste nível. Seria inadequado expressar poderes puramente cósmicos num mercado ou projetar a dinâmica física no espaço cósmico. Cada nível de nós mesmos é uma faculdade da mente, à medida que é expressada através da substância.

Ao recordarmos nossa viagem de descida, é justo, então, que ainda tenhamos acesso a essas partes de nós mesmos, que expressavam autodomínio em dimensões progressivamente cósmicas. O que está acontecendo agora, através da meditação e de métodos de conscientização da Nova Era, é a realização e a utilização disso e a afluência de caminhos e meios para nos tornarmos mais de quem e do que realmente já somos. Estamos aprendendo a recuperar as habilidades interdimensionais.

Precisamos compreender que, quando reivindicamos a comunicação com seres não-físicos, guias, mestres e professores, assim o estamos fazendo porque estamos no mesmo nível que eles. Estamos, de fato, nos comunicando através de nossos eus naqueles níveis. Não precisamos dar mais poder às forças externas. Podemos reivindicar a informação e a percepção que nos chegam através de nossos próprios eus superiores. Freqüentemente a visão de guias e mestres constitui a percepção de nossa própria figura luminosa existente em outras dimensões.

A consciência que habita a décima segunda dimensão pode ser traduzida como aquela parte de nós que é o poder-semente — nosso Eu Divino individualizado. Esta é a fonte de nossa vida e vitalidade, de toda a inteligência e Luz. Sempre que oramos ou invocamos, nos voltamos para essa fonte, como se fosse uma figura externa, como se nos voltássemos para o próprio Deus. Essa fonte nos parece tão distante de nossas características, que, para nós, *é* Deus. A ausência de forma e a luz registrada aqui, no silêncio e espaço da experiência transcendental e mística, faz parte de nossa vida comum nesta dimensão. A experiência religiosa, de fato, pertencerá a qualquer um dos níveis além do sétimo, onde os seres e a realidade parecem muito maiores, mais luminosos e vibram em voltagens eletrificantes de êxtase e graça. Essa freqüência é registrada e atingida pelo corpo físico, através de nosso sétimo corpo, sempre que possível.

A sétima dimensão, como voce verá, pode ser traduzida como nosso Eu Superior. Este é o nível responsável pelas faculdades intuitivas, brilhantes, e por nossa inteligência unificada superior. Essa freqüência é registrada e atingida através de nosso sexto corpo, enquanto encarnados fisicamente.

O acesso à freqüência do quinto corpo se faz pelo quarto corpo e este corpo, ou corpo etérico, além de servir como cópia do veículo físico, age como corpo mensageiro para a consciência dos três primeiros corpos. O corpo etérico, assim como o quinto (o Corpo Mental Superior) também atua como Mente Superior.

INTERDIMENSIONALIDADE
Quadro de Acesso

	CHAKRAS	DIMENSÕES	CORPOS
MENTE CÓSMICA	(fora do corpo)	12º - Eu Divino	Eletrônico - 7º
	12º - Infinito	11º - Conceito	
	11º - Universal	10º - Coletividade	Eletrônico & Causal
	10º - Possibilidade	9º - Individuação	Causal - 6º
	9º - Probabilidade	8º - Demonstração	Causal & M. S. (6º e 5º)
	8º - Energia		
MENTE SUPERIOR	(dentro do corpo)	7º ESTAÇÃO CENTRAL PLANETÁRIA	Causal, M. S. Etérico (6º, 5º, 4º)
	7º - Pineal		
	6º - Pituitária	6º - Mente Pessoal	
	5º - Garganta	5º - Mente Individual	Etérico - 4º
	4º - Coração	4º - Manifestação	
PERSONALIDADE	3º - Plexo Solar	3º e/ou Astral (dentro da 3ª)	Mental Inferior - 3º
	2º Umbigo		Emocional - 2º
	1º Coluna		Físico - 1º

Os chakras localizados no Corpo Etérico e que possuem focos correspondentes de atividade energética no corpo físico, através do sistema glandular, *quando funcionando através da personalidade*, recombinam-se orgânica e dimensionalmente da seguinte maneira:

CHAKRA	CORPO
7º - Pineal	Corpo Mental Superior - 5º
6º - Pituitária	Corpo Mental Inferior - 3º
5º - Garganta	Corpo Causal - 6º
4º - Coração	Corpo Eletrônico - 7º
3º - Plexo Solar	Corpo Emocional - 2º
2º - Umbigo	Corpo Etérico - 4º
1º - Coluna	Físico - 1º

Não posso deixar de salientar a importância de aceitar e possuir esta informação desde o início, para *sentir* que Deus está dentro de você, que Seu poder, Seu pensamento, Seus desejos e Seu sentimento podem ser encontrados (e *apenas* encontrados) através de seus próprios pensamentos, sentimentos e desejos, enquanto transmitidos pela sua intuição. Precisamos reivindicar nossas capacidades mentais superiores e começar a excercer já o autodomínio inerente no nível de nossos eus superiores e de nossa interdimensionalidade.

Mas, você poderia perguntar, se cada um de nós tem estas faculdades, por que há tanta desigualdade? A resposta é que cada indivíduo tem acesso a essas partes de si mesmo, mas nem todas as pessoas estão preparadas para manipular aquelas freqüências, em parte porque não dominaram completamente a atividade nas outras dimensões. A condição mais importante é a integração no plano físico: a integração de corpo, mente e sentimento. Como foi dito anteriormente: não iremos a lugar algum se não alcançarmos essa integração.

"CALIBRAGENS" *(meditação)**

O Circuito Alquímico é aquela conexão energética com seu eu superior e com seu eu cósmico. É sua conexão com a Fonte, não apenas

* Texto em cassette ainda não editado no Brasil.

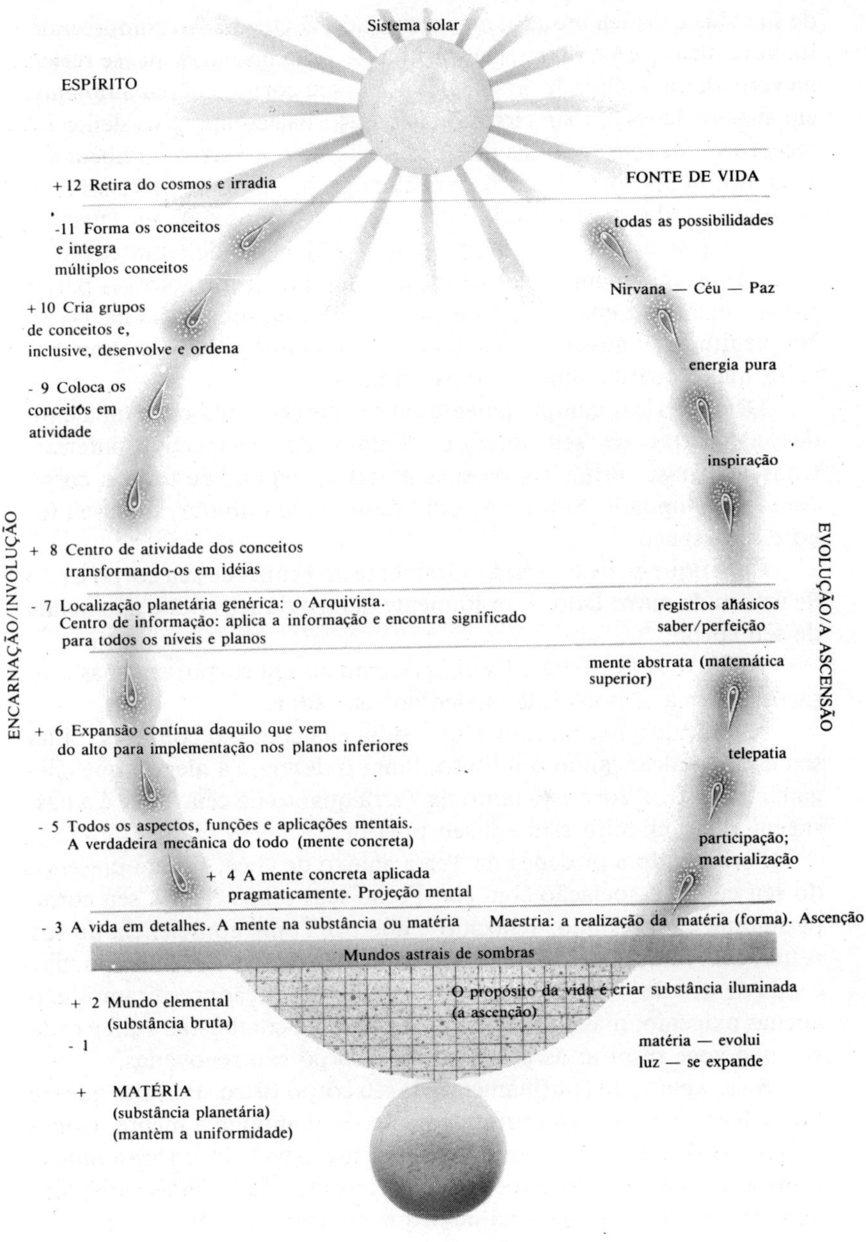

MAPA INTERDIMENSIONAL

de sua vida e do seu mundo, mas com Tudo O Que É. Ao compreendê-lo, você alcançará a maestria espiritual — uma maestria que se reflete na verdadeira qualidade de sua vida... em seu corpo, em seu ambiente, em suas relações... Este circuito energético básico liga seus delicados receptores (os seus sentidos internos e externos) à Terra e também aos céus, dos quais você faz parte. Você se liga ao ponto de origem de todo poder, toda energia, toda luz — seu eu superior ou Eu Divino.

Como seres humanos, participamos da Divindade ou inteligência pura, à qual chamamos de Luz, e da matéria da Terra. Nossas partes físicas, mentais e emocionais são constituídas da substância da Terra. Na plenitude de nossa terrenalidade, nos ligamos a Deus de uma maneira que é profundamente transformadora.

Deixe-se ficar completamente em seu corpo. Sinta cada uma e todas as partes de seu interior. Sinta-o da perspectiva interior. Conscientize-se, primeiro, de suas partes e, depois, de todo o corpo como uma unidade. Sinta seu peso e também sua fluidez, sinta seu fogo e seu espaço...

Certifique-se de que está exatamente no centro de seu corpo e não de um ou de outro lado. E exatamente dentro de seus pés e não acima de seu corpo.

Afrouxe suas roupas. Esteja presente no seu corpo, em suas sensações... e na sensação de espaço ao seu redor.

Agora, dirija-se para os céus e sinta sua conexão com eles. Sinta seu espírito alcançando o infinito. Sinta o desejo e a alegria que chegam com isso... Você está tanto na Terra quanto no céu. Você é a passagem... e o circuito está em seu interior.

Percebendo a presença da Terra abaixo de você, sinta a presença do seu eu em associação com ela. Feche seus olhos e sinta seu corpo perfeitamente ajustado, relaxado e aberto. Tome consciência de sua respiração. Sinta a suavidade dessa respiração dentro de seu corpo, que é vida dentro de você. Pense no milagre da respiração: respiramos não apenas oxigênio, mas Luz, força vital. Há uma combustão sutil a cada vez que você respira: as células de seu corpo são renovadas.

Saia, agora, do confinamento de seu corpo físico. Permita que ele fique deitado e repouse profundamente. E abandone a mente. Como se não houvesse nada a fazer. Nenhum lugar para ir... Desse modo, transferimos o foco dos aspectos materiais para focos mais sutis, mas não menos intensos, da vida dentro e em volta de nós.

Dentro de cada uma e de todas as células ou átomos de seu corpo há um ponto de luz. Essa substância-Luz é a semente da substância física. A substância de seu corpo é formada a partir desse padrão de luz. E essa substância primordial é a mesma do planeta Terra. Tudo o que existe como matéria, existe primeiro como Luz. E a Luz retém o padrão de perfeição.

Dentro de seu corpo de matéria, como o vemos agora, há bilhões de pontos de luz, que compreendem o seu corpo de Luz, sua cópia original, e, esse corpo, essa substância é absolutamente perfeita.

Agora, a mente tem o poder de aumentar o que quer que focalize. Use, então, esse poder para expandir os pontos de luz do centro de cada célula e, enquanto faz isso, saiba que, enquanto a Luz se expande, ela queima o que quer que seja imperfeito ao seu redor. Assim, ela cura, transmuta, eleva o nível de vibração de seu próprio veículo, seu corpo e tudo o que existe nele... sua mente e seus sentimentos.

Com o poder de sua mente, visualize esses pontos de luz. Sinta-os... Use o poder de seu próprio sentimento, aquele aspecto positivo de suas emoções, para estimular a vida e a alegria de viver em cada um e em todos os átomos de seu corpo. Visualize e sinta bilhões de pequenas partículas de luz incandescendo, intensificando... tudo o mais. Como se você estivesse eletricamente carregado (o que, de fato, acontece)!

Busque identificar-se com a Luz e com sua perfeição. Deixe sua reflexão recriar seu corpo, sua mente e suas emoções em pureza e amor.

Parte Dois:

Sinta os pontos de luz em seus pés, agora, e torne-os mais brilhantes. Sinta seus pés vivos com a energia formigante desses pontos de luz intensificando-se em brilho.

Espalhe a sensação para seus tornozelos e pernas... e joelhos. Sinta os pontos de luz se expandindo... preenchendo a parte interior de suas pernas com mais e mais partículas de luz.

Use o poder de sua atenção — sua visualização e seu sentimento —, traga sua consciência para o interior de suas coxas e para cima, para a região pélvica, sentindo correntes sutis fluindo, incandescendo... Como se, agora, tivesse pernas feitas de luz brilhante, brilhante! E sinta essa luz acendendo pontos de luz além dela, dentro dos órgãos de seu corpo, dentro de sua barriga...

Sinta que a Luz consome a densidade, tornando a matéria de seu corpo incandescente com a substância de Luz.

Suba mais, indo para a região do estômago... e acima, para as suas costas e o seu torso... e seu peito... e até para os pulmões e coração... e acima, para os ombros agora... sentindo... respirando... sendo... Luz!

E, abaixo dos ombros, para os braços, tornando as mãos incandescentes. Braços de Luz!

Sinta-se incandescente agora... seu próprio corpo respondendo à sua orientação...

Desloque a incandescência luminosa para o pescoço, indo para a base do crânio. Sinta a luz explodindo em sons cristalinos na base do crânio. O som da Luz: ouro cristalino... que é a cor destes pontos de luz... E sentindo-se como ouro em cristal... Expandindo-se agora...

Sinta e veja estes pontos de luz dentro de seu cérebro, iluminando-o... Veja agora a matéria cinzenta de seu cérebro tornar-se dourada. Sinta a incandescência dourada, enquanto seu próprio cérebro parece se intensificar em freqüência, elevando a vibração... que pode receber impressões cada vez mais refinadas...

Expanda os pontos de luz, para tornar sua pele incandescente... o crânio, os olhos, o nariz... todo o seu corpo, da cabeça aos pés, é um corpo incandescente de luz! Brilhante... de Luz. E como esta luz é flamejante, sinta-a queimando, consumindo tudo o que não é perfeição em seu eu interior...

Enquanto os elementos mais densos, mais pesados de seu corpo parecem cair, como cinzas, no chão... todas as doenças, todos os medos, todas as limitações, todos os sinais de idade, excesso de gordura e tensão... parecem afastar-se. Enquanto isso, você, uma vez mais, acredite em seu corpo de luz e em todos os seus poderes, o Corpo de Sonho!

Sinta-se nesse corpo de Luz dentro da matéria e sinta como seu nível de vibração se intensificou. Você está dentro de um corpo que é capaz de se ajustar aos canais cósmicos... um instrumento complexo, belo, maravilhoso!

Agora, ligue este corpo de Luz ao corpo do planeta. Sinta as linhas de força diretamente atravessando a terra, a pedra, a água, o mineral... através das gemas e gases e fogos da terra, atingindo o núcleo de cristal do centro da Terra, feito de luz radiante dourado-cristalina, exatamente como seu corpo está agora. Sinta-se chegando em casa e regozije-se.

Envie seu amor a essa esfera inteligente, este ser, este planeta, por alojá-lo e dar-se a você. E sinta a solidez, a sensação de forma a nós emprestada por esta grande mãe. É nesta solidez que podemos firmemente ocupar nossa divindade, nossa espiritualidade e nosso eu cósmimico. Firme-se nas raízes bem profundas do planeta e deixe, agora, que seus ramos... se elevem para os céus!

Agora você pode se ligar com aquela outra dimensão de seu ser, a dimensão da inteligência pura, do espaço cósmico, em seu Corpo de Sonho, seu corpo de Luz.

Que você possa crescer
e multiplicar
a glória da Luz na matéria.

As Doze Dimensões da Consciência

Se você questiona a existência das múltiplas dimensões do ser, compartilhe essa experiência comigo por um momento.

Eu dei uma caminhada pelo Central Park, no último fim de semana. Era um belo dia de primavera e todo o mundo na cidade parecia estar fora de casa. Enquanto meu amigo e eu caminhávamos, era como se estivéssemos andando através de diferentes universos. Em uma área, havia pessoas dançando músicas folclóricas. Em outra, as pessoas estavam tomando sol basicamente sozinhas, lendo. Em outra, as pessoas que tomavam sol eram do tipo família, com crianças e cães brincando...

Sobre a grama, havia pessoas jogando, comendo, jogando futebol, enquanto que, do lado de fora do Teatro Shakespeariano, havia uma demonstração de ginástica aeróbica. Mais além, estavam os amigos dos esquilos, os alimentadores de pombos e gaivotas... Quando nos sentamos no passeio bem sombreado, uma reminiscência de um antigo esplendor, sentimos as profundezas da solidão nos corpos de alguns dos dançarinos folclóricos mais velhos, coexistindo com babás e bebês em carrinhos, crianças aprendendo a andar...

Os ciclistas estavam num mundo completamente diferente, como se estivessem montados no dorso de cavalos. O pessoal, na seção do Museu Metropolitano do parque, era aparentemente insensível até ao próprio parque, enquanto os *joggers*, ao redor do lago, pareciam absorvidos num mundo próprio. A saudável e convencional multidão do Eastside se misturava com os *yuppies* do Westside, enquanto os artistas pertenciam ao lago, às nuvens e ao verde infinito das folhagens. Os *gays* espreguiçavam-se no gramado de uma grande área voltada para o Westside, repleta de roupas e acessórios... e aqui e ali novos amantes alimentavam os seus sonhos mutuamente, indiferentes à realidade das outras pessoas... Cada um destes grupos estava vivendo dentro de uma dimensão diferente de existência.

Na própria cidade de Nova York há o melhor e o pior de todos os universos possíveis: o Harlem espanhol, o Harlem negro, Bowery, o baixo East Side, o Village, Chinatown... Park Avenue, Madison Avenue, Wall Street, Chelsea, Soho, Brooklyn Heights e o Bronx, Riverside e Riverdale etc. etc. etc.

Nunca fui assaltada ou roubada e nunca serei e, contudo, vivo numa cidade onde roubos e assaltos são comuns. Nunca encontrei o prefeito Koch nem jantei com Donald Trump ou fiz compras na Bergdorff's ou na Orchard Street e nem mesmo assisti uma luta de boxe no Madison Square Garden... porém estas são atividades que estão ocorrendo com grupos de pessoas que vivem em certas dimensões da cidade.

Uma dimensão é um local interior para estados semelhantes de consciência que funcionam de um modo peculiar. O que determina a dimensão em que a pessoa vive não é nem o dinheiro, nem a educação, nem a herança cultural, nem a formação. É a consciência. Porque certas coisas acontecem a algumas pessoas e não a outras é o resultado de um estado de existência (que é um resultado direto do karma e/ou encargo da vida). Em níveis mais elevados de existência, você escolhe as condições de sua vida.

A dimensionalidade é um fenômeno interior e está relacionado à realidade interior e à percepção. Cada dimensão, como um mundo que é, consiste de uma forma de vida e atividade. Essas dimensões se interpenetram e afetam nossas vidas tridimensionais comuns, dependendo da extensão de nosso acesso (consciente ou supraconsciente) a elas.

As pessoas no parque estavam em diferentes estruturas psicológicas da mente, mas a verdadeira qualidade de seu funcionamento mental era também distintamente diferente. Este é o domínio da interdimensionalidade, onde a psicologia ainda não penetrou, mas a arte e a ciência sim. Pessoas como Jean Houston e Robert Masters, que criaram a Fundação para a Pesquisa da Mente; Alan Rogers, de A Corporação da Mente; Dr. Roger Woolger, o terapeuta da Vida Passada Junguiana; e muitos outros estão começando a explorar domínios mais distantes da mente — além da psicologia.

Não éramos capazes de observar a dinâmica interior da mente dos visitantes do Central Park. Podíamos apenas intuir, através de sua atividade física, onde poderiam estar dimensionalmente. Os amantes, por exemplo, poderiam estar em qualquer lugar, a partir dos chakras mais inferiores até as alturas poeticamente sublimes da atividade dimensional superior, onde se percebem emanações de Luz e força, que é transcendental por natureza. As pessoas que estavam lendo, os solitários, a multidão do Museu Metropolitano... até os *joggers* e aqueles que faziam piqueniques... poderiam estar operando em qualquer lugar desde a lógica tridimensional até a mecânica quântica superior, enquanto os alimentadores de esquilos poderiam estar imersos num mundo de criação profunda dentro dos recônditos do mundo elemental.

Atingimos a mente superior quando transcendemos as influências emocionais da personalidade e dos sentidos e somos capazes de observar e comungar com a vida no nível da causalidade. Mas a própria mente superior está dividida em dois níveis. O primeiro nível é abstrato, mas ainda pessoal. Poderíamos colocar nesse nível a quarta, a quinta, a sexta e a sétima dimensões. O segundo nível, da oitava até a décima segunda dimensão, está além da identidade pessoal e compreende os domínios espirituais da metafísica e da religião.

Assim, além de nossa participação nesses níveis de atividade simultaneamente à vida tridimensional comum, essas dimensões consistem de uma realidade de suas próprias formas de vida e atividades a elas inerentes. Quando temos acesso a essas dimensões, não apenas as captamos, mas temos experiências dentro delas. É desse modo que vivemos em muitas dimensões de uma só vez. Ficamos, no mínimo, conscientes das faculdades, à medida que elas se expressam em nosso mundo imediato e apenas remotamente conscientes das formas de Luz, inteligências superiores e avanço científico, musical e tecnológico das formas de vida superiores, onde também temos a nossa existência.

Uma pessoa pode viver num mundo de matemática, estética, religião e princípios espirituais superiores, e de exercício intelectual ou especialização tecnológica, genialidade musical ou de faculdades de cura e clarividência, dependendo da dimensão a que está ligado. Através do caminho da Alquimia Interior, podemos nos ligar a todas essas dimensões pela elevação de nossas vibrações aos níveis nos quais elas existem.

Os planos ou dimensões da consciência correspondem aos corpos de consciência, que são semelhantes aos sete corpos. Nós os exploraremos num capítulo subseqüente. Esses planos estão localizados não apenas ao redor de nosso corpo físico, interpenetrando-o, mas também em anéis concêntricos ao redor do núcleo do corpo do planeta. Um é visto como espaço exterior e o outro é experimentado como espaço interior. Cada um deles é empiricamente sinônimo do outro. Compreender isso exige um avanço em nosso pensamento.

A MENTE INTERDIMENSIONAL

Imagine então que você está jogando uma pedrinha num lago tranqüilo. Note os anéis concêntricos ao redor do local onde a pedra caiu. O anel mais externo é o maior, tem a maior circunferência (quer dizer: maior energia ou experiência) e chega primeiro à borda do lago. Os anéis progressivamente menores seguem o maior em ondas; eles têm uma distância maior para percorrer até chegarem à margem.

Diferentemente da mente inferior que opera numa lógica seqüencial reta, nossas mentes superiores funcionam como essas ondas no lago, da mesma forma que o som etc... A realidade da mente interdimensional é concêntrica.

À medida que o nosso pensamento evolui para além da personalidade e, finalmente, para além do eu pessoal, vamos nos tornando capazes de atingir domínios dimensionais mais elevados. Para conseguir isso, precisamos gerar mais e maiores freqüências de energia, acompanhadas por graus mais refinados de focalização e ajuste.

Algumas pessoas, tendo acumulado as faculdades em encarnações anteriores e tendo se preparado nos domínios interdimensionais antes da reencarnação, nascem com uma capacidade desenvolvida de penetrar nesses domínios superiores. Sua tarefa é transformar essa informação em realidade concreta. Há muitos aqui, hoje, que fizeram aquela preparação para que possamos todos nos beneficiar com a informação e conjuntamente elevar a atividade vibratória de todo o planeta, bem como de toda a vida que há sobre ele.

Para nós, essas dimensões poderiam parecer futurísticas, pois o desenvolvimento — altamente mecânico e cientificamente avançado, visto de nossa perspectiva — permanece ainda intocado e altamente suspeito. Uma pessoa como Nicola Tesla ajustou-se à sua própria atividade em níveis superiores e nos trouxe e à nossa dimensão invenções úteis, muitas das quais ainda misteriosas e consideradas até perigosas para a humanidade não evoluída. Wilhelm Reich foi outro gênio dessa natureza, cujo trabalho pioneiro no campo da bioenergética humana é quase sempre erroneamente aplicado e amplamente mal compreendido.

Mas não precisamos ser considerados gênios para penetrar nessas dimensões. Atreva-se a ajustar suas próprias energias. Explore, conscientemente, a elevação do nível das vibrações. Permita a si mesmo perceber e lembrar, particularmente em sua atividade fora do corpo, durante a noite, quando você entra em contato com estas dimensões, de modo natural e fácil. Faça um relatório de suas percepções. Focalize sua atenção nas mais leves mudanças de imagem na sua mente. Refinadamente ajuste sua receptividade, de modo a incluir níveis cada vez mais apurados de sensações. Registre-os sem julgamento ou interferência, sem se preocupar quão estranhos ou banais possam ser. Confirme suas percepções. Invoque sua Família de Eus — você mesmo em cada uma dessas dimensões.

Lembre-se de que, inicialmente, suas percepções serão alteradas pelas referências do terceiro plano. Alie-se a seu eu superior, a mestres e guias que se encontram nos domínios da Luz, e suave, suavemente deixe-se conduzir e pacientemente ganhe confiança. Nunca compare uma nota com outra. Ouse ficar sozinho. Sentir-se sozinho. Nessa solidão, lembre-se, está sua totalidade e seu autodomínio. Nesse estado, você receberá respostas diretas a suas perguntas e necessidades. Acredite nelas como acredita em si mesmo. Lembre-se de Quem e O Que você *realmente* é.

Você pode usar a imaginação e o método da imaginação orientada ou pode ativar seus chakras. Você pode intensificar os pontos de luz no centro dos átomos de seu corpo físico ou pode se projetar diretamente, através do tubo de Luz, para dimensões superiores de existência.

Algumas pessoas experimentam a interdimensionalidade como um aspecto de interioridade, enquanto outras a experimentam como uma dimensão acima e fora de si mesmo. As maneiras são tantas quanto as religiões do mundo (porque cada religião tem sido uma tentativa de atingir e utilizar sistematicamente as faculdades e poderes inerentes à vida interdimensional).

Qualquer que seja o método escolhido, ele refletirá a sua natureza. Para um indivíduo com uma natureza predominantemente sentimental, a forma mais simples de conexão com a Fonte e com a orientação interdimensional é a oração, dirigida para o alto com confiança, reverência e profunda gratidão pela Luz. Para o homem de intelecto e inteligência, pode ser através da ciência e de abordagens lógicas e sistemáticas, que projetam a mente através de parâmetros cada vez mais intensos e amplos. Para a pessoa de ação e disposição física, o caminho do serviço físico e até a dança são formas de oração e imersão em freqüências aceleradas de Vida.

A chave é sempre vibratória.

DINÂMICA INTERDIMENSIONAL

Os planos superiores são compostos de substância-Luz de qualidade pura, que, no nível mais elevado é pura Inteligência, Luz como força espiritual individualizada, expressando a si mesma como simultaneidade e abstração altamente incompreensível. Em níveis mais baixos, temos a substância condensada na forma de materialidade da terceira dimensão, expressando a si mesma como detalhe e seqüência. A primeira e a segunda dimensões são substâncias primordiais inertes, o domínio das forças vitais elementais.

Como você pode notar no quadro de acesso, estas dimensões são alcançadas através de nossos sete corpos, bem como através da ativação dos chakras superiores. Os planos são progressivamente mais espirituais, mais amplos (e nossa consciência, como corpo, proporcionalmente mais alta), quanto mais elevada ou mais acelerada for a sua freqüência.

Todos os habitantes são Seres de Luz (com exceção da nossa estrutura terrestre) incorporando conceitos cada vez maiores. Dentro dos planos residem as consciências de espíritos em encarnação e também entidades, que lá prestam serviço e que podem nunca ter encarnado. Todos são ali mantidos pela Lei da Atração.

Vamos descobrir agora o que essas dimensões são em termos de:

1. Como a mente se expressa em cada uma? Em outras palavras, quais são as atividades engrendradas em cada uma?
2. Com o que ela se parece? Ou como se sente?
3. O que você capta ou pode captar dessas dimensões?

A Terceira Dimensão

Este é o plano em que estamos localizados neste momento no tempo, estacionados aqui enquanto perdurarem os nossos veículos físicos e a ele retornando, pelo tempo que for necessário, para alcançar o autodomínio sobre os três planos (ou três corpos inferiores).

Este é o único nível em que temos as complexidades e perturbações da emotividade humanamente criada, que tornam este plano o plano do karma. É, na realidade, o campo de provas do espírito, onde construímos as habilidades e o poder muscular utilizados ao longo de toda a Criação.

A Mente se expressa como detalhes e em seqüência.

O ambiente é denso e composto por uma miríade de partes individuais, que se agregam fisicamente, uma a uma, em unidades maiores de utilidade.

Vivemos neste plano sempre que pensamos fragmentada ou seqüencialmente; quando nos identificamos com a matéria e a mortalidade; quando nos sentimos sozinhos e quando estamos emocionalmente perturbados. Aprendemos a maniputação e o controle da energia e da substância.

A Quarta Dimensão

É um plano espelho do nosso, ou uma existência paralela, mas sem a sobrecarga da densidade física. Aqui a mente gera usos práticos para implementação em nosso plano. Enquanto na terceira dimensão procedemos passo a passo, no nível da quarta dimensão operamos como unidade.

Os objetos parecem ser feitos peça a peça e a mente se assemelha a eles.
A mente precipita (em substância-pensamento) instantaneamente o que quer que seja necessário.

O ambiente se assemelha ao nosso em Luz.

Aqui somos o que pensamos. Atraímos deste plano todas as vezes que imaginamos como alguma coisa poderia ser ou operar... se colocássemos isto junto com aquilo... Em outras palavras, os princípios da manifestação e precipitação, usados no pensamento e planejamento visionários.

A Quinta Dimensão

Muitos cientistas têm acesso direto a esta dimensão. Os desenvolvimentos da sexta dimensão são aplicados aqui.

A mente se expressa telepaticamente como um todo ou completamente. Os objetos são concebidos *in totum*.

O ambiente é ultramoderno com espaços abertos de Luz.

Chegamos lá sempre que operamos telepaticamente ou pressentimos o todo ou a atividade completa, quando temos um lampejo de luz a respeito do que é necessário e quando sentimos aqueles golpes de gênio. Experimentamos a realização mental, bem como as respostas a problemas mentais.

A Sexta Dimensão

Neste nível, a atividade mental dos planos superiores está sendo reprocessada à luz da aplicação personalizada (individual), antes que a implementação possa adquirir forma na quinta dimensão. O reprocessamento requer uma contínua geração de idéias, envolvendo todos os aspectos da mente.

A mente se expressa como mobilidade num crescimento dinâmico contínuo.
O ambiente é eletrônica e mecanicamente futurístico.

Atingimos a sexta dimensão quando estamos num estado criativo do pensamento, tentando diferentes alternativas e dando amplos saltos em nosso pensamento. É uma energia elétrica, que algumas vezes se move tão depressa que não conseguimos alcançá-la ou compreendê-la. Aqui aprendemos o controle da mente dinâmica e o acesso a estados vivos de física quântica e matemática superior.

A Sétima Dimensão

Para os propósitos de nossa evolução individual e no caminho da Alquimia Interior, é especialmente importante compreender a natureza e as atividades desta dimensão.

Esta é a área daquilo que chamo de eu superior, onde o Corpo Mental Superior de Cristo reside, onde é mantido o registro akáshico e onde todas as impressões da atividade passada são encontrados para cada evento e cada espírito individual do planeta.

Aqui, a atividade não é apenas altamente espiritual e conceitual, é também pessoal. Este plano serve de ponte entre a mente inferior e a superior, entre o eu superior e o pessoal, entre a atividade interior e a exterior. É o centro filosófico e de informação e pesquisa. Poderíamos dizer que esta é a capital galática do planeta, onde planetas estrangeiros têm "embaixadas" e os canais de comunicação, bem como os de transporte, existem para ligar as várias estações interplanetárias.

Neste nível, observamos as imagens da perfeição, que nos empenhamos em obter nos planos inferiores. Elas existem aqui como fato. Abaixo deste plano está a vida personalizada e a mente aplicada. Acima deste plano encontra-se a vida altamente espiritualizada e a mente abstrata elevada. Todos os seres, inclusive as vibrações do Eu da décima segunda dimensão, precisam passar pela mediação do sétimo plano para nos atingirem.

Neste plano, a consciência experimenta o Conhecimento e a Perfeição, descobrindo domínios de causa pertinentes às correntes de vida individual.

A mente se expressa como todas as formas de ensinamento, inclusive o mito e a fábula.

O ambiente é de vivência em grande escala, inclusive com amplos centros, dirigíveis e arquivos.

Estamos no sétimo plano sempre que exploramos o significado da vida individualizada e os propósitos de criação, isto é, a filosofia e a psicologia.

A Oitava Dimensão

Este é o plano de demonstração imediato ao das altas abstrações dos planos acima. Traduz conceitos individuais. Seu alvo, porém, é ainda altamente abstrato. Os conceitos deste plano constituem uma espécie de salto para a sexta dimensão, onde são adequadamente aplicados ao nosso uso.

A mente aqui se expressa como um esforço para individualizar. Poder-se-ia compará-la à Forma básica de um escultor, antes da perfeição de um produto terminado (isto é, o sétimo plano), o que é, então, interpretado subjetivamente pelos indivíduos.

O ambiente é elétrico e rico de aplicações técnicas.

Estamos no oitava plano, quando sabemos que "compreendemos", mas ainda não podemos explicar: "AHÁ" exatamente antes da impressão. O contato com este plano traz a percepção intuitiva da tecnologia.

A Nona Dimensão

Para nós, este é o domínio da Probabilidade, o nível da ciência e da pesquisa ultra-abstrata.

A mente coloca idéias em movimento e cria sistemas globais.

O ambiente é aquele de compilações sofisticadas, refletindo sistemas eletrônicos e mecânicos de comunicação.

Se houver uma maneira de fazer alguma coisa, o contato com esta dimensão a revelará. Quando estamos neste nível, obtemos uma ampla compreensão dos sistemas e de sua universalidade.

Da Décima até a Décima Segunda Dimensões

Estas dimensões precisam ser explicadas como uma unidade. Sua atividade é amplamente conceitual e ultrapassa a nossa compreensão, não importando quão evoluído possa ser nosso intelecto. Não podemos compreender estas dimensões, a menos que estejamos desejando desintegrar o verdadeiro processo de nosso pensamento.

Estas dimensões têm sido relegadas à experiência mística e espiritual e constituem aquilo que o Zen tem chamado de Não-Mente. Podemos visitar e visitamos estes planos e temos acesso às faculdades da inteligência que ali residem.

No nível da décima segunda dimensão, a mente superior funciona em parâmetros mais amplos de filosofia e conceito. Ela incorpora a força espiritual de um modo individual. Este Ser Espiritual é nosso próprio Eu Divino, cuja função é gerar Vida (que é uma substância real de espírito como força vital). É uma força vital radiante, diretora.

Por exemplo, se lembrarmos de nossos anéis concêntricos no lago, esta esfera maior é a mais evoluída, em termos de experiência, e a que está mais próxima da margem, em termos de puro espírito. Serve para gerar a força que se move em direção ao centro, de modo a atrair as outras para ela.

Aqui, os Seres Espirituais agem, assim, como Guardiães do Limiar e, também como os Eus Divinos de espíritos encarnados. A identidade, neste nível, é sônica e vibratória, refletindo a freqüência individual estabelecida pelo Grande Sol Central sobre a Criação.

Ao observarmos o décimo primeiro plano, pulamos da pura Luz/Som para o Conceito. A partir do esplendor do Infinito demonstrado (se podemos usar um tal termo) no décimo segundo plano, o décimo primeiro representa a Fraternidade e a Unidade.

Para mim, a atividade da décima primeira dimensão é como se o Som puro se transformasse em notas musiciais, como se a Luz primordial se decompusesse em cores e como se a Inteligência desse origem a conceitos individuais. O contato com este plano é experimentado como Universalidade. Talvez o maior exemplo que possamos dar, neste ponto, é dizer que este plano é responsável pelas idéias da Nova Era, que estão inspirando tantos de nós atualmente.

Finalmente, a décima dimensão expressa os conceitos da décima primeira, através do silêncio majestoso e da quietude da ordem. Este plano celeste é responsável pela criação da Natureza como força vital. Para nós, é o domínio das Possibilidades.

RESUMO

Precisamos lembrar-lhe que a informação proveniente destas dimensões *já* está chegando. O tempo todo. Temos acesso à quarta dimensão todas as vezes que falamos sobre manifestação, afirmação e pensamento positivo. O influxo dessas idéias provém da atividade do quarto plano, inclusive a capacidade de projetar instantaneamente aquilo que queremos.

Ver as coisas como um todo, renunciando ao tedioso processo elementar do 1 + 1, é um salto intuitivo para o sexto nível dimensional da matemática superior. Quando desejamos ter acesso à resolução do problema, vamos para o nível da quinta dimensão. Ali, participamos do funcionamento da mente como um todo, inclusive cálculos e deduções. Ali, as capacidades telepáticas existem como uma função natural da mente como um todo.

A eletrônica e a mecânica, num nível superior, estão disponíveis na sexta dimensão. Quando desejamos visitar outros planetas e galáxias, quando desejamos saber sobre nós mesmos — encarnações passadas e ligações kármicas —, quando buscamos um mestre ou um ensinamento, vamos ao sétimo plano.

Quando buscamos a vitalidade e o despertar espiritual, podemos procurar auxílio nas dimensões além da sétima, onde a iluminação e o silêncio fornecem a resposta no nível da alma e onde o alimento é obtido em harmonia, paz, amplidão e Luz.

No décimo plano nirvânico, encontramos o que o Ocidente chama de Céu. Este é o plano buscado pelos antigos adeptos, que elevavam suas consciências a este nível de Supremo Silêncio e retornavam renovados, iluminados pelo conceito puro e por aquele Conhecimento que ultrapassa a compreensão. Através deste portão, podiam também passar para a décima primeira e décima segunda dimensões e para o Vazio da Clara Luz.

A décima segunda dimensão é o domínio da divindade pura e da poesia. Dificilmente poderemos nos relacionar com essa dimensão, a não ser energeticamente. A Suprema Realidade é energética. O Real é progressivamente distorcido pela forma e pela definição. É por isso que o antigo sábio Lao Tzu começou seu famoso livro de ensinamentos (que foi forçado a escrever) com a afirmação de que o Tao que pode ser falado não é o verdadeiro Tao. O ensinamento superior não pode ser transmitido verbalmente; a experiência é intraduzível. É pulsação; é Luz. É energia pura.

O verdadeiro ensinamento alquímico se dá através da transmissão de energia.

E contudo... precisamos integrar e incorporar os conceitos de Verdade em cada nível. O "Verdadeiro" ensinamento, que chega através de palavras, indica o caminho para a experiência. É inspirativo, não didático. Eleva, exalta e embeleza. Acalma nossos medos e suavemente nos persuade à não-ligação com a tridimensionalidade. Nos tranqüiliza e confirma. Nos abraça e sustenta em cada estágio do crescimento. Nos assegura que todos somos eternos e que a morte é uma ilusão.

Hoje, qualquer ensinamento que valha a pena se refere aos princípios da Luz e aos ensinamentos da Luz, ao processo de Ascensão ou refinamento que está ocorrendo, à Fraternidade da Luz, ao fato de que a Terra está caminhando para uma energia e uma consciência cada vez maiores... e está se afastando cada vez mais da emotividade, do pensamento e da materialidade. Estamos caminhando para uma consciência cada vez maior de nós mesmos, não apenas como filhos da Luz, mas também como filhos do Espaço — interior e exterior.

Compreenda que o que quer que esteja acontecendo na mente também está ocorrendo em algum lugar lá fora. Todas as dimensões coexistem no presente e na estrutura da vida tridimensional. Precisamos assumir a responsabilidde por nossos pensamentos, por nossos sentimentos, por nossas ações e por nossa consciência e receptividade, bem como pela maneira com a qual lidamos com a vida e com as outras pessoas, e como manipulamos e criamos a cada momento.

À medida que crescemos em consciência, crescemos em Luz, e isso significa não apenas tolerar intensidades maiores da mesma, mas também projetá-la e emaná-la. Quanto mais energia você integrar, mais pessoas, idéias e até dinheiro virão a você, atraídos por sua Luz. Há muito mais coisas acessíveis a você, mais do que fragmentos e compartimentos. Há mais poder também, o poder da Luz. O semelhante atrai o semelhante: o que é natural.

O que você quer fazer é manter elevada a sua energia. Qualquer coisa que reduza a sua freqüência diminuirá seu poder e sua percepção, sua capacidade de atrair Luz e de irradiar, manifestar ou ter acesso à Luz e às coisas da Luz de todos os modos.

MEDITAÇÃO ESPIRAL

Esta meditação envolve o uso de música e visualização. Ela o transporta pelo espaço interdimensional até o espaço cósmico e a realidade espiritual. Você precisará de um parceiro ou de uma fita cassete, bem como de um cronômetro.

Escolha uma música que o possa transportar pelo espaço concêntrico. Pode ser até uma peça repetitiva e com uma ressonância eletrônica, lenta, profunda. Uma das músicas que uso chama-se *Planetary Unfolding*[1] de Michael Stearns. Há outras que podem ser melhores para você.

Siga os estágios preparatórios iniciais, que geram a energia que você precisa para mobilizar seus corpos superiores.

Quando estiver pronto, deite-se com os braços e pernas abertos sobre uma esteira, no chão. Aumente o volume da música o suficiente para que ela o envolva.

Você passará a movimentar sua energia, através de seu poder de pensamento, de maneira espiral. O sentido anti-horário abre e o sentido horário fecha e faz você voltar à terceira dimensão.

Visualize um filamento de luz prateada, com a consistência de um fio de metal fino, flexível, mas não líquido.

Localize sua energia vital no nível do plexo solar. (Este é o centro que fornece a energia básica para todas as funções iniciadas ao nível da materialidade.)

Agora, a partir do plexo solar, visualize um filamento de luz prateada espiralando, no sentido anti-horário, para a chakra do coração e continuando a espiralar para o chackra do umbigo...

Para os chakras menores dos ombros... descendo para os chakras das palmas das mãos...

Subindo para o chakra da garganta e novamente descendo para o centro localizado atrás dos joelhos... subindo para o centro por detrás da face e na base do crânio e, de novo, descendo para os pés...

Volte para o terceiro olho... desça para abaixo dos pés... suba novamente para o topo da cabeça...

Volte a descer abaixo dos pés... acima da cabeça... e ao redor, ao redor e ao redor...

E ao redor... e ao redor...

E ao redor... e ao redor...

Deixe que as espirais se tornem cada vez mais amplas, cada vez maiores... para além da cidade... além do país... além do planeta...

---

1. "Revelação Planetária" (N.T.)

Aumentando... aumentando...

Permita-se ir o mais longe que puder... além dos limites da mente... além de seus estados comuns de consciência.

Retorne após o período de tempo que tiver marcado no cronômetro ou quando a pessoa, em quem você confiou para trazê-lo de volta, o fizer.

Traga a energia de volta com você, retornando passo a passo, via espiral, no sentido horário, vindo da periferia mais externa até a sua aura.

... do topo da cabeça descendo para abaixo dos pés... do terceiro olho para os pés... da base do crânio e região mediana da face para... os joelhos... a garganta... as palmas das mãos...

... para os ombros... o umbigo e o coração... e de volta aos recônditos do plexo solar...

Fique calmo. Sinta o universo dentro de você.

Certifique-se mesmo de sua volta à Terra antes de retornar completamente à consciência. Após este exercício e todos os exercícios que fizer para o espaço interdimensional, é bom delinear o espaço que seu corpo físico ocupa — tanto em amplitude quanto em profundidade — três vezes. Sinta o espaço dentro de seu corpo, bem como o seu peso. Certifique-se de que sua energia está dentro desse espaço, distribuída igualmente pelo corpo todo.

E O LIHUM

Esta é outra das práticas de Luz essênicas. Esta, em particular, é especialmente útil na sua ligação com seu eu superior. Quando o ensinamento estava sendo transmitido a uma mulher cristã, nas Ilhas Britânicas, que dizia que as práticas de Luz eram usadas pelo próprio Jesus, ela, inicialmente, sugeriu o uso da figura de Jesus Cristo como modelo do eu superior.

Se você for cristão, também pode colocar a imagem de Mestre Jesus no lugar de seu eu superior. Se estiver ligado a algum outro Mestre, use outra imagem. Eu acho mais eficaz invocar diretamente meu eu superior no nível da sétima dimensão.

Qualquer que seja o Mestre exterior que invoquemos, ele apenas espelhará a Verdade, a Beleza e o Amor que nossos Eus Divinos estão emanando por intermédio de nossos próprios eus superiores.

O exercício é feito sentado. Fique em silêncio e acalme-se.

O som é "I", "Oh", "Li-hum" (pronuncia-se "Li-rum"). Pratique-o algumas vezes e sinta a fluidez do som. O "Lihum" é especialmente suave e fino.

Pratique dizendo-o interiormente, agora, combinando-o com a respiração. Na inspiração, diga "I-O"... e, na expiração, "Li... hum".

Visualize agora uma corrente de luz cristalina colorida, com a cor e a consistência da água clara, somente que sob a forma de luz.

Veja e sinta esta corrente de luz cristalina entrando por sua têmpora esquerda. Veja-a e sinta-a percorrendo o interior de sua cabeça e de sua mente, limpando-as, clareando-as, refrescando-as.

Agora, imagine seu eu superior em frente e acima de você.

Você está iniciando a ligação de sua mente com a mente superior de seu eu superior. Está fazendo isso ligando sua mente à mente dele usando o fluxo de luz cristalina colorida.

À medida que esse fluxo de luz entra por sua têmpora esquerda e sai pela direita, faz uma curva à frente e penetra na têmpora esquerda de seu eu superior, sai pela têmpora esquerda e se espirala para cima, indo em direção ao Eu Divino.

Você está pronto para começar o exercício.

Inspire, visualizando a luz cristalina colorida entrando em sua têmpora esquerda ao som interior "I". Ao som interior "O..." (retenha a inspiração) a luz circula sobre o eu superior e gira em seu interior. Então, ao expirar, ao som interior "Li.. hum", a luz cristalina se espirala para o infinito.

Repita tantas vezes quanto desejar. Permaneça naquele silêncio e naquela intimidade com o seu Eu... tanto quanto possível.

Atividades Interdimensionais

A RELAÇÃO ENTRE O TERCEIRO E O SÉTIMO PLANOS: VIDA

Esta é talvez a maior de todas as relações, perdendo apenas para a relação fundamental com o Criador. Naturalmente estou falando da relação de alguém com seu próprio Eu Superior.

Na história religiosa, particularmente a sufi e a cristã, esta entidade é vista como a síntese do amor e da beleza. Os sufis até a denominam de "Anjo". E para os cristãos, naturalmente, a figura de proa do Eu Superior é Jesus de Nazaré, que se tornou, quando fundiu-se com seu sétimo plano de consciência, Jesus, o Cristo.

Quando a plenitude do Corpo Mental Superior de Cristo é sentida, ou mantida, há um sentimento de fusão total e de posse. Como se o indivíduo estivesse se misturando com o amado maior. Um dilúvio de amor e paz esmaga-o, por mais momentâneo que possa ser. A pessoa se sente iluminada, transfixada, estática. É, de fato, a maior união de todas, aquela procurada através das eras e o sentido oculto do termo "ioga", que quer dizer união. Essa união entre o eu superior e o eu físico, quando mantida, completa o ciclo de existência terrestre.

Como vimos, o sétimo plano é o centro filosófico do planeta, o centro da erudição e da evolução. Sempre que questionamos a natureza da vida e seus objetivos, estamos penetrando na motivação e na atividade do sétimo plano. Nesse nível, estamos estacionados como identidade, como uma inteligência flexível, móvel e acessível, não apenas em níveis interdimensionais, mas como guia e apoio durante o trabalho de desenvolvimento da personalidade através de múltiplas vidas.

Quando o indivíduo está ainda nos primeiros estágios da experiência terrestre, motivado por atração, repulsão e desejo, o eu superior, permanece principalmente em seu próprio plano; a reencarnação é, na maioria das vezes, acidental. Quando a encarnação física de um espírito desenvolvido ou razoavelmente consciente é buscada, o eu do sétimo plano procura os registros e, juntamente com um conselho kármico, determina a natureza, o objetivo e a função da vida que está por vir. Neste ponto o corpo etérico é remodelado segundo suas realizações passadas e necessidades futuras. A substância física será criada a partir dos genes dos pais ao redor desta cópia etérica. Regulação de tempo, considerações relativas ao equipamento necessário — as combinações de raios e influências astrológicas, a relação com outros seres, as infuências do tempo etc. determinarão o momento e o tipo de encarnação necessária à experiência completa e de modo a contribuir para a consciência do planeta como um todo. Assim, o corpo de consciência à espera do terceiro plano novamente terá um veículo, através do qual irá se aperfeiçoar e aprender a maestria.

Se você está supreso com o fato de não termos falado sobre o primeiro e o segundo planos, permita-me fazer uma rápida pausa para dizer que a inteligência da Fonte Criadora, que habita esses planos, é pré ou subumana. Esses planos fornecem a matéria-prima (substância) para a atividade tridimensional, ao mesmo tempo em que serve como campo de provas elemental para a vida superior.

Precisamos nos acautelar em relação à tendência do terceiro plano de encarar toda a hierarquia em termos competitivos. Estar em encarnação não significa que nossa consciência é inferior àquela dos seres que, no momento, não estão existindo fisicamente. Do mesmo modo que todos os tipos de trabalhos devem ser realizados para que o todo funcione, esse plano pode ser considerado como um tipo particular de trabalho. Assim, o arquiteto, o construtor, o desenhista e o governo, todos têm igual valor. O terceiro plano é um plano onde trabalhamos e que inspira atividade no nível do detalhe, que influencia *todos* os planos. Temos de assinar voluntariamente este trabalho, esta atribuição. Repito: nesse plano, integramos habilidades e alcançamos o autodomínio através de obstruções, falhas, interferências, transtornos e de uma barreira de energias e forças primárias coexistindo simultaneamente.

Uma vez que tenhamos dominado a atividade desse plano, através da aplicação das práticas alquímicas (alinhamento consciente e associação com as forças superiores), teremos elevado nossa freqüência a uma condição suficientemente alta para que possamos encontrar e nos misturar com a consciência do sétimo plano, que nos guia e influencia à medida que mais nos aproximamos dela, através da invocação e da similaridade de vibração.

Alcançada a maestria, o processo para a substância é o de implosão. Isso acontece gradualmente, enquanto elevamos nossas vibrações e refinamos nossos corpos inferiores. O núcleo de Luz no centro do átomo físico (os elementos do veículo etérico ou de Luz) acende-se, expande-se e absorve matéria, recalibrando a atividade vibratória e transmutando-a gradualmente em substância da alma.

No momento da morte física, o eu superior (a consciência do 7º plano), que se movia entre os planos, unindo nossa atividade vibratória mais superior com a mais inferior, emerge agora ou se integra permanentemente com o eu físico. Um novo veículo é criado, mais poderoso e flexível do que o etérico; um veículo capaz de expressar autodomínio tanto na matéria quanto na Luz. Este é o processo de Ascensão ou Ruptura. Neste ponto, nos tornamos nós mesmos Mestres Excelsos ou nos graduamos no nível de Anjo, como esta entidade é conhecida por alguns. Neste ponto, possuímos o que tem sido chamado de Corpo de Luz Imortal.

Podemos continuar a servir neste planeta, guiando, inspirando, criando formas-pensamento superiores e impulsos que iluminam a vida nos níveis inferiores, ou podemos nos transportar para a vida em outros planetas ou entrar em outros tipos de atividade intergalática.

A RELAÇÃO ENTRE O TERCEIRO E O SÉTIMO PLANOS: MORTE

Quando um espírito morre de morte natural, sem ter ainda obtido o autodomínio total, a matéria se desintegra e o espírito retorna ao sétimo plano. Ali, revisa as experiências mais recentes e as integra todas às anteriores. O registro permanece no nível do sétimo plano e é acessível a qualquer um que o queira ler.

Se durante a encarnação física a consciência não se ajustou à interdimensionalidade e/ou espírito, a contraparte mental-emocional do espírito permancerá em um nível inferior, freqüentemente rodeando a vida tridimensional, até que se desintegre naturalmente, reencarne ou vá aprender em algum dos planos dimensionais que envolvem o planeta. Estes "fantasmas" são os espíritos com os quais médiuns e psíquicos entram em contato. Talvez, agora, você compreenda que o nível de desenvolvimento deles geralmente não é elevado, embora sejam eles, algumas vezes, bem-intencionados.

À medida que aprendemos a nos ajustar aos níveis sutis de realidade, a partir do terceiro plano, é importante distinguir entre esses espíritos-fantasmas e a percepção do eu superior, de professores, guias e Mestres. Mais uma vez, a única maneira de discernir é através da percepção direta, e o único critério, neste ponto, é o grau de emotividade e a freqüência vibratória. Como foi mencionado anteriormente, não se pode confiar na comunicação verbal, pois esta pode ser, e freqüentemente o é, desorientadora. Para se alcançar e se comunicar com o mais elevado, você precisa estar lá.

Não podemos ir para o décimo segundo plano até, e a menos que, nos tenhamos graduado nos planos inferiores. O posto de comando desse plano continua a ser nossa fonte de poder, energia, Luz e inspiração. Também canaliza raios poderosos para a Terra, a partir de fontes cósmicas, emana a radiação da Terra para o Sistema e reflete para nós (individualmente) as alturas celestiais. Este é, como já dissemos antes, o Corpo Eletrônico do Eu Divino individualizado "EU SOU". Além desse posto planetário, há a Divindade superior, que, neste momento, chamaremos coletivamente de a Fonte do Grande Sol Central.

O NOME ETERNO OU IMPRESSÃO SÔNICA

A freqüência eletrônica do décimo segundo plano é sônica — individual e única para cada espírito. Nenhum outro tem essa vibração. Vibração que é sua freqüência ou nome individual.

Esse "nome" foi o som de sua força vital como foi refletido no momento de sua criação, quando você se separou do Sol Central. É a qualidade de seu fluxo vital: sua verdadeira identidade.

À medida que você atravessava os diferentes planos, ressoava de um modo particular que causou leves distorções no som original e criou uma diversidade de nomes em cada um dos planos ou aspectos de si próprio. Quando você reestabelece a comunicação com as várias freqüência dimensionais, se une à sua Família de Eus, inclusive nomes, faculdades e identidades, testando ou experimentando cada nome e a impressão ou capacidades que cada um lhe revela. Finalmente, você

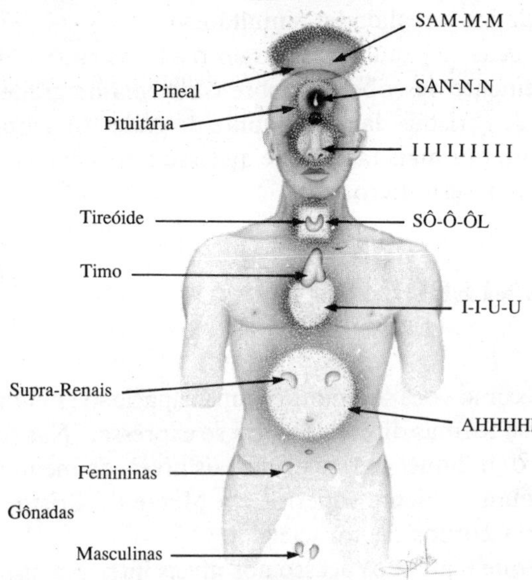

RESPIRAÇÃO SÔNICA
(CENTROS ESPIRITUAIS)

escolhe a freqüência sônica mais alta, que lhe pertence como uma constante. Essa freqüência deixará escapar a freqüência ultra-sônica do Eu Divino.

Cada pessoa, com a prática, pode redescobrir esse nome ou som e, através dele, ter acesso não apenas ao eu superior, mas à própria Divindade interior.

A melhor maneira de nos ajustarmos aos planos dimensionais, sobre os quais estamos falando, é através das passagens dimensionais. Estas se localizam exatamente dentro de nosso aparelho físico, em áreas que parecem coincidir com os chakras. Essas áreas são indicadas acima e os dados nos foram fornecidos por Bryce Bond, através da informação captada pela sua interação com a inteligência interplanetária.

Como há passagens interdimensionais dentro de nossos eus físicos individuais, que nos ligam a nós mesmos em outras dimensões, há também passagens interdimensionais no corpo do próprio planeta, que fazem a conexão com outras galáxias e sistemas. O Triângulo das Bermudas é uma dessas passagens. Há muitas outras; locais que dão acesso a estados de existência além de nosso tempo e espaço, e além da Terra, dimensionalmente. Locais onde você pode reformular o passado ou construir o futuro. Locais onde você pode experimentar e explorar personalidades e realidades simultâneas.

As dinâmicas são múltiplas, como o são as causas, inclusive os dados recentemente descobertos sobre o sistema de grade da Terra e a localização dos cristais da antiga fonte de poder em certas partes do planeta. Porém, por mais fascinante que isso possa parecer, este ainda não é o objetivo deste livro.

VIAGEM INTERDIMENSIONAL

A mente, como você se lembra, é uma capacidade múltipla da consciência, que usa formas diferentes para se expressar. Nas primeiras seções deste livro, indiquei os três principais níveis da mente: o inferior, ou mente comum, a mente superior e a Mente de Cristo. Todas elas usam diferentes corpos de consciência.

Uma vez que tenhamos acesso aos níveis interdimensionais, através da impressão telepática ou comunicação, a viagem se dá através do veículo etérico. Este corpo, então, se liga às várias consciências residentes nos diferentes planos e, à medida que nossa tolerância aumenta, podemos habitar nossos próprios corpos superiores por períodos cada vez mais longos.

No nível da consciência superior, vamos para além das funções que resolvem os problemas, atingindo o nível da interdimensionalidade. Mas, para que isso aconteça, o indivíduo não pode estar sob qualquer tensão, pois esta o traz para baixo, para os níveis astrais mais densos de medo e desejo. É preciso que os negócios de sua vida diária estejam resolvidos, para que ele possa colocá-los de lado, sem que estes o influenciem ou lhe pesem. Neste ponto, o sonho, ou viagem, será inspirador, profético, curativo e profundamente transformador. Mesmo sem a memória consciente dessa viagem se infiltrando na mente inferior, os efeitos serão sempre enaltecedores.

Através da visita interdimensional, temos acesso a toda a nossa história pessoal, a realidades futuras e a assuntos mais imediatamente relavantes; temos acesso à inspiração e às habilidades mentais superiores, inclusive conceitos avançados de ciência, música, arte e desenho, tratados anteriormente aqui. Fomos realmente projetados para atuarmos em perfeito sincronismo em todos os planos.

OUTROS PLANETAS

Há vida em cada planeta de nosso sistema solar, mas não no nível tridimensional. É por isso que os cientistas são incapazes de encontrar vida em Vênus, Marte ou qualquer outro planeta. A menos que a mente superior seja utilizada, ninguém pode chegar a compreender a vida em sua multidimensionalidade. Essa mente superior é acessível apenas através da elevação da própria freqüência energética: através dos métodos de recalibragem celular aqui delineados e, hoje, acessíveis também através de numerosos sistemas de energia/trabalho. Finalmente, essa aceleração ocorre quando lotes de mentes antigas e altamente inadequadas são descarregados, através da compreensão espiritual e do desejo gerado por uma busca genuína de perfeição e Luz.

A única maneira de se encontrar vida em outros planetas é ir lá, em pessoa. E, para isso, você precisa elevar sua freqüência. Como estamos agora, francamente, somos simplesmente muito grosseiros, muito densos, muito limitados. Através da Alquimia Interior, podemos aprender a fazer a ligação entre nós e o nosso eu. Só assim, então, é que se tem acesso à história toda, não só deste planeta, mas de todo o sistema solar.

A vibração atômica se reduz durante o processo de materialização. No nível do átomo, nós, como seres humanos, somos uma ilusão. Por outro lado, para nós, alguns dos seres de outras dimensões pareceriam invisíveis ou, no melhor dos casos, como colunas de luz ou figuras de luz indistintas. Algumas observações de Ovni relataram que, dentro daquilo que parecia inicialmente uma coluna de luz, havia figuras humanóides de formas e tamanhos bizarros. Isso será levado em conta em muitas de nossas experiências extraterrestres, que vão desde as religiosas, científicas e iluminadoras, até as exploratórias, e as das inteligências tecnologicamente avançadas. Há vida em qualquer lugar, cada uma buscando a perfeição, algumas mais perfeitas do que outras.

Tudo o que podemos ver, em relação a nosso planeta, através de nosso olho físico, é que ele possui um núcleo de 12.800 km de diâmetro, mas qualquer um, que tenha uma percepção sagaz, notará as dimensões concêntricas de existência envolvendo a Terra, acrescentando mais 3.626.288 km ao seu diâmetro. Essa mesma faculdade capacitará o indivíduo a ver seres não-físicos e outras vidas dimensionais.

Corpos Interdimensionais de Consciência

FORMA

Como mencionei anteriormente, em todos os corpos e planos há polaridade: positiva e negativa. Uma vez que tudo é energia, tudo o que conduz energia (que seria qualquer coisa em criação) é uma bateria composta por pólos positivos e negativos ou condutores. O mesmo se aplica aos corpos de consciência residentes em cada um dos doze planos, que correspondem vagamente aos sete corpos ou camadas de nossa aura, enquanto na encarnação física (como foi delineado nas primeiras seções).

A existência se move entre as polaridades do Espírito e da Matéria. O Espírito é pura receptividade ou polaridade negativa. A Matéria é substância que é acessível ao espírito, para transmutação e criação de substância espiritualizada: sua polaridade é positiva.

Espírito (-) toma conta da matéria na décima segunda dimensão, o que torna esse nível positivo (+) em polaridade. Desse ponto até a terceira dimensão, os planos se alternam em polaridade. A terceira dimensão, bem como a sétima, tem polaridade negativa, prestando-se a enorme flexibilidade e crescimento. Todas as dimensões negativamente carregadas constituem níveis de integração, absorção e aplicação, enquanto que as positivamente carregadas são áreas de cristalização.

Essas polaridades se refletem nos próprios corpos de consciência. Nos níveis positivos, os corpos são cristalinos. Nos níveis negativos, os corpos são esféricos. Compreenda, porém, que não é assim que você aparece nessas dimensões. Esta é apenas uma indicação de sua função. (Ver ilustração.)

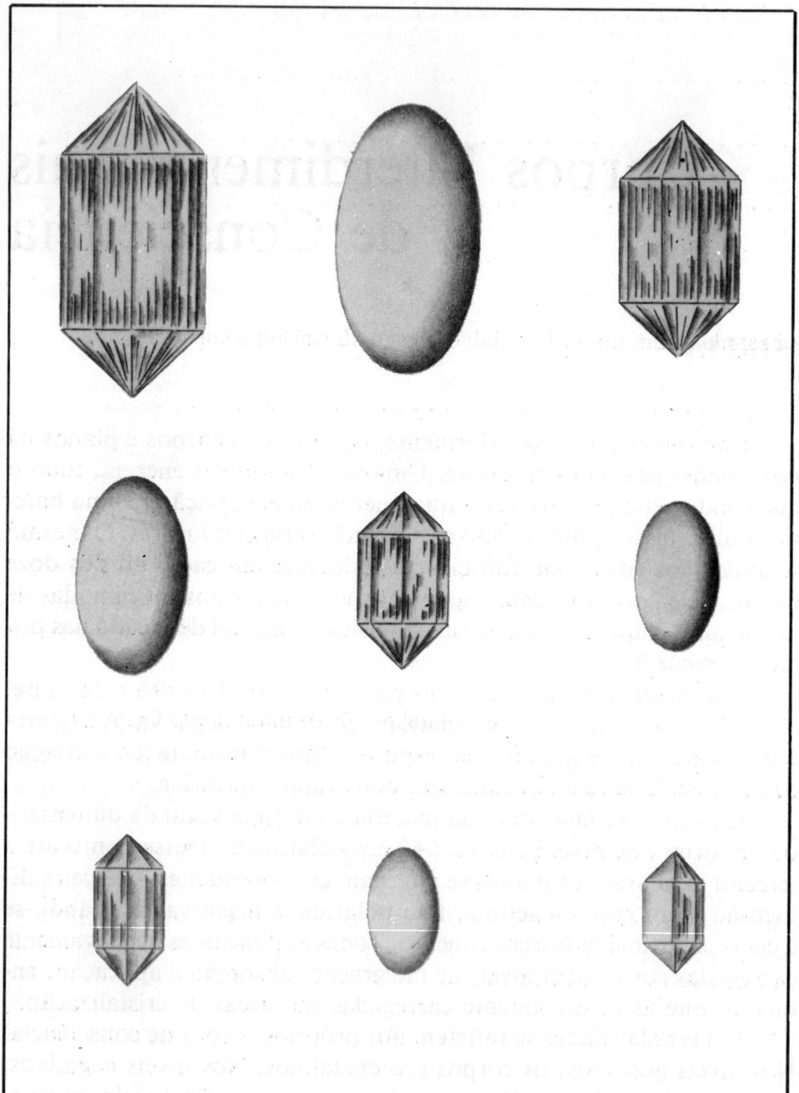

AS FORMAS DE CONSCIÊNCIA

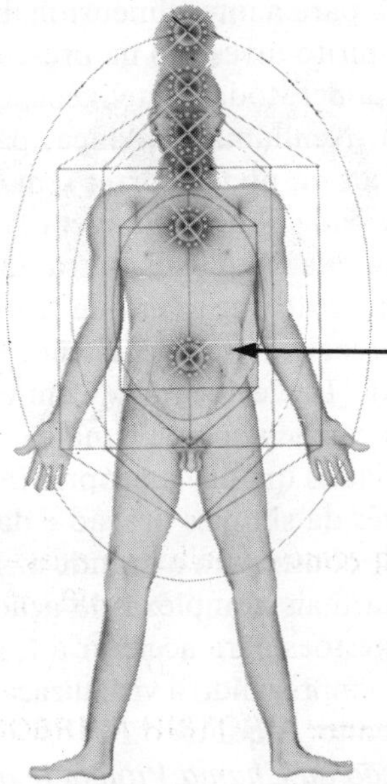

O CORPO E AS FORMAS INTERDIMENCIONAIS

O uso das Práticas Respiratórias Ultra-sônicas (delineadas no capítulo anterior) fazem vibrar esses corpos de consciência e dão acesso mais rápido e mais direto a essas dimensões. Elas abrem as passagens interdimensionais localizadas dentro desses corpos de consciência, como se estivessem impressos em nossa estrutura física.

Você notará que há uma aparente coincidência entre a localização dessas áreas ultra-sônicas e os chakras superiores, fazendo parecer que se enfileiram com as passagens interdimensionais. Para alguém que não ativou essas passagens, tais regiões atuam exclusivamente como chakras — isto é, como centros distribuidores de energia, afetando o desenvolvimento da personalidade e as funções dos vários corpos. Quando a consciência e a percepção de uma pessoa atingem um certo ponto de discernimento, os chakras servem como passagens interdimensionais.

MÉTODOS DE ENTRADA NA INTERDIMENSIONALIDADE

A Fórmula Alquímica delineada nas primeiras seções deste livro, é, de fato, uma fórmula para a interdimensionalidade. É a patrir deste nível, pelo poder do Espírito investido na presença individualizada do Eu Divino, que todo o poder, toda a inteligência, toda a energia e toda a substância procedem. Nenhuma mudança, particularmente nenhuma atividade transmutadora, pode ocorrer sem o acesso à essa dimensão, a semente de toda vida sobre o planeta.

Uma vez alcançada essa freqüência, através do Circuito Alquímico, o processo de obtenção do que quer que se procure é pessoalmente determinado pela preferência e pela inclinação. Há o Caminho do Coração, há o Caminho do Intelecto, há o Caminho do Serviço Ativo. Embora a fórmula seja essencialmente Uma só, as maneiras ou estilos de conexão são tão variados quanto a própria individualidade. O inocente a alcançará através da simples oração e da comunicação direta. Mas para os outros, que constituem a grande maioria da humanidade, é necessária uma forma mais complexa de ação dirigida.

Eis aqui alguns sugestões para acelerar a freqüência vibratória de seu corpo e/ou cérebro, empregando a visualização e o sentimento, uma vez estabelecido o Circuito Alquímico.

Utilize a visualização da Chama Violeta (e qualquer outra técnica de proteção anteriormente indicada neste livro) regularmente e confronte a realidade como se manifesta dentro de você e em seu mundo.

Técnicas Sugeridas

1. Seguindo a fórmula indicada no item "Calibragens" (texto incluído no final da introdução a esta seção — também em fita cassette), intensifique os pontos de luz no centro de cada átomo de seu corpo físico.

Mantenha a sensação e a visualização tanto quanto possível, sem forçar o corpo físico. Você saberá que isso está acontecendo quando a temperatura de seu corpo se elevar repentinamente. Você pode descansar em períodos durante a visualização. A sugestão é ir aumentando o tempo gradualmente. Você realmente está transmutando as células físicas de seu corpo, e seus corpos mental e emocional precisarão de tempo para acompanhar ou integrar a mudança.

2. Siga as instruções para a viagem fora do corpo do item "Vida de Sonhos" (texto incluído na última seção deste livro — também em fita cassette), usando a visualização dos anéis de Luz através do cor-

po. Este processo ativa os chakras fora do corpo de ambas as extremidades e o leva para o espaço esférico.

3. Outra maneira de entrar e no espaço interdimensional é através do uso consciente dos cinco chakras fora do corpo, indicados no capítulo sobre os chakras. Como foi explicado, estes chakras atuam aos pares, estendendo a polaridade da substância física para o etérico e agindo diretamente sobre a energia etérica, intensificando-a e ativando-a.

Quando ativamos os pares de chakras fora do corpo, estamos energizando a consciência concêntrica (ou esférica) residente na realidade dimensional superior. Expandindo-se em ambas as direções, você chega a ocupar os corpos de consciência maiores, que, lembre-se, não são lineares.

Você pode visualizar os pares, um de cada vez, estando certo de sentir as alterações vibratórias de cada um, antes de passar para o nível seguinte. Tome nota de cada alteração da realidade.

4. Visualize-se inteiramente em cada dimensão através das camadas de sua aura (seus corpos) ou através dos corpos de consciência interdimensionais, justapondo-se a seu veículo físico e estentendo-se para toda a sua aura. É por essa razão que foram fornecidos esquemas, quadros e diafragmas.

Você pode também utilizar a tradicional subida vertical, através da visualização dos próprios chakras.

5. Use o Método de Vibração Ultra-sônica para fazer vibrar as passagens interdimensionais localizadas dentro de seu corpo e sobre a cabeça, entrando no espaço vibratório através do som. Este método é talvez o mais forte, pois você está utilizando a respiração, o som, a visualização e a sensação simultaneamente.

6. Use o Método de Respiração da Cor, fazendo correr diferentes combinações de cores através de todo o seu veículo físico, para estimular e acelerar os chakras, os pontos de luz e os corpos dentro e ao redor de você.

7. Projete-se através do tubo de Luz protetor, que você invoca diariamente. Dirija seu pedido a seu Eu Superior e/ou Mestres de Luz.

8. Visualize a luz dourada preenchendo todo o seu cérebro e permita-se ser elevado a outras dimensões. Este e qualquer outro método que eu possa indicar aqui, exigirão fé. São basicamente espirituais e são realizados em conjunção direta com os Mestres. Devotar-se assim, se a fé faz parte de seu caminho, é talvez a maneira mais fácil e segura.

Acenda a chama em seu coração e Saiba.

A Interdimensionalidade não pode ser atingida, muito menos compreendida, unicamente através de meios físicos.

Os chakras, corpos, corpos de consciência interdimensional etc., todos se movem, evoluem e se expandem sincronicamente. Desejaria poder lhe fornecer um método simples, e de poder dizer que ele funciona para todas as pessoas. Há sempre estilos individuais. O universo está cheio de individualidade. Seja criativo. Em sua individualidade repousa a chave para o seu autodomínio e seu bilhete de viagem para Deus.

E o mais importante: lembre-se que a realidade interdimensional não exige que você aja diretamente para chegar lá. A entrada para esses espaços ocorre naturalmente, à medida que sua consciência evolui e sua tolerância à energia aumenta. Este livro e suas indicações destinam-se a acelerar levemente o processo, atuando sobre sua compreensão de algo que *já está acontecendo*, não apenas com você, mas com todo o mundo e com o próprio planeta. A Alquimia Interior é um método que é tão velho quanto a própria Criação. Compreender isso faz de você um co-criador consciente.

INTERDIMENSIONALIDADE E ESPIRITUALIDADE

Nenhuma das dimensões é intrinsecamente espiritual. O espírito é algo que a tudo permeia. É a Vida básica, a Luz básica, a Inteligência básica. Quanto mais alto você vai vibratoriamente, mais alto é o nível da espiritualidade integrada. O próprio Espírito Puro está além de toda a forma. Não podemos confundir o avanço mental e tecnológico com a espiritualidade.

A mente, particularmente a Mente Universal, tem um poder enorme, mas o maior poder de todos está além daquele da mente: é o poder da Fonte, o poder do Espírito.

Quanto mais você se afasta do núcleo do planeta, que pode ser interpretado como a densidade de sua própria forma física, mais você faz contato com a força espiritual. Inversamente, quanto mais para dentro desse núcleo você vai, menos espirituais são as forças em ação, pois estão mais relacionadas ao detalhe e ao efeito e menos à causa, a não ser que o indivíduo tenha integrado ambos os aspectos na criação da alma.

A ação do Espírito sobre a Matéria cria a substância iluminada, que pode ser chamada de alma. Esta é alcançada pelo indivíduo em encarnação, quando ele integra sua materialidade na sua espiritualidade. Esta matéria, evoluindo como alma (exatamente no nível da vida comum), retém espaço cada vez maior, quantidades cada vez maiores de espírito, por assim dizer. Estas se manifestam na estrutura orgânica, nas atitudes mentais, no equilíbrio emocional, nos *insights*, na intuição, na criatividade, na alegria e nas emanações de amor e bem-estar.

As formas de vida que habitam a décima segunda dimensão contêm a melhor e mais pura qualidade e quantidade de alma, ou substância espiritualizada. (Mesmo que, no caso de seres não-Excelsos, esta não esteja ainda integrada à matéria física.) Seres das dimensões superiores, quando os conseguimos perceber, parecem maiores em tamanho e mais luminosos na aparência.

Está sempre ocorrendo uma progressão para baixo, bem como uma outra para cima. Isso significa que no décimo segundo plano habitam os Eus Divinos daqueles que estão na viagem descendente, bem como os daqueles que alcançaram o autodomínio e retornaram ao "lar". Nossa posição no terceiro plano nos dá a profundidade (ancoragem) necessária para criar a quantidade de movimento exigido para atingir o mais elevado. Enquanto participamos dos níveis atribuídos aos deuses, podemos transmutar a substância em níveis mais profundos, através de nosso contato com os mesmos. Algo que nenhuma outra forma de vida pode fazer. Estou me referindo aos Anjos e aos Elementais, que são assunto de um capítulo isolado. Primeiro, vamos esclarecer algumas poucas interpretações errôneas envolvendo nossas próprias formas de vida, que também aparecem como eu superior, guias, mestres e extraterrestres.

O EU SUPERIOR, GUIAS, MESTRES E EXTRATERRESTRES

Estas formas de vida estão relacionadas à nossa evolução e a Homens-Deuses e Mulheres-Deusas. Às vezes são sinônimos. Por exemplo: seu principal guia é seu eu superior. As pessoas freqüentemente percebem seu próprio reflexo (o eu superior) quando em estados de consciência elevada, e porque não têm o hábito de darem poder a si mesmas, preferem encarar a visão (se a aceitam como tal) com a de um guia ou mestre, que está num estado fora do corpo.

Há muito poucas pessoas que compreendem qual é a natureza da influência extraterrestre. Para aqueles que encaram esses seres do espaço como ajudantes e professores benevolentes, essas formas de vida podem ser, e freqüentemente o são, confundidas com guias, mestres e até com os eus superiores. Em muitos casos, estas formas de vida revelam a própria natureza superior da pessoa.

Há muito medo envolvendo o assunto OVNI e vida extraterrestre. Há muita histeria em relação à intervenção, rapto, intrusão de seres alienígenas. Grande parte desse medo é criada pela manipulação do medo de massa, que envolve a ligação com a realidade tridimensional. Não posso deixar de salientar quão importante é trabalhar a emotividade, que cega e projeta (e portanto *atrai*) perigo, discórdia e doença.

Segundo minha compreensão, baseada em meu próprio contato esotérico, relatos dignos de crédito de amigos íntimos e documentação obtida fora dos Estados Unidos, há diferentes grupos de extraterrestres supervisionando grupos de sua própria espécie na superfície do planeta.

Esta teoria tornaria extraterrestre grande parte dos habitantes da Terra.

Diferentemente da teoria sustentada por Budd Hopkins, em seu livro *The Intruders*[1] que sugere que a "ocupação" de espécimes e fetos do útero humano é uma tentativa para criar uma espécie híbrida, que assegurará a sobrevivência de uma raça extraterrestre em extinção. Há uma crença de que seres alienígenas estão vindo para cá a fim de ajudar a salvar sua própria espécie, que foi implantada em nosso planeta há bilhões de anos.

Qualquer que seja a história, a minha impressão é de que os extraterrestres estão, de fato, aqui; e estão aqui com a intenção de ajudar a humanidade. Atingiram esta dimensão devido a seu avanço tecnológico e algo espiritual, e são provenientes de todos os cantos do universo. Alguns possuem corpos tridimensionais, mas a maioria não. Grande quantidade deles possui a capacidade de se materializar e desmaterializar à vontade.

Coincidentemente com a influência extraterrestre, há seres de outras dimensões neste planeta, particularmente da sétima, que também estão aqui na qualidade de ajudantes, mestres e guias. Alguns vieram via nascimento físico, outros também se materializam e desmaterializam conforme a necessidade.

---

1. Os Intrusos (N.T.)

E ainda há o eu superior. Esta entidade vive uma existência separada — aquela do autodomínio e da perfeição. Comunica-se conosco através do sonho e da fantasia. Não a reconhecemos como parte de nós mesmos e, contudo, é o único meio através do qual recebemos Luz, amor, alimento e ensinamento. Mesmo quando invocamos forças ou autoridades externas, elas nos chegam através de nossos eus superiores.

Um mestre é alguém que não está atualmente incorporado fisicamente, um ser das dimensões além da sétima — geralmente da décima segunda. Este nome é aplicado a seres humanos, mas permita-me esclarecer que *não é possível ser completamente luminoso na materialidade*. Enquanto o indivíduo está num corpo físico, não importando quão espiritual ou completa a pessoa possa ser, estará sujeito à ilusão e à distorção, à emoção e à manipulação.

Um mestre é mais sentido do que visto (muito embora ele possa se manifestar também visualmente) e sua radiação é irresistivelmente intensa. Um Mestre Excelso é alguém que esteve encarnado e que se graduou na maestria sobre a matéria, ao ponto de ter transmutado a substância física de suas células no momento da morte física. Mestres Excelsos podem se materializar e desmaterializar à vontade. Nem todos os mestres, porém, são Mestres Excelsos. Há mestres que nunca estiveram em encarnação física, que vivem e trabalham nos planos superiores e enviam seu auxílio através de raios, de energias ou de intermediários.

ANJOS E ELEMENTAIS

Há sempre um limpar de gargantas, um arrastar de pés, um ajeitar de posição e olhares desconfiados sempre que abordo o tema dos anjos e elementais. E, contudo, há também a evidência de uma secreta alegria, uma risadinha incerta... um pouco de embaraço... Anjos e elementais são estória de criança. Mas, como as *kahuunas*, as sacerdotisas místicas do Havaí, sabem... e como a Bíblia também nos diz... as crianças é que herdarão a Terra. As crianças têm o coração para saber e ver, e a criança dentro de nós é a chave de nossa transcendência.

Quando penetramos nos níveis interdimensionais de realidade e chegamos a experimentar a vida nas diferentes dimensões de existência... quando chegamos a saber que tivemos outras vidas no passado e as teremos no futuro... quando chegamos a intuir o amor, o ensinamento, a orientação, que provêm dos domínios superiores, através de nossos próprios eus superiores, guias e mestres... quando sabemos que a Vida existe em múltiplas e infinitas formas, algumas invisíveis a nossos olhos... podemos duvidar que... talvez... os anjos existam afinal de contas?

Ao lado de nossa evolução humana, há duas outras modalidades expressando-se através da forma evolutiva. São os anjos e os elementais. Cada um expressa um aspecto da Divindade. O Reino Angélico está num grau de evolução mais elevado do que o nosso, e o Reino Elemental é mais simples, menos complexo do que o nosso. O homem encontra-se numa posição intermediária, participando de ambos: a sua parte material é criada pelos elementos (cuja tarefa é construir a forma) e a parte emocional-espiritual é angelical, tanto no poder quanto na magnitude.

Anjos e elementais coexistem com o homem e ambos o auxiliam. Podemos vê-los, senti-los ou ouvi-los em grau proporcional à nossa sensibilidade aliada à pureza. É por isso que as crianças podem se comunicar com eles melhor do que a maioria de nós. Tanto anjos como elementais constituem formas de vida inocentes que têm a frágil capacidade de servir à humanidade e ao planeta.

Os anjos são sentidos e vistos como formas de Luz, exprimindo qualidades tais como a pureza, a harmonia e a beleza, como punhados de folhinhas de hortelã fresca no ar. Se você já tiver visto uma bolha de sabão flutuando no ar sob um céu bem azul, num dia de sol, tem uma idéia da cor e da substância dos anjos. Suas asas são, na verdade, emanações da Luz. Os elementais têm formas variáveis, de acordo com os elementos que manipulam, mas assemelham-se ao ser humano, espelhando tanto a graça quanto as deformidades de sua raça mestra.

Os anjos são enormes como prédios e pequenos como os homens. Sua evolução não está em substância, como a nossa; está na capacidade de manipular e dirigir a Luz. A missão angélica é absorver e liberar a Força Vital pura, que absorvem em seus verdadeiros corpos de Luz.

O ministério angélico é tão complexo quanto o humano. Para nosso propósito aqui, é suficiente compreender que eles mantêm um equilíbrio sobre a Criação. Curam e limpam a substância etérica e guardam e protegem a humanidade e a Terra. Cada ser humano encarnado tem um anjo guardião, cuja única atividade é guardar aquela pessoa por toda a vida. Este anjo tem um nome sônico, tão individual quanto o nosso.

Um pouco mais difícil, pelo menos para mim, é ver e me comunicar com os elementais. Nunca vi um diretamente, embora tenha visto suas sombras e os movimentos de sua passagem. Meu amigo Marc Brinkerhoff, que fala com eles e os descreve nos mínimos detalhes, disse que o nome do elemental em minha sala, que cuida de uma parte de minhas plantas é "Eschu". A partir daí, posso falar com ele, muito embora não possa vê-lo. Ele responde farfalhando as folhas das plantas e perseguindo minha gata, Mia. Os elementais adoram brincar; de fato, sua natureza é brincalhona.

Os elementais são criaturas simples, mas eles também, como os humanos em sua evolução interdimensional para a divindade, e os anjos em sua expansão para o nível dos Arcanjos, evoluem para o nível mais elevado do Reino Elemental, aquele de mestres construtores de mundos, os Elohim. Os Elohim, como os Arcanjos, nas posições mais elevadas são em número de sete, pertencentes aos sete raios.

Os elementais servem através de sua identidade com a Natureza. A Natureza é a maneira que o Espírito encontrou de nos dar alimento no nível da substância física, que está impregnada pela força Sol/Luz. Os elementais estão ligados a cada um dos elementos: terra (gnomos), água (ondinas), ar (silfos) e fogo (salamandras). Fadas e duendes encontram-se na mesma evolução elemental, na qualidade de supervisores e amigos do homem. Estão encarregados de segmentos da Natureza e das atividades que neles ocorrem. Os elementais são melhor vistos por aqueles que estão mais próximos da Natureza e da inocência da Terra.

Unindo os três Reinos

Nós, como humanos, temos autoridade tanto no reino angelical quanto no elemental, porque temos nossa existência em ambos. Os antigos alquimistas sabiam disso e particularmente os atlantes utilizaram esta aliança para fazerem com que formas elementais se manifestassem. A natureza dos elementais é imitar (construir a forma) e edificar a cópia estabelecida pelo poder de pensamento do homem. Os elementais de hoje, sendo de uma natureza mais simples, continuam a seguir as fantasias e caprichos do homem, freqüentemente presos na armadilha de formas, que são inimigas de sua natureza amorosa.

Os anjos, não tendo um corpo de substância, poderiam não estar sujeitos às leis da matéria ou ao mau uso da vontade do homem. Colaboradores ativos do homem, afastaram-se de nossos mundos visíveis há muito tempo até que chegue um tempo em que nossa pureza possa novamente manter contato com eles.

Os Reinos Elemental, Angélico e Humano formam uma trilogia de expressão que corresponde à Fórmula Alquímica. O pensamento pertence aos elementais, que realizam os padrões estabelecidos na mente. O sentimento pertence à essência espiritual dos anjos, que irradiam a pureza de sentimento no nível mais elevado e fornecem o poder gerador da criação. A palavra falada pertence ao poder do homem de comandar vibratoriamente através de sua posição única de autoridade.

Logo chegará o dia em que abertamente nos comunicaremos e criaremos, com anjos e elementais, num mundo onde os Três Reinos possam novamente alcançar a paz na realização do Plano Divino. Este é o propósito da Alquimia Interior.

Abrindo a Comunicação

A comunicação com os mundos interiores é muito diferente daquele grau de intensidade elevado para a percepção interdimensional, embora você possa se ajustar a ela de uma maneira bastante natural.

A melhor maneira que achei para sentir a presença angelical é através da ativação das camadas mais externas da aura. Expandindo minha consciência desse modo, torno-me capaz de receber sua bênção — uma delicadeza de amor, que nunca deixa de me comover até as lágrimas, de alegria e gratidão por sua presença junto a mim. Por outro lado, para ouvi-los, é melhor ficar sentado, muito, muito calmo... uma vez eu lhes pedi auxílio (invoquei especialmente o Arcanjo Miguel) e o ouvi através dos chakras da garganta e do coração.

Os elementais parecem responder à alegria e à despreocupação e a um sentimento de vitalidade. Meu amigo Marc, por exemplo, é a imagem do charme, da travessura e gentileza dos duendes.

Uma vez que você tenha estabelecido uma linha de comunicação com anjos ou com elementais, ou com ambos, estará apoiado num mundo de manifestação superior — a criação de mundos. Enquanto estamos na encarnação física, essa criatividade superior pertence à cura e à construção de atmosferas harmoniosas. Nesta qualidade, eu lhe recomendo a visualização da Terra envolvida no amor curativo da chama violeta, rosa, ou azul...

Você pode chamar simultaneamente: os anjos, para purificar e curar, e os elementais, para construir e aperfeiçoar. Ao mesmo tempo, você pode manter a imagem de um mundo mais limpo, mais claro, um mundo de seres iluminados, num planeta regido por princípios superiores. Você pode tornar esta visualização tão específica quanto desejar, dirigindo-a para Washington e Moscou, Oriente Médio, África, América Central, para chefes de governo e operários da Luz e para todo o mundo.

Quero esclarecer que os elementais têm uma tarefa especialmente difícil no que se refere à manipulação da poluição de nossa Terra. Faríamos bem em abençoá-los — o que significa enviar-lhes amor juntamente com a energia gerada por nossos eus superiores através de nossos sentidos físicos — e aliviar-lhes a carga. Eles podem usar nosso auxílio nesse momento e, naturalmente, também nossa consciência esclarecida.

Os anjos adoram ser reconhecidos e respondem quase imediatamente a nosso pedido de auxílio e apoio. Já que os anjos trabalham através da radiação, você pode lhes pedir as qualidades que o fortalecem e o elevam, tais como paz, obediência à Lei, pureza, liberdade e vitória. Eles, então, liberam essas qualidades para você.

Uma outra maneira importante pela qual eles podem nos servir é através de sua invocação para dissolver (e requalificar com o "sentimento" deles) qualquer impureza que você possa ter gerado ou que tenha sido projetada para você... e para libertá-lo daquelas linhas de força que o mantêm ligado às condições tridimensionais. Embora sejamos capazes de gerar tais qualidades por nós mesmos, a partir do Eu Divino da décima segunda dimensão, podemos usar o apoio mais simples e cuidadoso que nos é oferecido pelos domínios angelicais. Fale com os anjos e decida sozinho!

Os elementais também ajudam a purificar a atmosfera. Enquanto os anjos podem irradiar paz, harmonia e alegria, os elementais, particularmente os silfos e as salamandras, podem eliminar formas-pensamento psíquicas ou entulhos de nosso ambiente, com muita facilidade. Invoque seu auxílio e, em caso de grande densidade, chame as forças mais fortes dos Elohim e dos Arcanjos. Se você não puder observar os resultados diretamente, preste atenção em seus receptores de sensações, que lhe revelarão a atmosfera iluminada de seus mundos.

Do mesmo modo, ao tocar algum instrumento ou ao falar com suas plantas, o que tem se provado um sucesso na promoção do crescimento, volte-se para os elementais que constroem plantas e para as fa-

RAIO	ELOHIM (masculino/feminino)	ARCANJOS (masculino/feminino)
1º	Hércules/Amazona	Michael/Fé
2º	Cassiopéia/Minerva	Jophiel/Constância
3º	Órion/Angélica	Shamuel/Caridade
4º	Clair/Astréa	Gabriel/Esperança
5º	Vista/Cristal	Rafael/Maria
6º	Tranqüilidade/Pacífica	Uriel/Dona Graça
7º	Arcturus/Diana	Zadkiel/Ametista

Estes nomes correspondem à vibração sônica e criam uma forma-pensamento que nos liga a energias particulares delineadas acima.

A ilustração a seguir descreve a ordem em que os raios aparecem dentro do centro espiritual *localizado na área do terceiro olho*. Historicamente, estes raios eram vistos como emanações de Luz envolvendo a cabeça e exprimindo o poder do regente divino, na forma de um diadema ou coroa.

Por favor, note que, embora os raios representem as cores fundamentais, eles agem em combinações de cores e isso se reflete na ilustração dada a seguir. Cada uma das chamas na testa é o domínio e a atividade de um Elohim (a mais alta consciência e a posição mantida no Reino Elemental).

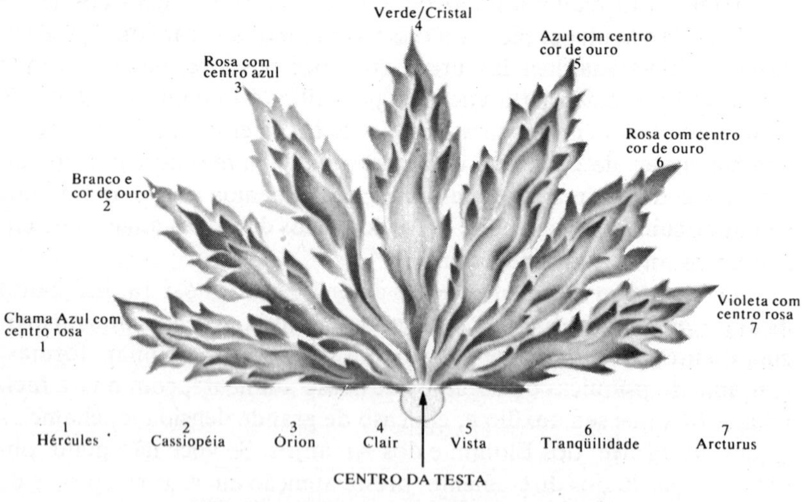

VISUALIZAR ESTAS CHAMAS ATIVA OS SETE RAIOS
E ATRAI A ATIVIDADE DOS ELOHIM DENTRO DE VOCÊ.
É UMA PODEROSA MEDITAÇÃO PROTETORA.

A CHAMA DAS SETE FOLHAS

das e duendes que supervisionam a planta ou a árvore. Do mesmo modo, gnomos e elfos têm sido observados, há séculos, pelos povos do norte, em sua atividade de guardiães de bosques e montanhas, rios e lagos.

Explore as possibilidades de co-criação, não apenas com seu Eu Divino, mas também com algum outro daqueles deuses das crianças, inclusive anjos e elementais.

A PEDRA DO ALQUIMISTA

Os cristais representam para a Alquimia Interior o que o ouro representava para o alquimista medieval. Os cristais refletem o poder da Luz. O quartzo, em particular, é pura substância-Luz gerada através do Espírito. Todos os cristais magnificam ou ampliam a energia do sentimento e, como tal, servem para agir como agiria um corpo emocional purificado. Eles não agem por você, não mais do que qualquer outra coisa. Eles simplemente refletem sua energia e a intensificam. O poder, o poder final, repousa dentro de você.

Os cristais, como pedras preciosas, são substância-Luz que foi projetada aqui, a partir das fontes cósmicas, através da atividade dos raios, com o propósito de irradiar energia purificada e manter o equilíbrio do planeta. O que eles fazem pelo planeta também podem fazer pelos indivíduos, servindo, em muitos casos, para neutralizar a negatividade.

Um cristal pessoal, particularmente um bastão ou um que termine em ponta dupla, pode ser carregado pelo indivíduo, de tal modo que possa servir para curar ou para facilitar faculdades espirituais e meditativas. Você carrega um cristal ao projetar nele as qualidades que deseja, tanto visualmente quanto através do toque, da respiração dirigida ou do uso de palavras de poder. A mão transmite para o cristal as energias captadas nos níveis superiores. Quando o cristal é usado repetidamente a energia se acumula em seu interior e ele se transforma num instrumento alquímico.

Freqüentemente visualizo o amor curativo em meu cristal. Posso visualizar um sol, um sol brilhante como nosso Sol físico, e projetar essa imagem no cristal através de uma expiração forte, concentrada. Isso é mantido no interior do cristal, de modo que, quando o coloco sobre o corpo ou sobre a terra de um vaso, ele libera a propriedade do Sol. Como um instrumento de Luz, você pode programar um cristal para fazer qualquer coisa voltada para o bem.

Um cristal evolui exatamente como um indivíduo. E particularmente os cristais leitosos são conhecidos por proporcionarem, numa questão de meses, a aceleração necessária ao indivíduo. Além disso, os cristais afetam as energias da pessoa e são conhecidos por acelerarem e elevarem as freqüências vibratórias no corpo físico, bem como na mente e nos sentimentos. Algumas pessoas podem se queixar de dores de cabeça e outras coisas ao usarem um cristal, não porque o cristal faça algo, mas porque suas próprias energias discordantes retornam amplificadas a elas.

Os cristais têm seis lados. Um cristal grande gerará uma energia enorme e manterá essa energia. Cristais menores precisam ser purificados através de qualquer um de um sem número de métodos. Há uma literatura imensa a respeito dos cristais, contendo métodos de purificação e limpeza dos mesmos. Quanto a outras informações sobre cristais, como tudo o mais, podem ser obtidas de seu próprio eu superior, que, além do poder discernidor, é seu melhor guia.

Prefiro a simplicidade de usar apenas o quartzo e a ametista. As ametistas carregam as propriedades do raio violeta e, por esta razão, já são alquímicas, atuando como purificadoras, transformadoras e transmutadoras de substância. O uso de ametistas proporciona proteção. As ametistas também repelem a energia negativa. Alguns alquimistas usavam o quartzo e a ametista juntos em suas invocações: a ametista era colocada na palma da mão esquerda (receptiva) e o quartzo na plama da direita (ativa). Deste modo a transmutação corre naturalmente.

Lembre-se: para efetuar qualquer alteração em qualquer lugar, você precisa encarnar essa alteração em si mesmo. O segredo da Alquimia reside no próprio alquimista.

TRABALHANDO COM CRISTAIS

Em algum ponto da obra alquímica, posso sugerir o uso de um cristal pessoal e eu mesma posso usar meus próprios cristais no indivíduo. Os cristais, arranjados em determinados padrões ao redor ou sobre o corpo do indivíduo, auxiliam no processo de recalibragem. Mas, diferentemennte do que fazem alguns praticantes que utilizam cristais, não defendo a necessidade ou uso dos cristais isoladamente. A Alquimia pode ocorrer do mesmo modo, sem o uso de cristais físicos.

A natureza química do cristal de quartzo é o dióxido de silicio, SiO_2, e qualquer médico lhe dirá que há traços de silício em todo o organismo. São aqueles cristais sangüíneos, que podem ser carregados exatamente como os cristais físicos. Embora o processo de cristalização seja uma condição médica negativa, quando se aplica às condições sangüíneas, a cristalização etérica (no nível do pensamento) é altamente benéfica ao processo de aceleração alquímica. Algumas vezes vejo os cristais dentro do corpo e os utilizo para curar e equilibrar. Também projeto luz cristalina através de meus dedos e mãos, ampliando o campo de força dos cristais de meu próprio sangue.

No tempo dos atlantes, os cristais eram usados não apenas para gerar e ampliar a energia, mas também como passagens interdimensionais. Hoje também os cristais podem ser utilizados para tal fim. Projete-se simplesmente para dentro do cristal (ou amplie o cristal de modo a que ele o envolva, através do poder de pensamento) e use a aceleração que o cristal (Luz) produz ao redor de seu próprio campo áurico para ter acesso a outras dimensões. Há inúmeras outras técnicas de uso dos cristais e muitos livros que podem familiarizá-lo com as possibilidades de experimentação.

Quando descobri que os corpos dimensionais de consciência erma de natureza cristalina e esferóide, veio-me uma lembrança à memória. Os corpos cristalinos de consciência (isto é, a 4.ª, a 6.ª, a 8.ª, a 10.ª e a 12.ª dimensões) corresponderam, numa certa época, aos cristais físicos reais de mesmo número de ângulos. Os únicos cristais naturais que temos hoje têm seis lados. No tempo dos atlantes, eram utilizados cristais de doze, dez, oito, seis e quatro lados, cada um deles para o acesso às diferentes dimensões e suas qualidades.

Atualmente, Marcel Vogel e Frank Alper estão realizando um trabalho experimental com o uso de cristais com números diferentes de lados. Marcel é especialmente brilhante em sua aplicação de cristais na fotografia cronometrada e em outras invenções. Os livros do Dr. Frank Alper sobre a Altântida e o uso de cristais são excelentes.

REVISÃO

Nas páginas de abertura desta seção, eu disse que o truque estava em saber o que é o quê. Como poderia eu saber que aquilo que estava percebendo era, de algum modo, real? Como poderia dizer se estou numa realidade passada, presente ou futura? Como poderia dizer se estou me projetando astralmente ou se estou fora do corpo? Há diferença? E, talvez o mais importante, isso fará qualquer diferença para minha vida diária?

Certamente saber quem você é, pessoal e multidimensionalmente, faz diferença em sua vida. O propósito básico deste livro é familiarizá-lo com as dimensões e os níveis de realidade de si mesmo, e informá-lo que você pode transcender todas as limitações, que pode alcançar a liberdade da maneira mais elevada possível, que pode se criar, criar seu mundo, e uma Vida cada vez mais abundante e maior em qualquer lugar.

Talvez não lhe importe se você viaja astralmente ou interdimensionalmente. O que importa é saber se você conhece ou não a distinção. O que importa é que sua pesquisa vá além do assim chamado comum. Talvez você nem mesmo goste destes métodos. Talvez você se sinta confuso ou superestimulado intelectualmente pelos conceitos, esquemas, quadros e diagramas traçados aqui. Isso também não importa. É suficiente que você tenha lido isso, que você tenha sido levado a ler isso, que você suspeite que você é mais, infinitamente mais e maior do que pensava que fosse... Certamente isso já é suficiente.

Por outro lado, se você procurar praticar as técnicas da Alquimia Interior e tirar proveito da informação de maneira criativa, você iniciará uma jornada de auto-exploração e autodomínio excitante e realizadora. Nem todos precisam subir fisicamente o Monte Everest. Mas aqueles que acharam que valia a pena, e aqueles que leram os relatos daquela experiência, se enriqueceram num compartilhamento pessoal, que pode fazer toda a diferença em suas vidas.

Para ser capaz de se guiar através dos níveis de realidade, particularmente da interdimensionalidade, a distinção mais importante a ser feita é se você está *emocionalmente* envolvido ou não em sua experiência. Se estiver, então a sua experiência *não* é interdimensional. Há toda possibilidade de que você esteja projetando ou desejo ou medo. O mesmo se aplica a estados fora do corpo.

Há um mundo de diferença entre os níveis astral e etérico de consciência. Quando o astral ou corpo de desejo (que é realmente uma realidade humanamente criada, feita pelas projeções de desejo de pessoas em encarnação através das eras) viaja, a experiência é emocional. A experiência da Projeção Astral é semelhante a andar através de água espessa ou de xarope. É lenta e cansa o corpo físico. Quando a projeção é feita através do corpo mental inferior, como na projeção do pensamento, a experiência é rápida, não tão clara, e também sujeita à ilusão e ao preconceito pessoal.

A melhor projeção fora do corpo é feita via veículo etérico, durante o sono ou a meditação, dirigida pela vontade superior. Como foi mencionado anteriormente, ela sempre ocorre, mas a conexão consciente raramente é feita. E mesmo quando isso ocorre, pode ser facilmente mal-interpretada, se a psicologia da pessoa (desejos, temores, hábitos) a impregna. O veículo etérico é apenas isso: um veículo. A consciência do corpo astral ou mental pode distorcer a percepção.

No início, tanto a atividade interdimensional como a existência planetária parecerão estranhas. A melhor e única maneira de saber onde você está é perguntar. Pergunte a seu Eu Superior. Ele descerá para estabelecer aquela relação com você indicada anteriormente. Ele descerá para construir o Circuito Alquímico e usá-lo. A prática faz a perfeição.

Espírito

Há pouco a dizer diretamente sobre a experiência puramente espiritual, uma vez que se encontra muito distante de nossa realidade e possibilidade. A única maneira de saber algo sobre esta experiência é voltar-se para seu interior e lembrar-se daquele sentimento que teve em sua ânsia pelo amor mais elevado, pela beleza maior, pelo bem maior, pela verdade final... Nesta ânsia reside o eco, a memória do Espírito.

Em seus amores e suas alegrias encontram-se os sussurros do Espírito. Em suas orações, seus sonhos, sua gratidão e criatividade estão as obras do Espírito. Olhe ao seu redor, particularmente quando está triste e deprimido. Note a beleza das flores ou de um dia ensolarado, a magnificência da Vida em toda parte. Pegue um gatinho ou coelhinho, lembre-se da inocência das crianças. Olhe dentro dos olhos de uma criança... Lá encontrará o Espírito, a força do Criador.

Pois o Criador está na criação e você... você, meu querido amigo (minha querida amiga), meu irmão (minha irmã), é tanto o criador quanto a criação. O Espírito está em todo lugar ao seu redor e o Espírito está nos seus mais profundos recônditos. Em seu êxtase e em sua tristeza está o som, o Som Vivo... do Espírito.

O maior alquimista se curvou diante do Poder e Magnificência do Espírito. "Seja feita a Sua vontade!", Ele disse. E então... "EU SOU o Caminho", respondeu o Espírito dentro Dele e.. "EU ESTOU sempre com você".

MEDITAÇÃO

Abra seu coração para os anseios interiores mais profundos do mais elevado que existe dentro de você. Busque o Amor maior. Sopre o fogo desse amor dentro de seu coração, o Coração do Fogo Sagrado. Veja as suas chamas se acenderem e se elevarem, envolvendo-o em asas de Luz...

'AMADO EU DIVINO QUE "EU SOU"!' QUERO CONHECER VOCÊ!

Dirija seu sentimento para cima visualize o raio de luz fixado em seu coração. Siga-o para o alto, através de todas as dimensões da Existência, até o décimo segundo plano. Sinta a vibração desse plano correndo para baixo, através daquele raio de luz, para seu próprio coração físico, inundado você com Seu Amor, Sua Luz, Sua cura, Seu alimento, Sua compreensão cheia de compaixão. Sinta-se amado.

Sinta-se aqui... *e* lá.

Agora, captando o Poder de seu próprio eu Divino para o seu coração físico, envie anéis de amor para todas as direções da Terra. Para as pessoas que você conhece e para as que não conhece. Para os animais e plantas da Terra. Para terras e mares e águas da Terra. Para os minerais, gases e substâncias da Terra...

Sinta esses anéis se expandindo, como órbitas concêntricas de Luz. Torne-se um sol... irradiando Luz, emanando, pulsando Luz através do verdadeiro corpo próprio!

Amplie esse poder não apenas para incluir as dimensões ao redor da Terra. Preencha todo o espaço com seu amor, sua força Vital.

Sinta-o espiralando, espiralando para o Infinito, ampliando, ampliando, explorando... e simultaneamente emita sua Luz-Amor para Tudo o Que É.

Continue o processo pelo maior tempo que conseguir...

Suavemente, inverta o processo. Sinta o amor do Infinito emanando de volta para você. Anéis concêntricos de Luz caindo para um Infinito dentro de você... (continue...)

Seja Abençoado.

Retorne, suavemente, reverentemente, agradecidamente.

Curve-se diante do Criador e da criação. E curve-se diante da magnificência de si mesmo. "OH AMADA PRESENÇA DE DEUS QUE EU SOU!"

*A ILUMINAÇÃO É SUA NATUREZA**

EU SOU a Luz... EU SOU toda Luz... EU SOU a Luz de Deus dentro de você... trazendo paz e alegria e poder recuperado. A iluminação é sua natureza.

Você é Luz... O fluxo criativo sem fim. O fluxo e o refluxo de vida. Vida contínua. Você é uma projeção de Luz na matéria. Seu lar é a Luz.

Sinta-se como Luz agora. Um raio de luz projetado sobre a Terra. Seu corpo é uma função dessa Luz. Cada átomo de seu corpo físico contém um minúsculo sol de luz cósmica. Você é uma galáxia cintilante de estrelas brilhantes, exatamente aqui dentro dessa forma de carne. Você é essa Luz exatamente agora!

Agora. Dentro deste corpo de sóis cintilantes está um foco, exatamente ao redor do coração. Um sol central para seus milhões de sóis. Olhe dentro dele agora. É tão brilhante que sua cor branca está além de qualquer outro branco que você já tenha visto. Todas as cores vibram ao redor de sua órbita em anéis magnéticos de esplendor palpitante... mas em seu centro, dentro desse infinito branco cristalino... há uma chama. Sua chama. A fonte de sua vida, a consciência-energia. A semente de seu Eu Divino.

Deixe-se ficar dentro da chama no centro de seu coração. Você verá que a chama tem três línguas principais. A porção central é dourada, ricos tons tremeluzentes de quentes matizes dourados. À direita, há uma chama rosa suave, com manchas de um rosa mais profundo, magenta. À esquerda, há uma chama de um azul estraordinário. Azul vívido profundo com remoinhos de azul mais claro. Juntas, essas chamas formam uma chama magnífica, que é o centro de seu poder. Uma vez... essa chama foi tão grande que envolvia todo o seu corpo físico e também se estendia para o exterior.

Deixe que essa minúscula chama em seu coração cresça novamente até atingir seu tamanho total... que se torne cada vez mais brilhante e cada vez maior. Maior e maior... Você sente como se seu coração estivesse aceso e se expandindo...

EU SOU a Luz... EU SOU todo Luz... EU SOU a Luz de Deus

* Texto da fita cassette "Deus EU SOU" ainda não editada no Brasil.

interior... trazendo paz e alegria e poder recuperado. A iluminação é minha natureza.

Mantenha a consciência de seu corpo físico como uma forma de Luz, envolvida pela matéria, mas brilhando através dela. Você é um corpo de Luz dentro da matéria. Dentro de seu coração há um sol magnífico. Dentro do sol há uma chama... agora ampliada para conter você inteirinho. Sinta o poder recuperado por esta Luz. Sinta a alegria e a beleza que há em você agora. Que você sempre teve. Apenas tinha esquecido.

Lembre-se agora. Permita-se lembrar.

A iluminação é seu direito nato.

Deixe-se mover e flutuar como a Luz. Você pode fazer isso fisicamente ou através da imaginação. Experimente a liberdade da Luz na matéria. A liberdade! A alegria!

Você notará que, aonde quer que vá, há uma incandescência violeta ao seu redor. E ao redor dos outros. Esse é o fogo ultravioleta da transmutação. Esse fogo ao seu redor é uma manifestação de seu eu-Luz e é a chama da cura. Sinta-se como um centro do amor transmutador que cura, na forma de línguas de violeta, para purificar e estabelecer o mundo ardente... Cure-se. E seja uma fonte de cura.

A iluminação é sua dádiva de vida!

Você é um sol de Luz dentro de um sol maior. Você é um filho da Luz. A Luz é sua natureza. A iluminação é sua herança e sua dádiva de vida. Agora deixe seus pensamentos vagar e imagine as pessoas e os locais que você gostaria de abençoar com sua Luz-amor. Deixe-a viajar pelo mundo... pelo espaço e pelo tempo... Não há limite para o que você quer atingir com sua Luz-amor.

EU SOU a Luz... EU SOU todo Luz... EU SOU a Luz de Deus interior... trazendo paz e alegria e poder recuperado. A iluminação É minha natureza!

A Alquimia em Nossas Vidas

Higiene Esotérica e Proteção Espiritual

Este capítulo trata das maneiras de preparar e manter seu organismo para os estados vibratórios cada vez mais intensos do caminho da Alquimia

SEU CORPO

Você tem de começar pelos seus hábitos: os alimentos que come, os exercícios que faz ou não, os hábitos sexuais etc. etc. etc. Seu corpo está acostumado a certos hábitos. Assim, comece a observar quais são eles. Talvez você queira fazer um relatório.

Veja quanto tempo você dorme e qual o padrão de sono. O que você come e com que freqüência? Você come carne? Você se exercita? Que tipos de exercícios faz? Toma banho regularmente? E lava sua cabeça?

E quanto às roupas? Você usa roupas apertadas ou largas, ou ambas? Que cores gosta de usar? Qual a textura? Com que freqüência lava suas roupas? Isso inclui suas roupas de cama e de banho.

Você toma vitaminas? Quantas e com que freqüência? Toma suplementos vitamínicos e ingere alimentos dietéticos? Toma bebidas alcoólicas? Que tipos de bebidas? Examine seus excessos e suas privações. Como você mantém e governa seu corpo?

Como cuida de seu rosto e de sua aparência? Usa cremes e loções? Quais são seus sentimentos e julgamentos em relação a cuidados com a beleza? Quão freqüentemente, se o faz, você se olha no espelho e vê seu corpo inteiro... seu rosto... ou olha profundamente em seus olhos? Como se sente a respeito do que e *quem* você vê?

SUA CASA

Descreva aonde você mora. Você mantém o local limpo? Como o organiza? Quando você limpou pela última vez o seu armário? E a geladeira? E os armários da cozinha? Você tem plantas e como cuida delas? Tem algum animal?

Que cores predominam em seu apartamento ou casa? Quais são as suas áreas favoritas e quais as que você não gosta? Qual o cheiro de seu apartamento?

Você gosta de voltar para casa? Gosta de estar em casa? Gosta de estar/viver sozinho? Se vive com outras pessoas, há algum espaço ou lugar que seja só seu? Se assim for, em que esse lugar é diferente do restante da casa?

O que tem maior espaço ou maior importância em sua casa? É a cozinha, o banheiro, o seu quarto? Ou é o escritório? São livros e revistas ou, talvez, seus papéis? Quão organizadamente você os mantém?

SUAS AMIZADES E RELAÇÕES

Examine-as. Quantas? Quem? Qual é o padrão de suas amizades e relações? Quanto tempo gasta com elas? Quão importante são elas em sua vida? Você dorme com alguém de suas relações? Qual é o grau de intimidade? De que maneiras?

Qual é a taxa homem/mulher de suas relações? Qual delas você prefere como amigo? Que tipos de relações são as mais difíceis para você?

Como as pessoas o vêem? Em que esse modo como as pessoas o enxergam tem a ver com o que você acha de si mesmo? Você vive mentindo ou fingindo?

E quanto às relações à longa distância? São fortes? Você pensa nelas freqüentemente? Quão realisticamente você as imagina? Pode senti-las? Como elas influenciam sua vida?

Há algum inimigo... alguma relação problemática, que possa fomentar algum rancor contra você e vice-versa? Quem odeia você? Quem não gosta de você? E quem você odeia ou de quem não gosta? Em geral, de que tipo de pessoas você não gosta?

PROCEDIMENTO

Ninguém pode lhe dizer o que deve ou como deve arrumar a sua vida. Você precisa fazer as observações e avaliações sozinho. Seja o mais realista possível. Suave e consistentemente, comece a mudar os seus hábitos. O propósito é tornar cada ato o mais consciente possível. Deixe que cada ação seja uma expressão e um reflexo seu. É simples.

Coloque seu amor, seu sentido estético em tudo, e isso inclui você mesmo. Escolha cores que expressam pureza e beleza. Escolha ambientes limpos, belos. Escolha alimentos nutritivos, simples.

A sua aparência, o modo como vive, como dorme, o que come... tudo reflete seu estado mental e reflete seu nível de consciência. Uma casa desordenada e tumultuada reflete uma mente desordenada, tumultuada. Roupa de baixo esfarrapada e meias com buracos dizem muito do modo como você se sente e trata de si mesmo.

Não é válido o argumento de que você não dispõe de recursos. Simplicidade e limpeza, ordem e pureza não são mercadorias à venda. Exigem atenção e cuidado — os dois ingredientes básicos para a conscientização. Tudo o que você faz está ligado a tudo o mais dentro de você e dentro do universo de forma. O autodomínio espiritual começa com lençóis limpos e uma conta bancária saudável.

IMPEDIMENTOS À ENERGIA

Eis aqui algumas coisas que descobri que interferem com minha energia:

cigarros
carne
álcool
drogas

ginástica aeróbica, *jogging*
produtos artificiais
música em alto volume
alimentos dietéticos e adoçantes
filmes violentos ou eróticos
aposentos e móveis escuros
cheiros ruins e aparência suja
pornografia
cores impuras, escuras (roupas)
excesso de alimentos
dormir com alguém com quem não comungo
raiva

E muitas outras! A lista é óbvia. Qualquer coisa que vá contra sua sensibilidade, seu sentimento, seu bem, o bem do todo... E, embora muitos de vocês concordem em relação aos últimos itens, muitos fariam objeção no que se refere aos cinco primeiros. Se você é uma dessas pessoas, tudo o que posso dizer é que tente abandoná-los por si mesmo. Observe o que essas coisas fazem com você. Passe um tempo sem elas, se puder (e se não puder, você tem de prestar atenção nelas) e, então, experimente-as novamente e observe os efeitos que têm sobre sua energia.

Passei oito anos sem comer qualquer tipo de carne, peixe ou ovos e derivados do leite. Minha sensibilidade ficou tão aguçada, que me deixava embaraçada e se tornou desagradável para mim, especialmente quando voltei a Nova York. Assim, decidi nivelá-la gradualmente. Peixe ajudou... mas, quando experimentei o frango, vi que não conseguia dormir direito. As imagens que tinha durante os sonhos eram bastante grosseiras. Eu tinha consciência do frango e da maneira pela qual ele morreu.

No que se refere à ingestão de carne, a menos que o animal seja morto num ambiente de amor e consentimento, como antigamente (e como ainda é feito segundo a tradição dos índios americanos), existe violência. Essa energia vai diretamente para as células do seu corpo e cria discórdia em cada nível.

Você pode não sentir o frango da mesma maneira que eu, mas poderia notar outras coisas. Anote-as e, então, decida por si mesmo. Finalmente, tenho certeza que você quer encontrar harmonia e vibrações construtivas.

Você está constantemente transmitindo e absorvendo energia através de seus sentidos, de seu organismo — energia sutil e grosseira. Você está constantemente retirando energia do ambiente. Há uma circulação perpétua de energias através de você. E você é responsável por aquilo que absorve e pelo que emite. Você se alimenta de som, cor e comida. Você põe em circulação a energia de sua atividade, inclusive também a cor e o som.

Conscientize-se de que aquilo que faz constitui o primeiro passo para a proteção de quem/o que você é. Isso inclui o modo pelo qual trata seu corpo. Estamos constantemente abusando de nossos corpos, através de todo o tipo de excesso. O mais comum nos dias de hoje, em minha opinião e experiência, são os regimes rigorosos de exercícios físicos realizados em nome da saúde. Esquecemos que quanto mais estimulamos o veículo físico, mais energia colocamos nele. Quanto mais atenção dermos a nosso corpo físico, mais atenção ele exigirá de volta. O exercício forte nos ligará ainda mais à forma tridimensional. Há uma linha tênue entre cuidar do corpo — inclusive honrar e atender às suas necessidades — e forçá-lo a seguir nossa vontade.

Este mesmo mecanismo está operando em muitas de nossas relações. Tendemos a forçar as coisas. Dormir com alguém é um ato extremamente íntimo — e o é ainda mais se não houver sexo. Quando as motivações não são claras ou quando vão contra sua intuição e necessidades de seu espírito, você acabará por se sentir esgotado ou, de algum modo, obstruído. Para assegurar sua própria proteção, você precisa saber quando dizer SIM e quando dizer NÃO. Se você não cuidar de si mesmo antes de tudo, não será capaz de agir de maneira confiável e responsável.

Uma vez que você tenha ordenado sua realidade física, mental e emocional, e tenha feito suas escolhas, está pronto para usar os métodos de proteção consciente. Lembre-se de que "Os semelhantes se atraem" e que se você está confuso, sujo ou cheio de vibrações e impulsos animalescos, incapaz de se manter, e é facilmente influenciável pelas necessidades e exigências dos outros, qualquer prática psíquica que utilizar será inútil. E se derem resultado, esse resultado será proporcional ao seu próprio nível de energia e a sua própria integridade.

As pessoas me pedem o tempo todo técnicas de proteção, que possam ajudá-las a lidar com as situações irritantes e conflituosas do dia-a-dia. Parecem querer *coisas para fazer*. Sinto que nem sempre sou muito apreciada, quando respondo que o que o protege *o que você é*. Mas nós, seres humanos, somos muito, muito malandros. Até encontramos maneiras de escapar disso também. As pessoas que estão no caminho espiritual, particularmente das versões hindus de espirtitualidade, acreditam que amar e ser acessível aos outros é suficiente. Não é.

O amor verdadeiro busca a força, a individualidade e a uma tremenda integridade espiritual. Não é a submisão cega a um guru ou a uma doutrina ou mesmo à Vida. Se for, agora mesmo é preciso seguir o "Caminho do Guerreiro". Isso exige discernimento. Porém, a Vida é um duro trabalho. Exige consciência e escolhas. Exige o poder do amor e não o amor ao poder. Exige decisão e capacidade para agir.

Lembre-se também de que, uma vez que você tenha começado o caminho do desenvolvimento espiritual, tudo se tornará intensificado. Você precisará alcançar tudo aquilo que não fez. Precisará chegar a um acördo com o mal uso que faz da energia e com o que criou erradamente. Suas próprias formas-pensamento retornarão a você. Embora o mundo continue como sempre, quando começar a despertar, você passará a notar as suas próprias projeções e a dos outros. E isso lhe causará muita irritação.

Seu corpo emocional sofrerá tremendas flutuações de energia. Tudo parecerá ir contra você, que se tornará impaciente, particularmente em relação àquelas características que você mais trabalhou no passado e teve de se superar para conseguir.

Você perderá o controle que tinha antes, simplesmente porque suas ações eram automáticas. À medida que vai se tornando consciente, os hábitos perdem sua influência sobre você. Então, começa a questionar quanto do que está acontecendo é um reflexo seu, de como estão suas emoções. Você estará trabalhando sua personalidade, enquanto atua em níveis espirituais.

O Mestre Excelso Saint Germain nos disse "Resista, Encare e Conquiste". Se você não fizer isso agora, terá de fazê-lo em um outro tempo, em uma outra vida... Agora você sabe que não há escapatória.

O DESPERTAR PSICOLÓGICO

Você passará a investigar suas ações e motivações. Começará a fazer considerações do tipo "Talvez ela não seja assim, mas minha mãe era..." e "Ele ou ela me lembra minha mãe..." ou o pai de quem você fugiu, quando moço, e nunca quis ter nada com ele ou com quem quer que o fizesse se lembrar dele. Esse sentimento o perseguirá até que você perdoe e esqueça seu pai, até que você experimente e integre essa experiência em sua consciência.

As pessoas são atraídas para você por alguma razão. Toda a sua história emocional reflete você e a maneira pela qual você reage. E de acordo com a reação ou resposta (ou falta dela), você cria outras respostas ou reações. "Karma", a Lei de Causa e Efeito... E não há como fugir disso, pois algumas vezes, ao não fazer, você está fazendo. Ao deixar de tomar uma decisão ou fazer uma escolha, você está escolhendo.

A mais alta lição moral do Oriente tem sido o princípio budista da inocência, *Ahimsa*. Inocência significa pureza sem extremos. O caminho do Meio-Termo. Você não se sente extremamente agitado de maneira nenhuma. Nem atraído nem repelido. Quando você está nessa posição, pode "Resistir, Encarar e Conquistar". Só então não verá as barreiras de seu próprio desejo.

E cuidado com sua retidão. Talvez você possa justificar algumas de suas reações, mas a irritação pode ser reflexo de uma certa intolerância ou impaciência de sua parte. Você pode estar absolutamente certo em sua crença, mas errado em sua retidão a respeito dela. E isso não significa que tenha de ficar quieto. Você pode dizer coisas que precisam ser ditas, de um modo que não crie karma pessoal. Se o outro ficar ofendido, então terá de lidar com isso e reexaminar seus motivos e seu modo de falar. Olhe as outras pessoas, especialmente aquelas com as quais não concorda, sob o prisma da Piedade. Cultive o hábito de visualizar seus Eus "EU SOU" acima deles, conectados aos seus corações. Quando você começa a enxergar as pessoas deste modo, elas responderão apropriadamente. Você começará a viver a mudança de dentro para fora. Esta é a verdadeira revolução.

Milagres são possíveis, como já disse antes. As pessoas podem ser influenciadas, comovidas, amadas... através do uso dos métodos de Luz. Saiba que se elas não responderem imediatamente, aquela energia, aquela Luz permanece na periferia de seu ser até que elas estejam prontas para recebê-la. E talvez elas não respondam diretamente a você, mas responderão mais tarde a... alguma outra pessoa. Tente não ver o mundo de maneira tão pessoal.

Parte da razão do mundo estar do jeito em que está se deve a nossos investimentos pessoais para sermos corretos. E isso inclui o espiritualmente correto. Mas não seja severo consigo mesmo. Acima de tudo: não seja severo! Seja gentil, afetuoso e tolerante consigo mesmo. Trate-se como trataria uma criança que tivesse cometido um erro. Você não espancaria essa criança, não é? Você conversaria com ela, iria ensiná-la. Mas a você, você espanca.

Se eu visse você irritado com alguém que talvez seja arrogante ou preconceituoso, e visse você, por causa dessa irritação, agindo com mais petulância e impaciência, eu imediatamente afirmaria que você está encarando o outro do mesmo modo como se encara: criticamente. Você não se ama o suficiente. Precisa desenvolver mais amor e paciência consigo mesmo... amando aquele *você* que comete erros, amando até aquele *você* que ama tanto a Luz que se torna, às vezes, um pouco fanático.

Suas atitudes a seu respeito e, através de você, em relação às outras pessoas... são absolutamente fundamentais para sua própria proteção.

PROTEÇÃO PSÍQUICA *VERSUS* PROTEÇÃO ESPIRITUAL

A diferença entre os métodos psíquicos e os espirituais está na fonte da energia ou do poder utilizada. O psíquico pertence ao mundo pessoal e o espiritual ao da divindade.

Ao usar as técnicas de proteção espiritual você está continuamente consciente de ser um instrumento da Luz. Você reconhece esta Luz como fonte de sua vida e atividade. Reconhece que tudo o que chega a você, chega por intermédio do eu superior, do Eu Divino. Reconhece sua participação num universo inteligente de Seres de Luz em harmonia e fraternidade.

Esse reconhecimento em si mesmo é tudo o que precisa para ser protegido pela Luz. A visualização e a sensação que acompanham esse reconhecimento criam a parede de Luz ao seu redor. Mas... uma vez que você se move num oceano de influências e estamos sujeitos a elas simultaneamente em todos os níveis, além do uso constante da Chama Violeta envolvendo sua forma, seu ambiente e seus assuntos, como uma revisão, eis aqui alguns dos métodos segeridos:

Para o corpo físico:

Tome banho freqüentemente e use roupas limpas (a roupa retém a energia do ambiente por algumas horas).

Alterne duchas quentes e frias, que fortalecem sua resistência às doenças e também seu equilíbiro físico-etérico.

Submeta-se a massagens com freqüência. Recomendo especialmente o *shiatsu* e a acupuntura, que se destinam a todo o organismo, particularmente ao sistema energético.

Ame seu corpo tanto interna quanto externamente. Aprecie-o.

Para seu corpo emocional:

Use a visualização de Luz, particularmente a luz dourada, que relaxa os nervos e traz paz, ao redor do plexo solar, sob a forma de um disco ou esfera.

Envolva o plexo solar com um cinto de azul vívido, cobrindo todo o seu diafragma na frente e nas costas.

Visualize uma roupagem de Luz cobrindo todo o seu corpo (isso é bom tanto para o físico quanto para o emocional).

Mudras (ou posturas) de mão, que fecham a entrada de energias emocionais provenientes do exterior, incluem:

Extremidades do polegar, indicador e médio das duas mãos se tocando. Mãos postas, dedos entrelaçados. Braços cruzados sobre o plexo solar.

Visualize uma proteção espelhada ao redor de si mesmo, fazendo retornar ao emissor todas as energias que não são da Luz.

Imagine cruzes de chama azul (ou branca ou dourada) diante de você, no nível do plexo solar e do abdômen ou tão grandes quanto seu corpo físico (ou ainda ligeiramente maiores). Esta é uma visualização para proteção geral, boa para qualquer situação.

Veja um fluxo de Luz dourada líquida emanando de seu Eu Divino para você, lavando particularmente sua coluna e fluindo através de todo o seu sistema nervoso, cobrindo especialmente o cérebro. (Também é bom para a mente.)

Imagine-se dentro de um dourado sol-esfera de proteção — a presença de seu Eu Divino ou de qualquer Ser que possa ter invocado. (Esta é uma proteção geral, que, de fato, é uma realidade, uma vez que você tenha se comprometido a trabalhar com a luz.)

Imagine-se segurando uma espada de chama azul e cortando de você (ou de outras pessoas) quaisquer linhas de força que possam estar influenciando a liberdade e o amparo da Luz. (Este é um ato dramaticamente poderoso, que traz resultados em qualquer nível, especialmente se você o acompanhar com a afirmação: "Você não tem poder!".)

Invoque as Hostes Angélicas. O nome do Arcanjo Miguel tem poder especial. Atraia-o e às suas legiões de anjos. Você pode também pedir aos anjos qualquer propriedade de que precisar: Vitória, Liberdade, Pureza, Paz, Cura... etc. etc. etc.

Para os corpos mentais:

Mantenha a presença da Luz dentro de seu cérebro físico, particularmente a luz dourada. Veja-a transmutando a massa cinzenta de seu cérebro em substância dourada, elevando o nível de vibração do cérebro e permitindo que você receba impressões superiores.

Visualize um capacete de luz branca brilhante envolvendo o seu crânio ou use uma faixa (à moda indígena) de luz dourada ao redor da cabeça.

Invoque a presença luminosa dos Seres de Luz para que o abrigue, para que clareie a sua mente, para que o ajude a pensar melhor ou a se lembrar...

Visualize sobre sua testa as chamas dos sete raios que estão diretamente relacionadas à atividade dos Elohins. (A ilustração pode ser encontrada no capítulo relativo aos Anjos e Elementais.)

Essas visualizações têm sido fornecidas pela Fraternidade da Luz ao longo dos anos e ocorrem espontaneamente sem termos de fazer qualquer coisa. Mas dada a nossa necessidade de *fazer* e o fato de que, ao fazermos isso, evocamos o Espírito e as vibrações de Luz, podemos lançar mão delas a qualquer hora. À medida que a sua meditação vai se intensificando e você se torna capaz de se ajustar diretamente à fonte dessas energias, mais e mais variações ser-lhe-ão mostradas. O mundo de cor e luz das oitavas superiores de vibração é magnificamente belo, mantenedor e exaltador. Não há poder maior do que o Poder da Luz. Lembre-se disso. E ouse vivê-lo.

Estabeleça tempos e ritmos para suas meditações. Não importa quão breves elas sejam. Procure começar e terminar seu dia com uma prática de Luz. Antes de deixar sua casa, proteja-a e a si mesmo e a seu carro. Talvez você queira visualizar-se protegido por uma armadura de luz! Ou talvez você queira imaginar a velha visualização testada e verdadeira do "anel protetor" mágico usada por magos, feiticeiros e alquimistas de antigamente, ao redor de si mesmo ou da área que deseja proteger com um anel de luz.

Lembre-se do poder da palavra falada. Preste atenção ao seu modo de falar e às suas concessões de poderes. Pois o que quer que você pense e diga acontecerá de algum modo, em alguma ocasião...

E então... saiba que a Luz, que está crecendo em radiância dentro e através de você, brilha sobre qualquer pessoa que você encontre. Desse modo, enquanto você purifica, aperfeiçoa e protege a si mesmo, está purificando, aperfeiçoando e protegendo outros, servindo ao Eterno Fogo Sagrado do Espírito.

MEDITAÇÃO: ESPIRAIS DOURADAS E CÍRCULOS AZUIS

Este e o próximo exercício têm origem essênica e produzem melhores resultados se realizados à noite, antes de dormir. O primeiro elimina as formas-pensamento, sentimentos e impressões acumulados durante o dia e também provenientes do passado, e nos protege ao nos envolver numa aura azul.

Relaxe. Certifique-se de que seu corpo está alinhado — os joelhos estão soltos (não apertados), a pélvis ligeiramente contraída para permitir que o fluxo de energia suba e desça pela coluna, ombros relaxados, queixo solto permitindo que a energia da coluna corra para cima e para baixo desde o cérebro...

Sinta-se dentro do raio de Luz que está fixado em seu coração e que também vai direto para a terra...

Sinta seus pés firmemente plantados no chão, com o peso distribuído igualmente entre o calcanhar e a parte mais carnosa da sola do pé...

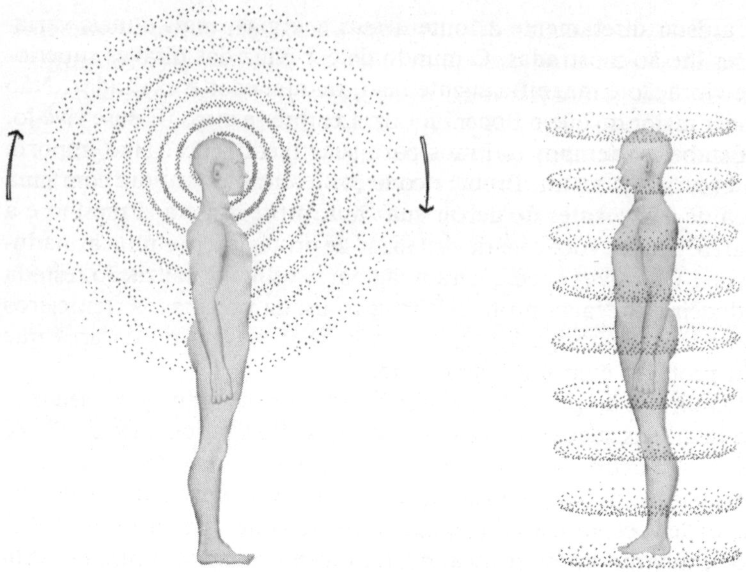

ESPIRAIS DOURADAS E CÍRCULOS AZUIS

ESPIRAIS DOURADAS

Agora, visualize um longo fio dourado, como um fio elétrico, dourado flexível, com o qual você vai se enrolar, usando a coluna como eixo, nove vezes. Cada porção de seu corpo seccionado é cortada por uma espiral sucessiva.

Você verá na ilustração que as espirais começam na altura do pescoço e sobem para a cabeça, de trás para a frente.

Faça cada corte numa inspiração. Leve o fio acima da cabeça e através da garganta na primeira inspiração...

Na expiração, através da garganta, para fora, através das costas e para cima, perfurando o seu corpo no nível do externo, na segunda inspiração.

Continue assim até que seu tronco tenha sido seccionado nove vezes ao longo da coluna.

Obs.: Essa luz dourada é uma substância desintegradora, que pode eliminar e alterar outras substâncias sem esforço. Não é um exercício fácil de ser feito; freqüentemente a Luz não corta diretamente o centro. Pode sair um pouco para o lado. Quando mais isso ocorrer, ou quanto mais difícil for sentir e ver a Luz perfurando, mais importante é a realização do exercício.

CÍRCULOS AZUIS

Visualize um círculo de um azul magnífico, como a incandescência de uma safira viva, exatamente acima de sua cabeça, suficientemente largo para circundá-la, mas sem tocar em você. Abaixo e ao redor de seu corpo há mais oito círculos, o último, como está ilustrado, ao redor da sola de seus pés.

Ao expirar, puxe o anel azul, que está acima de sua cabeça, para baixo, para o segundo anel. Mantenha a imagem por um instante... e, então, deixe que os dois anéis se misturem.

Então puxe os anéis para o nível do coração... e veja os três anéis se unindo em um só.

Continue até que tenha se circundado nove vezes, em cada uma delas puxando para baixo os anéis mais superiores. Quando os nove anéis, transformados em um, envolverem os seus pés... desaparecerão.

Você pode fazer este exercício três vezes.

Quando você estiver na cama, pode visualizar-se como uma cruz de luz, da cabeça aos pés e atravessando os ombros.

SAH-VAY

Este exercício também é feito de pé e inclui todo o circuito de energia de seus corpos.

Visualize uma meia-lua dourada acima da cabeça, do lado direito, e outra meia-lua de um azul profundo entre os pés, envolvendo-os.

Com uma expiração profunda, puxe a meia-lua dourada para baixo, para o chão... e simultaneamente a meia-lua azul para cima, através do centro do corpo, subindo para a cabeça... que fica cheia de Luz.

Agora, com uma inspiração, ao som interior "Vay", a meia-lua dourada se eleva e a azul desce.

Na expiração (ao som interior "Sah"), as meias-luas retornam às suas posições originais. Visualize a Luz, que emana da meia-lua azul, ser distribuída para todo o corpo e para cada célula.

Faça estes exercícios três vezes.

A Alquimia e as Relações Humanas

EMOÇÃO E RELIGIÃO

O poder das emoções é imenso. É o poder de criação e pode mover montanhas. Em sua pureza maior, é a atividade do terceiro raio que, através das emoções humanas, manifesta-se como o poder de fé, de oração. Os antigos sábios reconheciam na força inerente dos sentimentos humanos uma tentativa de ensinar às massas o conceito da religiosidade de diferentes maneiras.

O Oriente colocou Deus como "O Convidado" — Aquele que chega inesperadmente, a qualquer momento. O devoto vive na sombra dessa grandeza todo-poderosa, que se manifestará sem aviso, sempre muito sutilmente, às vezes excentricamente. Ele precisa viver uma vida boa, entregue a sensibilidade e consciência agudas, de modo a não deixar escapar o momento da visitação.

A tradição judaico-cristã encara Deus como o Pai-Filho, que se relaciona emocionalmente com seus filhos através de punição e recompensa, da ação e da graça alcançada. O tempo é curto e há apenas uma vida. A oração aqui é um diálogo, às vezes sob a forma de barganha... um dar e tomar fracamente murmurado "olho por olho, dente por dente".

Os sufis encaravam Deus como "O Amado". O devoto aspirante assume o papel de solicitação masculina. Deus precisa ser conquistado e seduzido. A oração é uma canção de amor e a emoção é levada às alturas do êxtase e do arrebatamento.

Os muçulmanos compreendem Deus como "O Amigo", e as virtudes da boa conduta e reverência são elevadas à arte do ritual dentro do sistema da vida diária.

Os índios americanos encaravam Deus como o "Grande Espírito Masculino-Feminino", no qual residiam toda ação e poder, toda manifestação e todo ensinamento. Este é o caminho do guerreiro, essencialmente subjacente ao misticismo das Américas.

Tudo o que chegamos a saber sobre religião é amplamente proclamado com base na interação emocional com a divindade. Está enraizado na crença e na experiência emocional subjetiva. A emoção é a força de criação manifestante, dirigente.

Devido à ênfase colocada na emoção e não no sentimento genuíno e no circuito autônomo com o próprio poder, o homem passou a crer que o poder reside fora de si mesmo, passou a crer que Deus é uma força exterior. Se a relação fundamental é feita com o Criador, todas as outras a refletirão. Damos poder a outro e nos enfraquecemos.

O DESEJO

O desejo dentro das relações emocionais tem raízes no esforço primário para nos fundirmos mais uma vez com a Divindade, naquela unidade e totalidade fundamentais, que é uma fraca, embora básica, memória subliminar. Este desejo exprime-se em nossas relações mútuas. Naturalmente, somos predispostos à frustração. A relação com o Criador, em sua essência, não é emocional, nem recíproca ou condicional. Em segundo lugar, não se situa fora de nós mesmos. E, em terceiro lugar, não pode ser consumada em sua totalidade no nível da materialidade tridimensional.

Se *realmente* compreendêssemos isso, não ficaríamos tão envolvidos em nossas relações. Não esperaríamos nem exigiríamos, não manipularíamos e nem nos enredaríamos em nenhuma barreira de reações emocionais resultantes, incluindo rejeição, traição e mágoa.

O CASAMENTO ALQUÍMICO

A união entre duas pessoas, particularmente de sexos opostos, fornece um campo de força dinâmico paralelo à verdadeira dinâmica da própria Criação. É a união das polaridades positiva e negativa em cada nível energético e dimensional. Isso reflete o processo que ocorre individualmente dentro de cada pessoa no nível celular: o encontro entre Espírito e matéria na criação da Alma. (Veja o capítulo sobre Poderes Espirituais, para compreender a criação da "alma".)

A relação exterior reflete a interior, realizada com o Ser ou Fonte de uma pessoa. Posso ver e compreender os outros como realmente são, na mesma medida em que vejo e compreendo a mim mesma. Se eu não me compreendesse, projetaria aquilo que me recuso a ver e aceitar em mim mesma para dentro dos outros (e isso inclui tanto os aspectos positivos quanto os negativos). Na prática, as relações humanas servem como espelhos, que devolvem a nós mesmos aquilo que projetamos emocional, mental e fisicamente.

Conheço dois psicoterapeutas que mantêm uma relação muito forte e intensa, baseada na visão comum de serviço — trabalham juntos para a Luz. Ambos são seres espirituais altamente evoluídos, com tremenda consciência das responsabilidades que a Vida nos dá, e ambos são também psíquicos e sensitivos. Ambos têm boa reputação e dão seminários e laboratórios. Ambos são "autoridades" independente do casamento. Sua união reflete o que alcançaram e é isso o que apresentam ao mundo exterior.

Após um período inicial de lua-de-mel, este casal começou a demonstrar sinais de extrema inquietação. O outro lado do espelho começou a se revelar. Em outras palavras, a perfeição que nenhum deles tinha ainda incorporado: suas falhas. Estes dois seres espirituais começaram a brigar e a discutir de uma tal maneira, que eles mesmos ficaram surpresos. E cada um culpava o outro pela discórdia. Levou certo tempo para que eles pudessem ver, com o auxílio de uma hábil orientação (na qual cada um deles foi levado a ver a situação através da perspectiva de seus eus superiores) o que estava sendo representado: suas privações, seus desejos, a lacuna entre o que queriam ser e aquilo que realmente eram.

O homem, em particular, achava difícil aceitar a sua raiva. Ele tinha desenvolvido uma suave aparência de resignação espiritual, acompanhada por valores tais como inocência e incondicionalidade, pobreza e não-competitividade. Seu sucesso no mundo, particularmente nos relacionamentos, estava, ele admitia, sendo repetidamente desafiado. Especialmente nesta relação com uma mulher poderosa, que, de sua perspectiva, parecia emasculá-lo.

Ela, por outro lado, espelhava a raiva não expressa por ele de volta para ele mesmo, em sua tentativa de fazer vir à tona a força dele, que ela precisava para se sentir segura. O que ela projetava sobre ele era o medo dela. Ela nunca fora capaz de se entregar totalmente a um homem. Não confiava no ser humano e secretamente tornara-se amargurada, devido a relações que, de seu ponto de vista, eram sempre exploradoras e frustrantes. A relação, no nível da personalidade, era uma frustração para ambos. Quanto mais meigo ele se tornava, mais zangada ela ficava.

Era um impasse emocional, que nenhum dos dois poderia resolver. Exceto através de meios espirituais. A partir dessa perspectiva, poderiam começar a preencher a lacuna dentro de si mesmos. Estes dois indivíduos, como se confirmou, aprenderam as lições do amor e da transcendência típicas das lições psicológicas no nível do chakra do coração.

Ambos trabalhavam independentemente, sendo ambos terapeutas; juntos aprenderam o ritmo do dar e receber através do processo de refinamento do fogo em luz. Sua confusão emocional era um processo necessário. Ao gerarem intensa energia emocional, acompanhada pelo fogo resultante da ativiação dos chakras inferiores, foram forçados a uma confrontação, que produziu a transmutação do fogo em luz — uma luz que era muito maior do que a produzida individualmente por eles. Seus encontros, o positivo com o negativo, provaram ser uma arena alquímica para o crescimento espiritual (neste caso, a geração de freqüências aceleradas).

O verdadeiro sentido do Casamento Alquímico tem sido esquecido. É hora de retomar nosso caminho e encontrá-lo dentro de nós mesmos e na união e associação mútuas como indivíduos independentes, conscientes e criativos. Nesse estado de homeostase, o "casamento" resultante da fusão de totalidades iguais pode produzir milagres. O casal, neste nível, intensifica a ressonância e a freqüência vibratória, não pela soma, mas pela multiplicação.

O Casamento Alquímico une fogo e água — a força criadora do Fogo Sagrado da Divindade com o poder das energias fluidas do sentimento pessoal. Isso ocorre interiormente. O exterior não é apenas um reflexo do estado interior, mas ajuda e desperta essa intimidade. Através do meio de polarização, a separação em modalidades positivas e negativas, cria-se o desejo que nos leva para além das fonteiras da racionalidade, para o mundo do coração, o mundo do puro sentimento, através do qual intuímos, cada vez mais, a majestade da Fonte. As relações humanas, em seu âmago, são intrinsecamente frustrantes — constituem a insistência do Divino em ação.

A ENERGIA SEXUAL

A maior lição que aprendemos através do relacionamento é a lição da cooperação afetiva. Aprendemos a ser nós mesmos ao permitirmos ao outro ser ele mesmo. Aprendemos a arte de dar e receber, a arte do compromisso e da co-criação. E fazemos isso no nível de vibração de intensidade extrema e confusa. As energias sexuais inerentes a todas os relacionamentos, celibatários ou não, exercem uma tremenda atração para a Terra, para a densidade, para a tridimensionalidade e linearidade. A energia sexual é o ritmo da carne buscando a procriação. É a vibração da natureza animal dentro da matéria. É a mais alta das ressonâncias dentro de nós. É o batuque que encobre a tranqüila vozinha cristalina do Eu Superior, a menos que aprendamos a harmonizá-lo adequadamente.

Esse era o propósito original oculto nas antigas disciplinas do Tantra, que utilizava as energias do sexo como um caminho para o Criador. As religiões antigas sabiam do poder inegável do impulso sexual e tomaram providências para incluí-lo nos códigos da espiritualidade. Apenas o cristianismo e seus correlatos encaram o sexo como pecado. Os antigos sábios tinham conhecimento de que o poder de transformação e de transmutação final estavam contidos na energia do sexo.

O uso adequado dessa energia é um outro assunto. Como todas as energias, precisamos aprender a dominá-la. Nem esquecimento ou supressão nem indulgência e autojustificação. Num mundo melhor, onde não sejamos continuamente influenciados por sugestões hipnóticas e culturais, que criam compulsões para a superindulgência em relação aos alimentos, ao sexo e ao álcool e... a tantas coisas, estaremos melhor equipados para compreender e conter as energias do sexo. Este mundo melhor começa no momento em que você decidir começar consigo mesmo: no momento em que você decide parar o mundo e olhar.

Uma de minha clientes, uma jovem mulher de trinta e poucos anos, veio inicialmente a mim num estado de confusão em relação a seu sexo, e com um sentimento de culpa devorador, no que se referia ao que tinha interpretado como homossexualidade. Seus pais tinham sido fisicamente reservados. Sua mãe parecia ser afetuosa e as duas tinham sido "íntimas", o que aumentou a confusão de minha cliente. Mas nunca fisicamente. A criança cresceu com fantasias de corpos de mulheres, que pareciam se intensificar em elevadas proporções nos últimos anos.

Ela fora uma criança espiritual, sensível e começou a meditar em sua adolescência. Para ela não havia problemas para atingir os domínios interdimensionais de luz e beleza resplandecentes. Seu problema estava em sua vida na Terra e, em particular, em sua sexualidade. Grande parte de meu trabalho com ela consistiu em trazer a energia para baixo, para seu corpo e chakras inferiores. (É um procedimento diferente daquele empregado com pessoas algo materialistas, cuja energia precisa ser refinada, acelerada e levada *para cima*, no que se refere aos chakras.)

A divergência entre sua personalidade e sua identidade espiritual era realmente uma brecha. Sua relação com sua mãe apenas intensificou a atmosfera para o aprendizado da lição que tinha de aprender a incorporar os aspectos espirituais num corpo de forma física. Em outras palavras, trazer luz à sua sexualidade. A paixão à longa distância dentro dela era proporcionada por sua negação em muitas, muitas vidas, refletidas nesta pela ausência de relação física com sua mãe.

O processo foi intensificado por sugestões de sua própria vida passada de práticas sexuais em feitiçaria e xamanismo. (Estas práticas são típicas de correntes de vida que são indulgentes com os excessos, vida a vida — excesso de privação alternado com excesso de prazeres.) Tais memórias criaram uma tremenda confusão numa alma avançada, que se tinha decidido a trabalhar para a dissolução destas tendências nesta vida. O fanatismo e a auto-recriminação de séculos expressavam-se agora como culpa e pensamentos suicidas. Eu a ajudei a ver que a energia existente *por trás* da autocondenação é o mesmo impulso para a pureza e a integração, que marca a vida atual. É uma amiga e não uma inimiga.

Lenta, lentamente, com a compreensão do seu próprio circuito energético, com a lembrança da vida passada e a força espiritual das dimensões mais elevadas, tão acessíveis a ela, minha cliente foi capaz de dissolver a tensão que as duas polaridades tinham criado dentro dela.

Começou também a compreender e aceitar a natureza do impulso físico. Se você sabe que o corpo não é "você", mas uma inteligência elementar e que está sob sua custódia, você deixa de se identificar com ele. Você pode se voltar para ele, amá-lo, alimentá-lo e afetuosamente discipliná-lo. O sexo é um impulso físico, natural e simples. O que acrescentamos a ele é nossa criação, a projeção de nossas necessidades.

O amor romântico, se você observar, é o embelezamento emocional da luxúria. É sexo baseado na emotividade e elevado a proporções estéticas, dependendo do estilo de cada um. Tão belo quanto possa ser o amor romântico, ele é ainda uma ilusão. É ainda sexual.

Há três níveis de expressão do amor: a luxúria é a essência física básica; o amor romântico é o correspondente emocional numa freqüência vibratória superior; e o amor espiritual, ou compaixão, é a ressonância mais elevada acessível ao espírito, que está incorporado à polaridade na matéria. Apenas no terceiro nível transcendemos o impulso do sexo. Apenas nesse nível transformamos as energias que ligam, cegam e manipulam.

No nível da luxúria, aprendemos a estimular e a projetar a energia, a usar e satisfazer o impulso. No nível do amor, com o acréscimo do ingrediente emoção, aprendemos a dar e receber, a cuidar e a honrar a nós mesmos e ao outro. Uma vez que este nível seja dominado, começamos o longo caminho para algo mais. Percebemos que a união física e emocional não é suficiente. O amor emocional abre as portas do coração, ao nos fazer passar por testes de ansiedade, dúvida e medo de nossa própria existência e identidade. O amor emocional nos ensina como casar as energias do sentimento com a substância primária que gera o impulso sexual.

O amor, o amor humano, é o limiar para a divindade. A intensidade apaixonada no nível do sentimento, se dirigida para um outro indivíduo ou para a busca do próprio Deus, estabelece a quantidade de movimento para uma criatividade cada vez maior e mais elevada, pela expansão de nossas definições sobre nós mesmos. O amor é abrangente. No amor somos mais do que nossos eus individuais. O amor em si mesmo é um salto quântico que nos leva para a beira do salto final — para a interdimensionalidade. Através do amor dos outros nos expandimos ou aceleramos nossas próprias vibrações, a ponto de nos fundirmos com o Eu Superior. Nesse ponto, atingimos o amor espiritual ou cósmico. Nesse ponto, nos tornamos o que no Oriente é chamado de *buddha* — um compassivo. Tornar-se um *buddha* não está fora do alcance de ninguém.

A ARTE

Aprender a arte dos relacionamentos requer um certo conhecimento ou compreensão das energias envolvidas no relacionamento. O mais importante: requer que compreendamos a diferença entre encontro e fusão. No amor, o impulso é para uma fusão tão completa com o outro que nos perdemos. E eis aí o perigo. Perdermos a nós mesmos nas energias do amor é diferente de ceder nosso poder, nossas identidades. Em vez de nos tornarmos, como Khalil Ghibran prescreve, "... dois pilares..." (ENCONTRE A CITAÇÃO PROPRIAMENTE DITA), nos tornamos um campo de batalha. Damos poder ao outro, mas nos esquecemos de, simultaneamente, nos dar poder. Lembrar disso é a chave da arte do relacionamento.

As lições de amor são lições de administração adequada do poder — poder sobre nós mesmos, poder sobre os outros — levando, finalmente ao reconhecimento do poder mais alto através de nós.

Em nossas sociedades ultra-romantizadas, nos apressamos a nos fundir com o outro, esperando encontrar, na ilusão do outro, o que falta dentro de nós. Dessa maneira, dois surdos, dois cegos convergem... esperando ver, ouvir através do outro... desiludidos, quando não o conseguem, ficam culpando um ao outro por não terem feito o prometido. Engraçado. E verdadeiro.

DINÂMICA ENERGÉTICA

O elo sexual com o outro abre um canal de energia entre as pessoas, através do qual são projetadas as suas histórias pessoais. Quando você dorme (particularmente após uma relação sexual) com alguém, você está dormindo com todas as pessoas que esse alguém já foi em todas as encarnações, com tudo o que elas tenham feito ou não. Você está se misturando com toda a criação humana dele através das vidas neste planeta. Você, inadvertidamente, está carregando a carga dele. Você está karmicamente amarrado. O sexo casual e os encontros casuais constituem uma das causas fundamentais de nossa poluição emocional.

Se compreendermos que somos um campo de energia cheio de habilidades, impressões e percepções, e que esse campo de energia é extremamente sensível a outras vibrações de natureza semelhante, podemos começar a cuidar dele — protegendo-o e preservando a pureza de suas funções.

Quando encontrarmos alguém e nos sentirmos atraídos, conheceremos a origem da fonte desta atração, sem condenação ou ilusão. Estaremos livres para nos encontrarmos e nos fundirmos com este indivíduo, e estaremos conscientes de que a escolha é nossa. Não somos compelidos ou dirigidos por forças cegas, que não compreendemos e nem

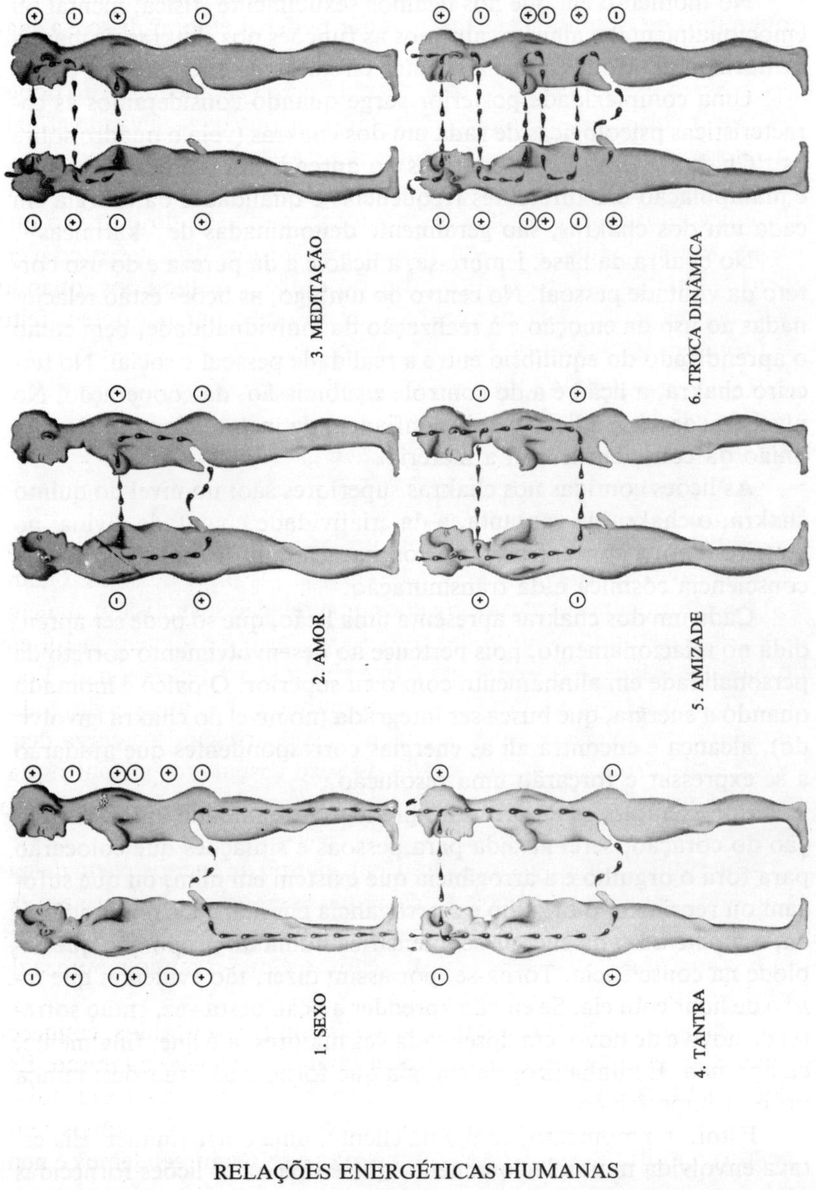

RELAÇÕES ENERGÉTICAS HUMANAS

procuramos compreender. Assumamos a responsabilidade por nossas ações e pelos efeitos causados por elas. E, esperançosamente, teremos feito isso com amor.

No momento em que nos ligamos sexualmente (física, mental ou emocionalmente) a alguém, abrimos as funções dos chakras de maneira horizontal. Começamos a formar circuitos de energia com eles. Uma complexidade posterior surge quando consideramos as características psicológicas de cada um dos chakras (veja o quadro sobre os "Chakras"). As lições contidas no aprendizado da administração e manipulação das diferentes freqüências e qualidades da energia em cada um dos chakras, são geralmente denominadas de "kármicas".

No chakra da base, lembre-se, a lição é a da pureza e do uso correto da vontade pessoal. No centro do umbigo, as lições estão relacionadas ao uso da emoção e à realização da individualidade, bem como o aprendizado do equilíbrio entre a realidade pessoal e social. No terceiro chakra, a lição é a do controle e submissão, da cooperação. No nível do coração, a lição é a da confiança, da incondicionalidade e da união da consciência com a matéria.

As lições contidas nos chakras superiores são: no nível do quinto chakra, o chakra da garganta, a da criatividade e vontade divina; no terceiro olho, a concentração e a consagração; no sétimo chakra, a da consciência cósmica e da transmutação.

Cada um dos chakras apresenta uma lição, que só pode ser aprendida no relacionamento, pois pertence ao desenvolvimento correto da personalidade em alinhamento com o eu superior. O palco é montado quando a energia, que busca ser integrada (no nível do chakra envolvido), alcança e encontra ali as energias correspondentes que ajudarão a se expressar e forçarão uma resolução.

Por exemplo: se eu precisar aprender a humildade, que é uma lição do coração, serei atraída para pessoas e situações que colocarão para fora o orgulho e a arrogância que existem em mim, ou que sufocam ou reprimem o orgulho e a arrogância em mim. De modo idêntico, o *momentum* da energia se intensifica numa tal proporção que explode na consciência. Torna-se, por assim dizer, tão evidente, que *tenho* de lidar com ela. Se eu não aprender a lição desta vez, então sofrerei de novo e de novo, em doses cada vez maiores, até que, finalmente, eu aprenda. É minha própria energia que fornece as situações: minha própria imperfeição.

Estou, no momento, com uma cliente, uma outra mulher. Ela estava envolvida num relacionamento que é típico das lições fornecidas pela ligação com o plexo solar. Cada uma das partes está tentando dominar a outra. Há um tremendo amor e uma igual proporção de ódio envolvidos. Não podem ficar juntos; não podem ficar separados. Seu vínculo é fortalecido por uma forte sexualidade e uma emotividade (igualmente intensa) reprimida.

O parceiro do sexo masculino é ambivalente no compromisso; o do sexo feminino está faminto disso. De tal modo, que ela está se tornando obsessiva. Não consegue deixar de pensar nele, no que ele podeira estar fazendo, com quem ele está. Eu expliquei a ela que, para clarear a situação, precisamos trabalhar tanto energética quanto racionalmente. Compreender os problemas não vai ajudar nem um pouco, se as energias emocionais não forem acalmadas. Para fazer isso, precisamos desenvolver métodos para desviar a mente dos estímulos, precisamos trazer um pouco de harmonia para o nível das energias e, depois, olhar novamente. Quando trabalho com sua mente, estou trabalhando com suas emoções. Neste ponto, dificilmente poderemos invocar as energias espirituais.

Sempre que ela chega a um ponto de tranqüilidade (através do uso que faço de métodos de cura espiritual e práticas de reequilíbrio de energias), ela experimenta medo ou raiva. Ela tem medo de esquecer seu medo, sua raiva, e imediatamente traz de volta os pensamentos que novamente provocam as respostas emocionais na energia de seu corpo e perpetua a situação. Ela poderia ser chamada de obsessiva.

Por trás de tudo está o eco de sua voz infantil, "Mamãe, não me deixe!". Ela foi uma criança atriz, ataviada por uma mãe dramática e ambiciosa, que foi incapaz de amá-la em qualquer profundidade. Até hoje ela está sendo influenciada pela necessidade de aprovação da mãe, através de seus companheiros. Desta vez ela encontrou um companheiro ideal, cuja simples presença intensifica seu medo de abandono e rejeição, seus sentimentos de inutilidade.

A terapia convencional iria complicar mais ainda essa situação psicológica e nada seria resolvido. A mulher está karmicamente ligada a seu parceiro e à sua mãe. Mas, o mais importante, ela está começando a enfrentar a característica de vingança que vem tipificando sua personalidade ao longo das vidas. Em outras palavras, um uso errado do centro de poder — o plexo solar. A energia neste nível está pedindo para ser trazida de volta. Ela está aprendendo a controlar mais a si mesma do que ao outro. Está sendo atirada de volta para si mesma, para seus próprios recursos, para seu poder interior. Chegou ao ponto da alteração qualitativa. Ou ela dá o salto para a espiritualidade através do perdão, ou agrava sua infelicidade ainda mais.

Essas relações embaladas emocionalmente poderiam facilmente ocorrer entre pessoas do mesmo sexo. Para falar com franqueza, as relações homossexuais são tipicamente mais intensas do que as heterossexuais. Em certas circunstâncias, as tensões de energias semelhantes parecem aumentar a atividade do corpo emocional e, particularmente quando as energias sexuais estão envolvidas, a necessidade de contato, sentimento e sensação pode criar um vício imenso, que, como todos os vícios, é difícil de ser abolido.

Naturalmente estou assumindo que todos nós queremos nos livrar de vícios.

Formam-se circuitos, tanto entre pessoas do mesmo sexo quanto entre pessoas de sexos opostos, com intensidades variadas, dependendo do tipo de nível de consciência das partes. Nas relações homossexuais, embora os corpos sejam do mesmo sexo, há quase sempre uma distorção de energia nos parceiros, que, no final, resulta em um deles ser mais masculino e o outro mais feminino. Tais distorções são karmicamente induzidas e, em minha opinião, são provenientes de uma história pessoal que transcende a educação comum. Atualmente, há muitas almas antigas encarnadas, que se esqueceram de que sexo são. Para muitas dessas pessoas, sexo é sexo e amor é amor... elas foram tanto homens quanto mulheres e incorporam a ambos.

Há tantas variações quanto dinâmicas de atração que seria impossível tratar de todas aqui. É suficente dizer que podemos ter relações homossexuais mentais também, mesmo quando fisicamente os parceiros são de sexos opostos. As lições envolvidas na homossexualidade geralmente estão relacionadas ao aprendizado da integração no nível da materialidade.

Particularmente no que se refere a almas elevadas, a ligação com a sensação e com a emotividade fornece um modo seguro de viver. Elas estão evitando o refinamento de suas energias. Em geral, têm medo da perda do prazer sexual, dos estímulos sexuais e do jogo sexual. Isso, naturalmente, aplica-se à grande maioria das pessoas de nossa cultura. Este medo as impede de atingir graus mais elevados e mais refinados de êxtase. Num mundo muito mais refinado, o sexo será encarado em sua perspectiva correta — é apenas uma das maneiras, e das mais grosseiras, de se encontrar, de se fundir e dar amor/prazer ao outro. A obsessão em relação ao sexo é um reflexo de uma cultura regressiva fixada na estimulação da densidade da materialidade.

O mesmo princípio do vício/ligação aplica-se às relações que estão enraizadas no corpo emocional, tais como muitas das relações entre pais e filhos e até relações espirituais que atravessam vidas. Há sempre dificuldades quando chega o tempo de separação, de transcendência. Apenas a energia da Divindade pode nos conduzir no processo de transmutação.

COMPROMISSO

Os relacionamentos monogâmicos estão em alta, tanto por causa da ameaça da AIDS, que tem feito as pessoas reexaminarem seu comportamento sexual, quanto pela crescente conscientização de uma dimensão espiritual do amor, expressa através da necessidade de intimidade e relacionamentos além dos psicológicos e físicos. Este tipo de relacionamento exige compromisso e integridade. Os relacionamentos são Vida, estejamos ou não envolvidos num relacionamento de entrega. Realmente nos entregamos ao próprio amor, à sua pureza e ao despertar e aprofundamento dele no outro. *Não* nos entregamos à psicologia individual do outro, num pacto de possessividade e exploração. O verdadeiro compromisso é o do coração e ele reflete as aspirações do espírito.

Estamos constantemente interagindo e afetando outras pessoas. Sob esse prisma, estamos começando a reconhecer a necessidade de tirar o sexo dos quartos e da escuridão e da sarjeta, trazendo-o para a luz do amor e para a pureza de coração. O próprio amor precisa ser refinado, para incluir toda nossa expressão consciente, nossos atos, pensamentos, palavras e obras.

KARMA

Karma é o termo sânscrito aplicado ao círculo de energia criado pelos indivíduos em encarnação, sempre que interagem. Cada ação envolve uma reação. O karma refere-se à Lei de Causa e Efeito, quando aplicada às ações dos três corpos inferiores. O karma age através dos circuitos energéticos no nível dos chakras. Atua interpessoalmente e afeta cada criação no nível da personalidade.

Este círculo kármico pára no momento em que você passa para

um outro nível de existência e fica sob a Lei da Graça. Nesse ponto, você vive sob a perspectiva de Causa. Você está *em causa* na sua vida, não mais em seus efeitos. Você está agora dentro dos domínios da Alquimia Interior, nos domínios do eu superior e do Eu Divino. Isso significa que sua energia, em vez de se mover horizontalmente (como o faz a energia do chakra no nível da personalidade), você se move verticamente. Você se relaciona em termos de eu superior: o seu e o do outro.

Enquanto estivermos no nível da personalidade, estaremos criando agitações em todo lugar. Nós, como seres humanos, estamos em causa. A estratégia é egocêntrica e envolve um mecanismo de sobrevivência absolutamente básico.

As interações são baseadas em ataque e defesa. Geralmente a melhor defesa é o ataque. Nossas estruturas de defesa variam de acordo com nossas capacidades. Podemos ter um estilo físico de defesa, uma defesa do tipo couraça mental ou podemos usar a manipulação emocional para nos defendermos. Tudo isso pertence ao âmbito da psicologia.

Quando você sai da roda de causa e efeito, esses padrões agressivos e defensivos mostram-se ineficazes e desnecessários. Você começa a empregar métodos de proteção espiritual. Começa a usar seus poderes superiores em alinhamento com a Lei superior. Você atrai aquilo que você encarna: a Luz.

ABANDONO DO KARMA: REALIZAÇÃO

Como abandonar a roda de causa e efeito, que no Oriente é chamada de Roda do Samsara? Através do perdão. Uma das partes no relacionamento tem de fazê-lo.

Por exemplo: duas pessoas estão envolvidas num vínculo kármico de tirania, que tem perdurado existências. Pode ser que de cada vez um tiranize o outro. Ou o padrão pode ser aquele em que apenas um deles tiraniza consistentemente o outro. A cada vez que o tiranizado tenta ficar de pé, o agressor, de algum modo, se antecipa e o derruba. Esses dois padrões são, na verdade, apenas um e pode ser desempenhado por pessoas do mesmo sexo ou de sexos opostos, e de diferentes posições através das vidas.

Agora, em algum momento, o tiranizado ou masoquista desperta para a sua situação e decide tocar e dançar sua própria música. Se o conseguir, perpetuará a atividade ainda mais. Se esperar para se aproximar, convencer ou negociar, de algum modo, com o outro, talvez leve mais algumas vidas para alcançar o seu objetivo (embora em alguns casos seja possível consegui-lo nesta vida). O melhor e único recurso é transformar-se. Parar de liberar a energia que cria o círculo. Interromper a investida. Dirigir a energia para qualquer outra coisa e, em resumo, perdoar.

A outra parte, o agressor, fica em apuros. Ele ou ela perdeu o seu parceiro na dança. Ele ou ela tentará trazer à tona antiga reação e, se falhar nisso, irá para qualquer outro lugar a fim de impor as suas características a alguém mais.

A realização das lições de vida, particularmente a das relações, na qual a pessoa pode ter desempenhado muitos papéis e aprendido muitas lições, pode ocorrer apenas no amor. Apenas o amor liberta. A realização e a libertação ocorrem no amor profundo. Se as pessoas que se divorciam, pais que assistem seus filhos saírem de casa, amantes que perdem o amado pela morte... pudessem liberar o outro na plenitude do amor... com gratidão pelas lições apreendidas... dizendo "Até logo!" e "Obrigado!", "Vamos seguir caminhos separados, enriquecidos por termos conhecido um ao outro, diferentes agora..."

AMOR

O amor é eterno. Uma vez que você tenha amado alguém, o amará para sempre. Ainda é difícil para meu ex-marido acreditar que eu o amo — tão profundamente quanto antes. É difícil, em nossa existência tridimensional, conceber o amor sem possessividade.

Amo a imagem do amor como uma mão aberta onde o amado pode chegar e partir como um pássaro... livre! Nessa liberdade está o verdadeiro amor e o verdadeiro respeito. Nessa liberdade está a dignidade e a plenitude de cada momento vivido intensamente.

O amor não é um conjunto de regras ou uma maneira de aprender a manipular, atrair ou controlar. O amor não é uma técnica para melhorar o desempenho sexual ou uma justificativa para a culpa, para a condenação ou para a indulgência. O amor não é um cenário autogratificante que justifique a necessidade ou o medo da solidão, que fomente a dependência e a exploração. O amor não é desculpa para possessividade, exclusividade e sepração. Não é um encontro psicológico, um processo analítico ou um laboratório biológico. Finalmente, o verdadeiro amor não é escapista.

O amor é um processo despertador da consciência; um modo de aprender a cooperação e o respeito pela individualidade. O amor é uma maneira de aprender a despertar mais amor, uma experiência válida baseada na igualdade da diferença e no propósito superior. O amor alinha-se com a lei superior: benção, compartilhamento e expansão. O amor reflete o verdadeiro compromisso com a Vida e com os Seres, através de um compromisso iluminado, consciente com o Eu. O amor é uma arena psico-espiritual pragmática.

Os relacionamentos são a arena do amor, a ponte entre a luxúria e a compaixão. Eles estimulam, equilibram e nutrem. Pergunte a si mesmo:

Quão bem eu vejo o outro?
Quão profundamente eu me encontro com o outro?
Quanto revelo de mim mesmo ao outro?

Se seu relacionamento é de amizade e se apresenta como um encontro de forças complementares, paralelas ou opostas; se seu relacionamento é apaixonadamente sexual e emocional; se seu relacionamento promove crescimento, expansividade, alegria e compartilhamento; se inclui o aprendizado de lições kármicas, tais como perdão, empatia, abnegação, criatividade e autenticidade... nossa busca nos relacionamentos é de identidade, de poder e daquela fusão que leva à co-criação e ao compartilhamento de uma visão.

Não há relacionamento sem uma visão comum. Nessa visão comum há a dança de forças vibrando tanto interna quanto externamente, interagindo e misturando-se. Na amizade, que é a forma mais pura e mais elevada de amor, há sempre igualdade. Há um dar incondicional, não uma compra ou troca de amor; há a aceitação do outro e não uma exigência para que seja diferente.

Para que os relacionamentos existam como uma força consciente e dinâmica, é preciso haver um reconhecimento de fronteiras. Precisamos saber quando estarmos separados e quando estarmos juntos. Precisamos refinar nosso discernimento, de modo a incluir as tênues linhas existentes entre a realidade pessoal subjetiva e a objetiva. Precisamos reconhecer e fornecer um espaço sagrado para o indivíduo e um espaço para o relacionamento. O bem do casal não deve nunca sobrepujar o bem do indivíduo.

Num relacionamento, precisamos constantemente reformular o compromisso inicial. Cada momento deve ser vivido em sua totalidade, como se fosse o último. Cada encontro deve ser como o primeiro, nunca considerando o outro como algo certo. Precisamos aprender a ficar próximos sem absorver o outro. Cada participante no relacionamento é um líder, completo e autônomo, equivalendo-se em honestidade.

Quando não há mais alegria ou liberdade, precisamos ter a coragem de seguir separados. A liberdade é um valor mais elevado que o amor. Quando começamos a notar que a rotina ou a monotonia se estabeleceu, ou que estamos repetindo padrões emocionais de rejeição e traição, o relacionamento não nos serve mais. É preciso ter a coragem de arriscar tudo e cair fora. Se houver amor, a outra parte será enormemente beneficiada pela mudança. A pessoa sentirá os efeitos sem quaisquer grandes discussões ou complicações emocionais posteriores, que são desmoralizantes e indignas.

Há várias maneiras de efetuar essa mudança, e qualquer uma delas é apropriada. O elemento importante é sua atitude: a sua motivação e a maneira pela qual realiza a mudança. Você pode partir fisicamente. Pode retrair emocionalmente sua energia ou pode dirigi-la para qualquer outra coisa. Ou pode usar a fórmula alquímica para purificar as energias da situação e manifestar a harmonia que busca, de acordo com a realização do plano divino para cada uma de suas vidas.

Um de meus clientes realmente transformou seu relacionamento ao falar, durante meses, com o eu superior de sua companheira. Todas as manhãs, após fazer suas visualizações e afirmações de proteção, ele dedicava de três a cinco minutos a uma conversa com o eu superior dela. Ele lhe pedia que o auxiliasse a harmonizar o relacionamento. Inicialmente as mudanças foram leves, mas, à medida que ele prosseguia com esse método, os milagres pareciam acontecer. Seu relacionamento melhorou e agora ele está aplicando o mesmo procedimento em seu relacionamento com o filho. Se este está pronto para se abrir ou não ao influxo de seu eu superior, é irrelevante. A verdadeira mudança, a real revolução, ocorre nos planos interiores através da intermediação do relacionamento mais elevado de todos, o relacionamento com seu próprio Eu Divino.

E então... quando um começa a auxiliar o outro, na transparência da intimidade, da harmonia e da intensidade de sentimento elevada, através do êxtase para a Luz, começamos a conhecer o segredo do relacionamento. Começamos a experimentar aquilo que os místicos sufis fizeram, quando proclamaram: *La illah ha, il allah hoo:* (Nada existe, exceto Deus.). No verdadeiramente mais elevado, somos, de fato, Um.

Pois os relacionamentos são a pequena morte. E morte... a morte do pequeno eu é a Alquimia Final. Os relacionamentos são um ensaio geral para a Vida Eterna.

A ALQUIMIA E A ARTE DOS RELACIONAMENTOS

Como em todas as práticas transformadoras delineadas aqui, a prática da Alquimia Interior exige que você utilize o Circuito Alquímico, o qual, por sua total criação, exige que você se identifique tanto com seu eu pessoal quanto com seu eu transcendental. Mover-se a cada momento de sua vida consciente com a consciência deste circuito é o que produz o controle. Seus relacionamentos não devem ser diferentes.

Reconheça o eu superior do outro como uma presença vibratória. Veja e mantenha essa visão mais elevada do outro e tire dela a inspiração e a iluminação que você precisa. Observe a magnificência de um ser-deus semelhante ao seu. Como foi dito em outra parte deste livro, para que você seja realmente capaz de estar junto de alguém, precisa ter vivido a experiência de estar sozinho — totalmente só. Totalmente dentro de si mesmo. Como uma experiência profunda, você precisa ter sentido, sem qualquer sombra de dúvida, que tudo está dentro de você, que o universo, a existência... estão prontos a lhe dar tudo o que pedir, bastando você se atrever a pedir. Dessa realização provém a dissolução da necessidade. Você pode, então, viver junto de alguém na abundância, não na pobreza.

Mas, talvez você esteja dizendo: "Como chego lá?", "Pareço estar tão distante dessa realização, dessa experiência!". Podem ser necessários vários relacionamentos, antes de atingir essa realização ou pode não precisar de nenhum. Isso pode levar várias vidas ou apenas um segundo. Cada relacionamento, cada intimidade com o outro traz luz para a colcha de experiências de nossas vidas, enriquecendo, embelezando, fortalecendo as variedades de experiências interpessoais. Do mesmo modo que o desenvolvimento da consciência durante as vidas, precisamos experimentar tudo. Somos forjados pelo fogo das experiências emocionais.

Fique onde está, o mais completa e profundamente... É na profundidade da experiência que está a transcendência. Esteja presente para si mesmo: é simples e é difícil.

Ao mesmo tempo, procure aplicar a verdade que você intui nos níveis mais elevados de percepção às suas relações diárias. Compreenda a natureza dos gatilhos emocionais e dos reflexos automáticos e faça o máximo para transmutá-los. Empregue a chama violeta e as afirmações. Crie as camadas protetoras ao seu redor, para se assegurar de que está agindo sobre suas próprias criações e não sobre as de outras pessoas. Mantenha o silêncio. E, antes de tudo, seja paciente.

Meus alunos estão constantemente me contando como seus companheiros reagem, à medida que suas próprias reações vão se refinando e eles vão se tornando mais conscientes e perspicazes. Tudo o que você faz a si mesmo, faz à pessoa que está mais próxima a você. Desgasta-se energeticamente por sua proximidade. Especialmente quando você dorme com alguém, suas emanações estão agindo sobre essa pessoa. Você realmente abençoa o mundo e a todos os que nele estão pelo seu próprio refinamento. A recalibragem física é o resultado direto da proximidade com a Luz.

Antes de tudo, tome consciência da qualidade de seu relacionamento e aprofunde-a. Em seus encontros amorosos, deixe o seu eu estar presente naquele momento, livre de fantasias. Vá suavemente, com os olhos abertos diante de seu amor e mantenha a graça da divindade. Desligue os murmúrios mentais e também as projeções mentais. Sem considerar as muitas técnicas que segue, cabe a você e à sua decisão parar o que quer que esteja fazendo, que o impeça de viver plenamente o momento. Esta é a linha final.

Vivam mutuamente como energias e não como personalidades. Meditem. Sentem-se sileciosamente e sintam a presença do outro. Certifiquem-se de que estão meditando também consigo mesmos. Honre-se ao honrar o outro. E quando se unirem sexualmente, relaxem. Lembrem-se de Deus. Lembrem-se de seus Eus.

E, na plenitude de seu êxtase, lembrem-se de compartilhar. É no compartilhamento que seu amor se multiplica.

A Alquimia nos relacionamentos é fazer com que o deus que existe em você viva com o deus que existe no outro, de modo que toda a Criação seja realçada.

Perdão

Antes de entrar nas técnicas que o ajudarão a efetuar o perdão, deixe-me dizer algumas palavras sobre a natureza deste fenômeno. O perdão é uma liberação energética que deixa ambas as partes livres do *momentum* de causa e efeito. Efetuamos "contratos" mútuos que podem durar várias vidas e que podem incluir não apenas um indivíduo, mas todo um grupo ou família com a qual os indivíduos estão ligados.

Este "contrato" é semelhante a uma dependência, que compele os indivíduos a reagir e afetar um ao outro de certas maneiras. Muito freqüentemente este acordo, embora inicialmente criado por impulsos inferiores, foi firmado na sétima dimensão com o propósito de experimentar certas lições. As relações entre pais e filhos, por exemplo, são *sempre* kármicas. Para a criança desamparada, não há fuga possível das condições ditadas pelos pais. Escolhemos encarnar como filhos de pessoas a quem já amamos ou servimos em vidas anteriores e, algumas vezes, de pessoas a quem prejudicamos ou que nos prejudicaram e que podemos ajudar apenas encarnando o perdão no papel de filho para com o pai. Às vezes experiências iniciais incrivelmente árduas são acidentalmente infligidas, mas, mesmo nos casos em que não houve nenhum contato pessoal anterior, os pais estabelecem as condições para as experiências que você precisa ter — de um ou de outro modo.

Um de meus clientes tem uma relação especialmente tormentosa com seu filho. Ocorre que esse filho foi seu amigo do peito no início da Idade Média, na Europa, quando foram dois patifes ciganos na tradição picaresca daqueles tempos. O filho traiu o pai, que foi enforcado. Os dois tiveram outras vidas entre esta e aquela, mas nesta atual, o pai não consegue confiar no filho. Este sente-se injustamente maltratado, agindo agora como antes, de modo manipulador e sedutor. Há ainda tremendas semelhanças entre eles, particularmente uma apreciação secreta pelo caráter ultrajante do outro. Há também um amor imenso engendrado pela natureza dos relacionamentos (que por isso foi escolhido). O fato de que nenhum dos dois pode escapar do vínculo sangüíneo e que ambos despertaram espiritualmente para aquilo que querem resolver, assegura que o "contrato" será dissolvido.

Freqüentemente o mesmo princípio se aplica às relações amorosas, particularmente ao casamento. Nos sentimos compelidos a criar ou experimentar condições opressivas, que estão além de nosso controle ou compreensão. O perdão é a aplicação do fogo do puro Amor nas cadeias sutis psiquicamente engendradas, que nos ligam karmicamente.

Você não precisa saber se houve ou não alguma ligação numa vida passada. Você pode estar completando uma lição, que começou com um outro parceiro. O que importa é resolvê-la *agora*. O suficiente é o bastante. A seguir há três maneiras pelas quais você pode afetar as energias em níveis mais elevados, efetuando a liberação e a dissolução final das linhas de força que o amarram.

Liberação através da Afirmação

Visualize a(s) pessoa(s) que você quer liberar diante de você, colocada(s) sob o mesmo sistema de ligações alquímicas que você. Enfatize não apenas sua conexão com o(s) eu(s) superior(es) dela(s), mas também a conexão entre o seu eu superior e o(s) dela(s). Converse com ele(s) através do seu.

> Através do poder de meu Eu Divino e com sua permissão Eu me dirijo a você como um Ser de Luz. Peço o seu auxílio para libertar .... e a mim dos embaraços dos corpos inferiores. Transmute as energias entre nós para suas formas mais elevadas, na realização do plano divino para cada uma de nossas vidas nesta encarnação.
>
> Pausa. E então:
>
> Eu libero você, ... (3x) e libero a mim mesmo (3x). Com sua maior clareza, coragem, direção e proteção, que é eterna, você .... está livre! (3x). Receba meu amor, minha gratidão e meu louvor!
>
> E então!
>
> EU SOU livre! (3x) (Sinta-o. Veja as linhas de força se dissolvendo... e as energias retornando a cada um de vocês.)

Com um Parceiro

Especialmente bom para grupos ou famílias. Esta técnica foi retirada de uma prática seguida pelas sacerdotizas *kahuuna*, do Havaí, e é altamente ritualizada. Uma bacia com água é colocada entre os parceiros e servirá para lavar os entulhos kármicos. Nos momentos apropriados da liberação, a pessoa que está falando salpica a água ao redor de si mesma e ao redor da pessoa que está libertando.

Este processo pode ser realizado com a pessoa com quem está tendo alguma dificuldade, desde que ambas genuinamente o desejam. Também pode ser feito por uma outra — em outras palavras, com um substituto. Em casos extremos, você pode realizá-la sozinho, ligando locais com o parceiro imaginado e falando com ele.

É essencial que ambos os parceiros sejam reconhecidos enquanto falam.

Primeira Parte:

Invocação. Você pode escolher a sua própria ou pode usar a versão *kahuuna*: "Divino Criador: Pai-Mãe-Filho em Um!".

(Agora, dirigindo-se à pessoa que quer perdoar e de quem você quer receber o perdão.) Se Eu/Nós ...., meus/nossos familiares, parentes e ancestrais tiverem ofendido a você(s) ...., sua(s) família(s), parentes e ancestrais, em pensamentos, palavras, obras e ações, desde o início de nossa Criação até o presente... humildemente, humildemente, Eu/Nós pedimos a todos vocês perdão por todas as tentativas, ressentimentos, culpas, ofensas, bloqueios e ligações que criamos e acumulamos. (E então pergunte, olhando diretamente nos olhos dele(s)...: *Você(s) nos perdoa(m)?*

Segunda Parte:

(O parceiro reponde.) Sim... nós o(s) perdoamos. Deixe que esta água nos livre dos vínculos espirituais, mentais, físicos, materiais, financeiros e kármicos!

(E dirigindo-se ao Eu Divino.) Arranque de nosso computador e banco de memória, rompa e elimine (enfaticamente) todos os bloqueios e memórias indesejados, negativos, que nos amarram, ligam e nos matêm juntos. Lave, purifique e transmute todas essas energias não desejadas em pura Luz. Sinta os espaços ocupados por essas energias serem preenchidos pela Luz Divina. Deixe que a ordem, a Luz, o amor, a paz, o equilíbrio, a sabedoria, a compreensão e a abundância se manifestem para todos nós e nossos negócios, através do poder divino do Divino Criador: Pai-Mãe-Filho em Um... em quem descansamos, residimos, temos nossa existência, agora e para sempre. Amém.

É importante que o contato olho a olho seja mantido e que a pessoa que está recebendo a liberação (se presente) tenha tempo para *sentir* essa liberação e para *aceitá-la*.

Todo o processo deve ser repetido pelo outro parceiro.

O Ritmo do Perdão

Nenhum de nós será *livre* enquanto existir no mundo uma pessoa — uma relação, um amigo do passado — contra a qual haja o temor de desarmonia ou irritação, uma barreira, uma reserva, que ainda abrigamos em nossas mentes.

O perdão é liberdade da ilusão de condições. O perdão é esquecimento, é esgotamento das condições e isso nossas mentes são incapazes de fazer. Somos incapazes de esquecer, porque a memória está na mente. No coração não há memória.

As vibrações são mantidas pelas Terra, que é sensível a todas as impressões. Nossos corpos agarram-se a impressões e memórias até que uma força maior ou uma identificação ocorra.

O próximo exercício é a última prática essênica, que estou incluindo neste livro. Consiste num relâmpago de luz, que leva embora toda a memória do passado (a menos que você escolha recriá-la).

Lembre-se: é o último ato em nossas vidas que nos permitirá sermos absolutamente livres de qualquer queixa em relação a qualquer outra pessoa. Não considere a pessoa que perdoa com qualquer senso de virtude. É uma necessidade urgente.

O exercício:

O ritmo do perdão é um ritmo em ziguezague de oitava. Comece com a invocação. Crie o Circuito Alquímico. Fortaleça a conexão do coração pessoal com seu eu superior e faça o pedido de perdão. Uma cor especialmente poderosa para usar em conexão com o perdão é a substância-luz rosa. Lave-se nela. Absorva-se...

Agora você está pronto a retribuir a dádiva ao Criador. Você está pronto a oferecer todas as imperfeições que o impedem de amar-se (e aos outros). O ritmo do perdão começa no momento em que você deseja liberar sua sustenção sobre a substância (por meio dos pensamentos e sentimentos em sua aura) e retorne-a à Fonte.

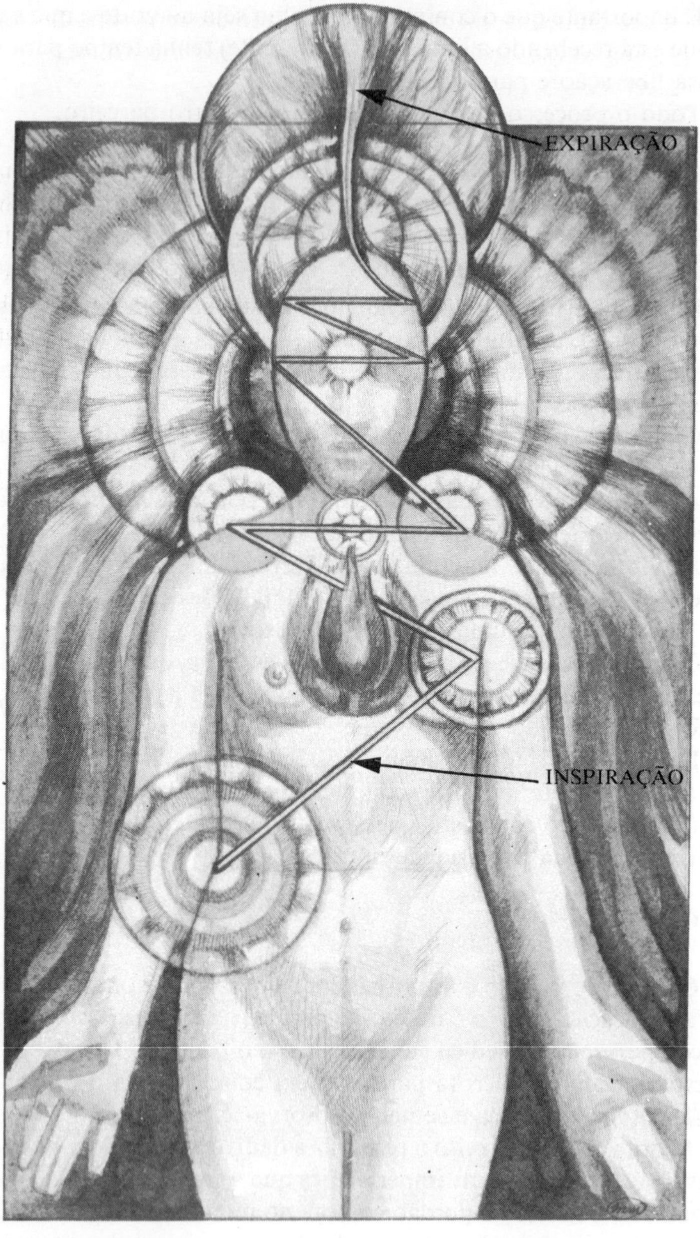

O RITMO DO PERDÃO

A luz é lançada, na inspiração, do lado esquerdo das costas para:

1. Um ponto do lado direito sob o braço direito.
2. O topo do ombro esquerdo.
3. O mesmo ponto do topo do ombro direito.
4. O ouvido esquerdo.
5. Através da cabeça, para o ouvido direito.
6. Para um ponto na lateral da cabeça, a meio caminho entre o ouvido esquerdo e o topo da cabeça.
7. Um ponto semelhante no lado direito da cabeça.
8. A luz relampeja para fora, pelo topo da cabeça, na expiração.

Faça isso pelo tempo que você precisar.

*DEUS "EU SOU" O Eu Arco-Íris**

Preencha o invólucro de seu corpo, agora, com a presença de você mesmo, acendendo o centro de cada átomo do seu corpo com um minúsculo sol de pálida luz dourada.

Deixe que cada célula seja preenchida pela alegria da Vida e veja-as se tornarem cada vez mais brilhantes... Sinta todo o seu corpo incandescente com a presença de si mesmo — milhões e milhões de minúsculos sóis dentro de seu corpo... um corpo de Luz dentro de seu corpo físico.

Agora, dirija sua atenção, por um momento, para o corpo do planeta e vá diretamente para o centro da Terra. Lá, no centro, encontra-se uma estrutura cristalina de substância — luz rosa e dourada, exatamente igual àqueles pequenos sóis em seu corpo. Seu corpo é parte do corpo do planeta.

Ligue-se com este centro, coração do planeta. Sinta-se apoiado lá. Fixe sua própria forma a ele. Sinta-se seguro, apoiado na solidez da mãe e do seu próprio corpo.

Então, dirija sua atenção para o centro do peito. Penetre nele e localize o centro do coração. Ele é semelhante a um globo de luz iridescente, dentro do qual há uma chama tríplice de intensa radiação

* Texto em cassette ainda não editado no Brasil.

e poder... É aí que sua divindade está fixada, seu espírito, a luz que você é como inteligência, consciência, vida e vitalidade.

Deixe seu corpo na segurança da mãe e siga o raio de luz, que está firmado em seu coração, para cima, para a fonte maior acima de você. Siga o raio de luz direto para cima, através da garganta, da cabeça, e continue subindo...

Conscientize-se das mudanças da vibração ou dos sons interiores... das sensações... enquanto sobe nessa rota vertical para o seu Eu Divino...

Até chegar, ao mesmo tempo, a um espaço de infinita paz e intensidade, a uma imensa luminosidade brilhante que é você.

Saiba que está num corpo de matéria e também está numa fonte de Luz.

EU ESTOU AQUI... EU ESTOU AQUI...

EU SOU O QUE SOU...

Além dos milhões de sóis... "EU SOU"... luz cristalina com nuances de arco-íris. Um Grande Sol Central dentro de sóis de gloriosa Luz. Esferas concêntricas de cor que se expandem.

EU SOU um BRANCO infinito brilhante como o de milhares de sóis. Um pérola ofuscante de força criativa ilimitada... expandindo-se

EU SOU uma esfera-sol DOURADA tremeluzente suspensa no espaço, em infinita paz e inteligência... expandindo-se.

EU SOU um globo de incandescência efervescente de um ROSA cintilante, curando, alimentando o amor... expandindo-se.

EU SOU uma pedra de RUBI de amor, profundamente protetor, uma couraça protetora... expandindo-se.

EU SOU um coração VIOLETA flamejante com órbita que atinge o infinito... a Graça purificadora, transmutadora... expandindo-se.

EU SOU as brasas VIVAS de sóis VERDE-MAÇÃ... vida e riqueza abundante... expandindo-se.

EU SOU o glorioso AZUL cósmico de pureza cósmica... a matriz de toda criação, o pano de fundo de todas as minhas formas... expandindo-se.

O Sagrado Fogo da Respiração de Deus EU SOU, Vida e Amor pulsantes.

Deus "EU SOU".
Deus "EU SOU".
Deus "EU SOU".

Morte: a Alquimia Final

DESENVOLVIMENTO EVOLUTIVO

Vamos retornar ao início. Aquilo que somos em sua complexidade é composto de camadas variadas de substância, tanto de luz quanto física. Recebemos a substância do próprio planeta, quando estamos prontos para a experiência do aprendizado da maestria e controle da energia e da substância em todos os níveis.

O que reside na substância é inteligência ou consciência. A consciência provém do espírito individualizado e reflete os níveis de expressão em diferentes planos. A interação da consciência com a substância, principalmente com a substância física densa do núcleo do planeta, cria a alma ou a substância espiritualizada. A substância espiritualizada é altamente maleável e agora diretamente responsiva à orientação do espírito — que somos nós no nível mais elevado.

A atividade no nível da encarnação física, como foi dito anteriormente, é a mais importante, pois fornece a melhor (e única) possibilidade para o autodomínio e a liberação maior da substância da alma. De fato, o propósito da encarnação física é a Ascensão — aperfeiçoando a matéria no nível dos corpos físico, emocional e mental. No momento da Ascensão, misturamo-nos com nossos eus superiores que estão no sétimo plano e completamos o círculo de nascimentos físicos.

Durante o processo das vidas, estamos nos integrando a nossos eus (ou melhor, estamos ainda desenvolvendo as faculdades expressadas) em níveis interdimensionais. Quanto mais tivermos de nós mesmos (isto é, quanto mais tivermos desenvolvido nossa consciência em diferentes níveis), mais energia, quantidade de movimento e poder possuimos para atingir a intensidade vibratória do eu superior, para com ele nos fundirmos. O aprendizado no nível da encarnação física nos leva, então, para outros aprendizados em níveis mais elevados e amplos.

Se pararmos, por um momento, para pensar no processo de aprendizagem, chegaremos à conclusão de que, para estarmos neste nível (humano) de desenvolvimento, tem de ter havido estágios anteriores de aprendizagem. Tem de ter havido.

O pensamento tridimensional, particularmente o científico, adora acreditar que descendemos dos animais. A verdade é que descendemos sim, mas de uma maneira totalmente diferente da que tem sido explicada. Nós, como consciência individualizada *não* descendemos do macaco. A VIDA sim.

O processo de evolução começa quando o espírito penetra na matéria em estados amebianos simples e desenvolve uma complexidade cada vez maior, como costumamos pensar. Mas o que cria a ameba, em primeiro lugar?

Os elementais são consciências dentro de um domínio ou reino, como já defini num capítulo anterior, que é paralelo ao humano. É inferior apenas no sentido de que é mais simples. Os elementais são os construtores da forma. Um elemental é uma consciência que está aprendendo a criar a forma a partir do mais simples para o mais complexo, exatamente como aprendemos a expressar maestria a partir de sistemas de criatividade mais simples para os mais complexos. Os elementais crescem e se desenvolvem segundo o grau de criações complexas que podem manipular. Começam com a construção de um átomo depois de moléculas e, depois, de organismos...

São os elementais que constroem nossos corpos e tudo o que tem forma, inclusive nossos produtos sintéticos. Tudo é derivado da substância a nós acessível através da atividade dos elementais. Obviamente, uma árvore é mais complexa do que uma pequena planta ou uma alga. Um corpo humano é mais complexo do que uma ameba. Toda forma é construída pela atividade elemental sob a direção da inteligência superior. Como foi explicado anteriormente, os elementais seguem as cópias formuladas pela mente humana. Do mesmo modo que as amebas e o organismo humano, a forma animal também é criada pelos elementais.

Essas formas criadas por eles são habitadas por consciências em níveis paralelos de desenvolvimento. A consciência que habita os animais não tem nada a ver com a consciência que habita o corpo humano. Há uma alma de grupo que supervisiona, por assim dizer, cães e gatos, vacas e rinocerontes. Essa alma de grupo é elemental por natureza e qualitativamente diferente daquela consciência individualizada do ser humano, que contém a liderança e os atributos da divindade como Criador.

Então, como os elementais nasceram para imitar o que quer que lhes seja apresentado, eles adoram imitar especialmente as qualidades humanas (isto é, elfos e gnomos, fadas, salamandras e silfos). Os elementais se individualizam (isto é, desenvolvem uma alma individual) através do contato mantido e da proximidade com a consciência dos seres humanos. É por isso que vemos nossos animais domésticos expressando qualidades humanas. Eles são "quase" humanos e muitos de nós poderíamos argumentar que, de fato, eles parecem mais humanos do que alguns seres humanos. Contudo, eles ainda não estão no domínio da evolução humana.

Quando aquele animal morre, seu amor para com os humanos e proveniente dos humanos desenvolveu nele um desejo de se expressar como um ser humano. Esse impulso pode levá-lo aos estágios iniciais do desenvolvimento humano. Há um salto... do Elemental para o Humano. Mas é importante compreender que esse desejo não é suficiente para levá-lo aos domínios humanos. Ser humano é apenas uma das possibilidades a que a alma de nosso amado animal-humano está exposta. Como um Espírito Elemental altamente evoluído e complexo, ele pode escolher voltar-se para criações cada vez maiores, ultrapassando totalmente os níveis humanos.

A evolução humana é única. É o Caminho Alquímico, planejado para o propósito do aprendizado do autodomínio e co-criação com a divindade. Cada ser humano é uma semente de Deus. Cada alma humana em encarnação é uma consciência individualizada da divindade, com todos os seus poderes e uma possibilidade ilimitada (embora ainda não integrada). O animal, como toda a vida elemental, serve à evolução humana ou da semente de Deus.

Além e paralelamente à humana, há outras evoluções. Quando nós, como humanos, tivermos dominado o plano humano ou Excelso (tendo realizado a Alquimia Final), também teremos de enfrentar o mesmo tipo de salto que nosso Espírito Elemental evoluído enfrentou numa outra modalidade de expressão. Podemos escolher permanecer na aura do planeta ou irmos para outros sistemas, ou entrar, se possível, nos domínios angélicos. As possibilidades são enormes e mais do que eu poderia indicar aqui.

A EXPERIÊNCIA DA MORTE COMUM

O que ocorre durante os milhões de vidas precedentes à Ascensão, onde o indivíduo está aprendendo, através das obras do karma ou lei de causa e efeito, como manipular sistemas de energia crescentemente complexos? O que acontece com o fluxo de vida individual?

Através de minha própria experiência e de minhas observações de pessoas em meus grupos e laboratórios sobre Morte do Ego (que descreverei mais adiante), poderia dizer que, embora a substância do corpo se desintegre, sua correlação no nível da mente inferior (a identidade formada ao redor do corpo ou da personalidade) persiste... por algum tempo. Então se desintegra ou se reorganiza em alguma outra coisa.

Compreenda que toda substância que não se desintegrou na Luz (como na criação da alma ou do Corpo Imortal de Luz na Ascensão) se dissolve. Desse modo, vemos como os corpos inferiores, os corpos físico, emocional e mental, se desintegram após um certo período de tempo. Isso não pode acontecer em níveis superiores; os corpos superiores não são, por assim dizer, perecíveis.

É possível experimentar a morte emocional e mentalmente, enquanto ainda em encarnação. É possível experimentar a morte do ego ou da identidade e se recriar conscientemente. Isso é, de fato, o fundamento sobre o qual a Alquimia Interior está construída.

PSICOLOGIA E MORTE DO EGO

A psicologia (as obras dos três corpos inferiores ou personalidade) é o conceito chave na compreensão da evolução da personalidade interna e externa e ao longo das encarnações. A psicologia é o que leva a personalidade, ou a identidade particular do fluxo de vida individual, a persistir.

Não há basicamente nenhuma diferença entre uma pessoa viva e um espírito desencarnado, no que se refere à psicologia. Um espírito ainda tem a identidade de um mundo pessoal e persistirá através daquela personalidade, contanto que ele se agarre a ela ou seja alimentado pelos sobreviventes humanos que recordam e confirmam aquela identidade. Quando o espírito não tem conhecimento de nada além da vida na Terra, projetará a realidade de maneira terrestre, que lhe é reconhecível. Ele vê suas próprias projeções do mesmo modo que os humanos encarnados o fazem. Estes são os espíritos com os quais fazemos contato em sessões espíritas e que assombram casas e que continuam a agir como se estivessem vivos, mesmo que reconheçam que não têm mais corpos (o que nem todos fazem).

Trabalhei com o que, no passado, foi chamado de "grupo espiritualista de resgate", cuja principal função era avisar aos recentemente (e algumas vezes não tão recentemente) mortos da "mudança". Devido ao fato destes espíritos não saberem nada do após-vida, sua perspectiva está ligada à Terra. Eles respondem mais a nós do que aos ajudantes que estão em corpos de Luz.

Foi nossa função trabalhar em cooperação com grupos de ajudantes "do outro lado" e dirigir esses espíritos para aqueles que poderiam guiá-los e instruí-los apropriadamente.

Você poderia conceber essa etapa do após-vida como um tipo de Grande Estação Central. Há ajudantes prontos a guiar as pessoas, mas as pessoas precisam querer vê-los e receber sua orientação. Era nossa função auxiliá-los a aceitar sua morte física e, deste modo, permitir que suas vibrações se elevassem para outras realidades e consciências.

Esse tipo de atividade ocorre em níveis astrais dentro da realidade tridimensional, mas sem a ancoragem do corpo físico de substância. O recém-chegado tende para locais, pessoas e coisas, segundo seu desejo por elas e sua capacidade de usar a projeção de pensamento. Uma boa descrição do que ocorre neste estágio é feita no filme "*Made in Heaven*"[1], onde o protagonista aprende a guiar-se através da visualização e do sentimento. Há guias para ensiná-lo e, de acordo com sua aceleração para a verdade superior, é levado para escolas e centros de aprendizagem, onde ele desperta mais ainda.

Quando está pronto (isto é, quando pode tolerar uma quantidade maior de energia), ele revê sua vida passada imediata, faz as avaliações necessárias e, dependendo do desenvolvimento de sua consciência, escolhe ativamente reencarnar e executar o que quer que seja necessário para completar seu aprendizado no plano terrestre e saldar suas contas. Se ele não tiver se aclimatado vibratoriamente ao eu superior, a decisão de encarnar será tomada independentemente dele. Ele pode também decidir trabalhar, durante um certo tempo, no estado fora do

---

1. "Feito no Céu" (N.T.)

corpo, como guia ou professor de pessoas encarnadas e que estão passando por lições semelhantes àquelas que ele está ensinando.

Em algum ponto ele precisa retornar ao corpo físico. Ele não pode se graduar sem estar num corpo físico. Como foi explicado anteriormente, o plano tridimensional fornece o campo ou as matérias-primas necessárias ao desenvolvimento da experiência. O corpo físico fornece o veículo. A transmutação deste veículo, no momento da Ascensão, fornece a ampliação, a extensão, a intensidade e a quantidade de movimento necessários à existência permanente num nível de vibração qualitativamente superior.

UMA OUTRA MANEIRA

Os ensinamentos contidos nos *Livros dos mortos* foram, talvez, o primeiro ensinamento espiritual deste planeta e provavelmente o úncio ensinamento necessário. Este ensinamento foi interpretado por muitas culturas e chegou até nós como *O livro tibetano dos mortos* e *O livro egípcio dos mortos* e muitos outros escritos, inclusive as tradições maia, hopi e veda. Recentemente, na revolução psicodélica e meditativa dos anos 60 e 70, quando as pessoas começaram a entrar em contato com a interdimensionalidade — a realidade sem forma e os mundos de freqüências coloridas e sônicas da Luz — surgiram interpretações modernas dos *Livros dos mortos*, inclusive a versão de Timothy Leary e o *Livro americano dos mortos* de E. G. Gold.

Pesquisei esses livros e criei laboratórios ligados a eles por muitos anos, desenvolvendo um cenário experimental para a compreensão e refinamento de nosso poder de criar realidade. Inicialmente, chamei estes laboratórios de "A experiência pessoal do Bardo", que era uma variação do "*Bardo Thodol*" ou viagem no após-vida. O processo durava de quatro a dez dias numa fase de reestruturação intensiva. A experiência culminante era a da morte do ego, através da projeção fora do corpo, conscientemente estimulada, para além dos parâmetros conhecidos da mente inferior.

Nesses laboratórios, buscávamos estimular as faculdades do pensamento, do sentimento e da palavra falada e, alquimicamente, extrair formas de pensamento e sentimento que servissem à nossa intenção. Buscávamos recriar a nós mesmos na imagem do eu superior. Embora isso não seja totalmente nem precisamente possível, no sentido físico, são possíveis grandes transformações de personalidade, que afetam e influenciam a estrutura física e toda a teia da própria realidade. É possível dar à luz alguém, não apenas espiritualmente (como indicam as escrituras hindus e cristãs), mas também no nível da remodelagem pessoal e física.

No final de cada laboratório, recito uma leitura compilada, que chamo de "O livro da vida". Este livro consiste numa viagem passo a passo pelo "Bardo", usando o mesmo mapa visual de Luzes simbólicas e cores do tibetano, que representam as energias e faculdades do eu superior.

A EXPERIÊNCIA DO BARDO

No primeiro momento da partida do veículo físico, quando a quantidade de movimento está em seu nível mais elevado, a consciência entra em contato com o Eu da décima segunda dimensão em toda a sua glória e poder. A menos que tenha sido treinado e purificado para manter essa intensidade, não pode permanecer ali e desce para o nível seguinte, o eu da décima primeira dimensão, e continua a descer até que se encontre num nível vibratório em que se sinta à vontade. Chamo este primeiro estágio de "Primeiro e segundo relances".

No estágio seguinte, que engloba a maior parte da viagem, a consciência confronta-se com a realidade da projeção mental e emocional e sua criação de formas-pensamento. Nesse ponto, as várias Luzes, que no Oriente eram representadas por deidades, começam a aparecer, atraindo e repelindo a consciência individual, dependendo de seu próprio desenvolvimento e da capacidade de aceitar e absorver essas qualidades dentro de si mesmo. Isso ocorre em diferentes períodos de tempo, que eram chamados de "dias" na antiga linguagem.

As Luzes são cores primárias que representam as vibrações do espaço e dos elementos que surgem para compor os três corpos inferiores, ou a personalidade. Se a consciência individual aprendeu as lições, mesmo que parcialmente, nos níveis dos três corpos inferiores, será capaz de se integrar a estas luzes e interromper a viagem, que é retrógrada e negativa.

Se, por outro lado, o indivíduo não tiver feito o seu dever de casa durante a vida, continuará a projetar distorções, obstáculos, medos e todos os tipos de horrores (proporcionais à sua própria consciência culpada), levando-o a perder o controle e a desejar a segurança de um corpo físico e das condições que lhe são familiares, mesmo que limitadoras. Nesse ponto, é possível a ocorrência do renascimento inconsciente.

O restante da jornada guia a consciência individual para a busca do possível renascimento mais elevado, sob condições ótimas para a evolução espiritual e autodomínio.

Depois dos primeiros estágios da viagem, quando é incapaz de se fundir aos eus das décima segunda, décima primeira e décima dimensões, a consciência individual projetará um eu superior, deus, deidade ou autoridade externa a si mesma. Durante a viagem, se o indivíduo ainda se encontrar nesses níveis, é encorajado a evocar os mestres ou aspectos mais elevados que conheceu, para apoio e emulação, como força captadora das freqüências vibratórias mais elevadas. Coincidentemente, o tempo todo o fazem lembrar que "EU SOU O QUE SOU".

O processo psicológico aqui descrito, e que agora está disponível na fita cassette *The Book of Life**, consiste na conscientização e experimentação de nossos mecanismos projetantes e filtrantes em operação durante toda a experiência humana, estejamos ou não em encarnação. Conforme vamos nos conscientizando desses mecanismos, liberamos o antigo, o habitual e o automático e nos abrimos para o novo e o consciente, perdoamos a nós mesmos e aos outros, esquecemos os impulsos e vínculos que nos ligam ao passado, trazemos luz, criamos luz e elevamos as vibrações de toda a vida ao nosso redor.

ALQUIMIA E O PROCESSO VIDA-MORTE

Como podemos ver, não basta que existamos num corpo físico, passemos a espírito e ressurjamos algum tempo depois. Há um infinito além da vida, quer estejamos num corpo material, quer num corpo espiritual. O processo é o mesmo! Saber disso nos permite viver plenamente nossas vidas no momento atual, sem temor da assim chamada vida e da assim chamada morte. Vida e morte consistem no *mesmo processo*. Se temos medo de morrer, também temos medo de viver. Vi-

---

* Ainda não editada no Brasil.

ver plenamente, à vista do que em suas expressões multifacetadas, conscientes de toda a vida ao redor... é conhecer o mito da morte e do morrer.

O infinito está dentro da consciência no Agora. A Vida vai além de nossas psicologias, nossas identidades, além de nossos medos, nossas emoções, nossas personalidades, nosso sexo, nossa cultura, nosso conhecimento. Somos apenas um fragmento.

Podemos realizar a Alquimia Final no momento da morte consciente e também no intervalo exatamente após a morte física, onde o elo com a matéria do corpo ainda está fresco e próximo. Até esse momento, podemos criar a vida e a realidade, que pressentimos através da aplicação dos métodos da Alquimia Interior — os processos que nos dão as habilidades necessárias para alcançarmos a perfeita maestria.

A viagem pelo após-vida, como ensinada através das eras nas práticas religiosas, nos expõe a vários testes. Cada aspecto da viagem exige uma certa habilidade. Cada uma dessas habilidades vem sendo ensinada à humanidade através das eras pela mística oriental e ocidental e por práticas espirituais, desde a védicas até as mânicas. Os ingredientes de cada viagem são os mesmos. O mapa tibetano pode ser diferente do hopi ou dos aborígenes australianos, mas apenas na aparência. Cada escola de pensamento, ao longo da história, esforça-se em treinar o ser humano no uso das habilidades necessárias para que ele se torne um mestre. As habilidades variam das simples às múltiplas.

Cada caminho espiritual exigirá que aprendamos a empregar a integridade, bem como o discernimento, a entrega, a resistência adequada e uma capacidade de manter níveis elevados de intensidade e foco. Somos levados e desenvolver a capacidade de resistir à ilusão e às "aparições" — aqueles esqueletos que aparecem no quarto e que compõem nossa bagagem vida após vida. Somos persuadidos a encarnar o poder em suas várias expressões. Somos encorajados a silenciar a conversinha da mente, para que possamos ouvir o real por trás do ilusório, e nos é mostrado como acalmar os remoinhos de emoção, através do desenvolvimento do propósito e da integridade. Somos propelidos a práticas, que nos colocam em contato com a transitoriedade da forma, suas permutações e todo um mundo de energia expressa através do som, da cor e da luz... Somos instruídos quanto à maneira de canalizar o sentimento para dentro da forma. E, finalmente, somos desafiados ao alinhamento com a divindade e à avaliação de nossa herança — a existência como nosso pátio de recreio.

Se nossa viagem no após-vida assemelha-se a uma tapeçaria tibetana ou a a um calvário cristão, a experiência é a mesma. Ter sucesso numa jornada como essa é alcançar os níveis de autodomínio; falhar é ser atirado a um nível de vida inferior, para a qual somos atraídos por nossos hábitos. Em ambos os caminhos, o indivíduo se confronta com a vida, com as suas criações e consigo mesmo...

A morte pode ocasionar, e eventualmente proporciona, a Alquimia Final. Mas você não precisa esperar pelo momento da morte física para empreender essa viagem. Se você leu este livro até aqui, você já a iniciou.

Se você deseja experimentar a morte do ego, pode seguir as sugestões dadas a seguir. Compreenda que a viagem para a parte maior se dá através dos mundos astrais do desejo e da realização do mesmo. Medite com as práticas que expandem e contraem seu campo áurico, tais como algumas das práticas com o corpo cinestésico sugeridas por Jean Houston. Faça um diário de seus progressos. Medite por meio da Luz e da cor, das práticas respiratórias e da oração. Antes de tudo, torne a morte do ego psicologicamente real para si mesmo.

A seguir, há as instruções que acompanham as leituras anexas à fita cassete *The Book of Life* e que serve como estágio preparatório para a morte do ego.

PREPARAÇÃO PARA A EXPERIÊNCIA DA MORTE DO EGO

Pergunte-se como tem vivido sua vida, o que você realizou e como se sente em relação a esta vida que viveu até agora. Isso precisa ser feito de uma perspectiva pessoal — em outras palavras, como você genuinamente se sente e não como acha que *deveria* se sentir ou como acha que *deveria* ter vivido sua vida.

Prepare-se para morrer, digamos em três dias, em algumas horas... o tempo que for necessário para que você revise sua vida e faça os preparativos para a partida e a liquidação de suas propriedades ou negócios. Torne tudo bem real (o que, de fato, *é*, do ponto de vista "interior").

Afaste-se das distrações. Fique sozinho, com a intenção de *ter unicamente a sua própria companhia*. Arranje um espelho de mão, grande quantidade de papel para escrever, tecidos, fotografias de si mesmo e de seus entes queridos e quaisquer outras coisas de pessoas, locais e coisas que lhe tenham sido caros. Prepare-se para liberar suas memórias, como se as estivesse revivendo.

OBS.: Esse processo envolve a reestimulação consciente de seu corpo emocional, com o propósito de integrar as experiências vividas. Este *não* é um processo de julgamento, acusação ou imputação de culpa a ninguém, particularmente a si mesmo. As emoções experimentadas fazem parte da bagagem não expressa ou não experimentada, que se junta ao seu redor e o impede de viver plenamente no momento. Tristeza, culpa, raiva, frustação ou profundidade de amor e ligação, todos esses sentimentos devem ser encarados e integrados por meio do perdão, tanto em relação a si mesmo quanto em relação aos outros. O amor é o único caminho, o único processo, a única energia transmutadora.

AMOSTRA DAS QUESTÕES

É muito importante que você realmente escreva num papel as respostas ou observações. Não basta pensá-las.

1. Qual é a qualidade predominante expressa em sua vida? (Isto é, como os outros o enxergariam?)

2. Quais têm sido seus desejos, anseios e vontades ao longo dos anos? (Na infância, na adolescência, no início da vida adulta...) Eles mudaram? Como? Foram realizados? Quais os que ainda não foram?

3. Examine a natureza de suas relações com a família, com o ser amado, com os adversários, colegas, filhos e animais. Observe se há alguma tendência nessas relações. Faça uma lista daquelas que considera positivas e das que considera negativas. O que elas têm em comum? O que isso diz a seu respeito? Você já amou *realmente* alguém? Quem? Como você expressou isso? Como poderia tê-lo expressado melhor?

4. Ao olhar para as suas áreas "problemáticas", suas dificuldades e embaraços e para a maneira como você os encarou, você poderia dizer quais têm sido suas lições na vida?

5. Agora que sabe que está morrendo, faça uma lista das coisas de que se arrepende. Como melhoraria suas ações, se tivesse uma outra chance?

6. Olhe para o que tem aprendido e como tem aprendido. Observe especialmente os sofrimentos e o que eles lhe ensinaram. Você poderia ter aprendido digamos a "humildade" de algum outro modo?

7. Quem têm sido seus professores — aquelas pessoas que lhe dão a oportunidades de aprender o domínio sobre a energia de seu corpo, sua mente, suas emoções...? Faça uma lista dos professores ou encontros "negativos" e também dos positivos.

8. Faça uma lista de pelo menos 300 pessoas que você conheceu desde a infância. Faça uma lista dos lugares por onde tem andado. Coloque-os em ordem de preferência.

9. O que você ainda precisa aprender? Como você poderia aprender melhor isso? Que tipo de vida construiria para si mesmo, de modo a se dar as melhores oportunidades de aprender e *encarnar* isso? Onde escolheria ter nascido? Que sexo e condições sociais precisaria ter?

10. O que você está deixando que ainda não está terminado? O que seria necessário para completá-lo?

11. Qual seria o epitáfio apropriado para a sua vida até agora?

12. Escreva pelo menos três "Cartas de adeus" — especialmente para companheiros(as), filhos e pais. Escreva também cartas de liberação, perdão e benção para aqueles que o prejudicaram ou que tenham sido prejudicado por você. Pergunte-se como pode melhor deixar esta vida — com integridade e honestidade.

13. Revise seu sentimento a respeito da Divindade. O que é ela? Onde está? Revise seus sentimentos a respeito do após-vida, do espírito, da Fonte, da Luz e da eternidade. Descubra a *sua* maneira de rezar.

Quando você se sentir pronto para partir, com um profundo e sincero sentimento e a sensação de que está fazendo o melhor para este momento (terminando aquilo que não pode fazer fisicamente, porque não pode voltar atrás no tempo, mas o faz através das cartas), então pode se colocar nas mãos do Espírito.

Você pode ligar a fita cassete *The Book of Life* ou pode entrar em meditação por sua própria conta, com a afirmação-pensamento-sentimento:

SEJA FEITA A SUA VONTADE.

momento (terminando aquilo que não pode fazer fisicamente, porque não pode voltar atrás no tempo, mas o faz através das cartas), então pode se colocar nas mãos do Espírito.

Você pode ligar a fita cassete *The Book of Life* ou pode entrar em meditação por sua própria conta, com a afirmação-pensamento-sentimento:

SEJA FEITA A SUA VONTADE.

Vida de Sonhos

Com as relações e a experiência da plenitude da vida, que a proximidade do conceito de morte traz, um outro aspecto igualmente importante de nossas vidas é o sonho. Quer durante o sono ou não, este mundo de sonhos é a verdadeira matéria-prima sobre a qual gira a Criação.

IMAGINAÇÃO

Todas as vezes que você olha, pensa, lembra, planeja ou deliberadamente imagina, uma imagem visual vem à tona e é arquivada ou impressa em sua memória. Há inúmeros estudos psicológicos que documentam o papel essencial desempenhado pelas imagens na memória, na experiência e no próprio pensamento. Os estudos mais relevantes para o meu trabalho e meus favoritos são aqueles realizados por Robert Masters e Jean Houston, na Fundação para a Pesquisa da Mente, no estado de Nova York.

Masters e Houston verificaram que há quatro níveis de pensamento nas imagens. Cada um desses níveis é experimentado diferentemente pelos indivíduos. Dependendo do temperamento de cada um, as imagens serão sensorial, visual, auditiva ou emocionalmente ativadas. Os níveis variam desde a entrada factual imediata de dados sensoriais, através do processo mental de avaliação e integração dentro do banco de memória, através da fase mítica estilizada do coletivo, até a experiência luminosa de nível espiritual. Cada nível de pensamento consiste num processo correspondente de imagens visuais.

Mesmo os cegos constroem formas correspondentes em suas mentes, que agem como ponto de referência para o pensamento e a operação nas atividades da vida. A própria imagem não é importante: o fato de que criamos uma forma para os conceitos é que o é. E esse pensamento é o processo de uso e construção das formas (como foi explicado no capítulo "O Poder do Pensamento"). As imagens têm para a inteligência o mesmo valor que a respiração tem para o corpo humano.

A mente é uma faculdade da inteligência e é também um depósito de imagens: imagens de nossa vida atual e de nossas crenças, daquelas do tempo de nossas vidas passadas, da atividade interdimensional, das fontes cósmicas... e de toda a área de vida concebível no universo.

Ao lembrarmos de que tudo o que percebemos precisa passar pela interpretação de nossa própria experiência, veremos a realidade através das lentes de nossa individualidade e, uma vez que nossa individualidade existe em níveis múltiplos da existência, testemunhamos imagens correspondentes em cada nível. Sonhamos sonhos dentro de sonhos, a cada respiração, a cada piscar de olhos...

NÍVEIS DE SONHO DURANTE O SONO COMUM

Como mostrei num capítulo anterior, quando dorminos, nossa mente não pára de funcionar. Se não resolvemos um assunto durante o dia, esse assunto procurará ser terminado durante o estado de sonho. Assim, o primeiro nível de sonho se refere à nossa realidade imediata tridimensional: nossos corpos, nossos relacionamentos, nossos assuntos... As conclusões obtidas neste nível serão úteis — positiva ou negativamente — embora algo absurdas. Neste nível, sonhamos que estamos bebendo um grande copo de água, se acontecer de estarmos com sede; que estamos fazendo amor, se acontecer de estarmos sexualmente frustrados; que estamos esmurrando nosso chefe, se estamos zangados no trabalho; que estamos chamando um amigo que retornou no dia anterior... Aqui podemos encontrar a resposta para as situações ameaçadoras, e profeticamente intuir as situações de pessoas com quem estamos envolvidos emocionalmente. Este é o nível da vizinhança física, mental e emocional, o nível mais comum de sonho, quando dormimos.

Digamos que resolvemos nossos negócios do dia e que não há tensão exercendo qualquer pressão sobre nós nessa direção. O nível seguinte de sonho será o da realização de desejos: nossos desejos, esperanças e aspirações. Acoplados a eles, para algumas pessoas, há a tática de sabotagem dos níveis mais profundos do corpo emocional, os níveis da mente subconsciente: as culpas, os medos, as projeções catastróficas de violência ou desgraça, os pesadelos...

Se acontecer de termos nossas vidas diárias bem esclarecidas e conhecermos quais são nossas esperanças e desejos... e talvez tenhamos dado a eles alguma saída criativa... os níveis de sonhos então pertencerão amplamente à vida interdimensional. Neste nível residem também as soluções para os problemas colocados pela mente superior, como no caso de grandes cientistas, que relataram encontrar soluções para grandes problemas matemáticos ou científicos através de sonhos, ou encontraram a resposta logo após acordarem. Este reino de sonho pertence à vida da mente superior (além do pensamento-personalidade) e à vida espiritualizada dos planos mais elevados.

Nesse último nível de sonho encontramos os símbolos, desde os coletivos até as formações de cores altamente abstratas das dimensões superiores. Aqui também temos os encontros exaltadores e algumas vezes experiências vividas de vidas passadas, que parecem desenrolar-se como num filme. Os sonhos proféticos (que não pertencem ao nível de vida pessoal imediata)... Os encontros com figuras sábias, as figuras arquetípicas do mito e da fantasia...

Esses níveis de sonho relacionam-se à nossa experiência dentro dos mundos de imagens da mente inferior, da mente superior e da mente de Cristo, e podem ser igualmente aplicadas tanto ao estado de alerta quanto ao de sono. Isso inclui a fantasia, o devaneio, a meditação e os *flashes* intuitivos de premonição e lembranças inexplicáveis e estranhas.

CORPOS DE SONHOS

Retornemos aos nossos sete corpos básicos, aqueles contidos em nossa aura e que foram descritos no capítulo "Anatomia energética humana". Cada um desses corpos não apenas serve como veículo para a experiência nos aspectos superiores da expressão e interdimensionalidade, mas também tem uma espécie de mente repleta de memória e imagens.

Neste ponto, a definição do termo "sonho" aplica-se a um atividade que vai além da noção do fato ou da fantasia. É o mesmo termo que as culturas xamânicas antigas aplicavam, quando se referiam à viagem do sonho: a viagem multidimensional através do tempo e do espaço.

Quando a consciência está situada ou estacionada num certo ritmo vibratório, que corresponde a um corpo diferente do físico, e está treinada na sustentação da atenção deste veículo, o indivíduo pode penetrar no arquivo da mente ou nas memórias do corpo em questão e iniciar uma viagem de sonho.

A VIAGEM DO SONHO

Além do nível do Corpo Físico, que esgota os enredos da vida diária, inclusive os desconfortos físicos, as doenças e as repressões, reside o segundo corpo ou Corpo Emocional. Este é facilmente estimulado pelas vibrações e impressões sensoriais. Projeta visões encantadoras, que são extensões dos sentidos. Músicas, mantras, aromas e cores afetam os estados de sonhos nesse corpo de visão poética e romântica... de Krishna e seus gopis, de céus muçulmanos e infernos cristãos...

O terceiro corpo, ou Corpo Mental, contém dentro de si as atitudes e impressões de nascimentos anteriores e do passado em geral. Esse corpo de sonho viaja no espaço, para além do medo da morte. Suas experiências são aventurosas, até mesmo homéricas. Seu âmbito é o passado e o presente.

O Corpo Etérico sonha com o passado ou futuro pessoais. Os métodos tântricos e do ioga de jejum e privação sensorial do passado estimularam os domínios criativos deste corpo, provocando sua mobilidade e criando um distanciamento, um testemunho do eu. Este corpo sonha interdimensionalmente e freqüentemente possui impressões de outros planetas e outros mundos.

O quinto corpo é o Corpo Mental Superior. Este corpo faz a ponte entre o pessoal e o eu superior e relaciona-se com a consciência como um todo, inclusive com o conhecimento da existência passada e os mitos da criação. É um corpo de alta individualidade. No nível do quinto corpo, podemos sonhar simultaneamente com um outro indivíduo também no nível de sonho do quinto corpo. Para irmos além do nível de sonho deste corpo, precisamos ir além do conceito da própria individualidade.

O Corpo Causal cruza o limiar da consciência pessoal e viaja para o domínio de mitos cósmicos, tais como o de Brahma e as noções orientais de *maya* ou ilusão, para experimentar a Unidade. Este corpo sonha com o material de onde se originaram as religiões e tece a teia dos grandes sistemas com o Criador. Neste nível, sonhamos um sonho sem um sonhador.

O último corpo, ou Corpo Eletrônico, nos lança na experiência do nada e do infinito e aos sonhos de silêncio interminável, sem fronteiras ou tempo. As linguagens e imagens do espírito, se existirem, serão tão vastas que para nós serão incompreensíveis ou inexistentes.

Concluindo, gostaria de dizer que o sonho é o verdadeiro material da Criação. Viver e sonhar são uma e a mesma coisa. Quando aceitarmos isso, poderemos começar a ter acesso ao potencial ilimitado que há dentro de nós, ao nosso alcance a cada momento, a cada respiração, a cada passo...

A Vida de Sonho é a vida maior, mais ampla do mestre alquimista, que, como Cervantes poderia dizer... *ousa* "sonhar o sonho impossível..."

INSTRUÇÃO

Como foi dito em outro lugar neste livro, se você pretende ampliar sua consciência, a fim de incluir os estados de sonho, seria melhor que se preparasse adequadamente, não apenas para entrar no estado de sonho, mas também para estimular as verdadeiras faculdades que necessitará nessa viagem de sonho.

Estimule sua atenção "a la D. Juan" de Carlos Castañeda, de modo a incluir todas as impressões subliminares, visuais e energéticas. Conheça sua fisiologia bem como sua psicologia, de modo que possa compreender e ultrapassar o sonho comum do corpo físico.

Crie a arena para suas explorações, delineando claramente sua intenção. Peça ao seu eu superior e aos Seres de Luz para ajudá-lo e orientá-lo. Não tenha nunca a arrogância de pensar que pode fazer isso sozinho. Você pode pedir ajuda à Fraternidade do Espaço, se isso o atrai. Saiba que seu "apelo" nunca fica sem resposta. Peça para ser instruído. Peça para ser levado. Peça para lembrar. Procure manter o fio de consciência, o *continuum* de consciência no estado de sonho.

Manter o *continuum* de consciência exige prática. Inicialmente pode se constituir num pesadelo acordado, pois isso eleva a freqüência vibratória do corpo, dando-lhe mais energia e tornando mais difícil escapar para a inconsciência comum. E, então, quando você cair no sono, inicialmente as impressões podem não ser muito claras. Continue tentando. Não desista.

No início, o que você trouxer de volta de seus estados de sonho pode não ser muito claro. Pode ser simplesmente uma energia, uma melodia, um símbolo... O que quer que seja, aceite-o e a você também. Escreva suas impressões. Treine suas faculdades visuais e de focalização, bem como sua capacidade de manter as imagens.

E, enquanto está se treinando, observe as mudanças em sua freqüência vibratória. Talvez você queira empregar um dispositivo de *biofeedback* ou uma daquelas máquinas de ondas cerebrais, que monitoram as mudanças das ondas beta para alfa, para teta. Quando você estiver se aproximando do estágio teta, exatamente antes de seus olhos se fecharem e de você estar pronto para escapulir... não se esqueça de se dar permissão para viajar a estes domínios superiores. Talvez você queira usar o texto dado aqui, para ajudá-lo a se lembrar de seus sonhos ou criar seu próprio texto em fita cassette.

Lembre-se de que sua mente é exatamente igual a um computador. Você pode programá-la. Focalize seu desejo por esta verdade superior e permita que a Luz o guie.

Não há diferença real entre o sonho e o transe, especialmente para o alquimista tarimbado. No transe, temos acesso a estados elevados de consciência, através da intermediação do eu superior e de nossas faculdades nas diferentes realidades dimensionais. Nesses estados, comungamos com a natureza e co-criamos com a divindade. Estamos em associação com a Luz. Essa viagem de sonho é um estado de transe consciente alcançado através da própria ativação dos corpos de sonho.

Nesse tipo de viagem não há lugar para a escuridão ou para as vibrações inferiores, particularmente se você adquiriu o hábito de se envolver no tubo de substância-Luz eletrônica. Este tubo é , como já mencionamos, não apenas protetor, mas também uma verdadeira passagem, uma passagem interdimensional através da qual você sobe, como se fosse através de um túnel de luz, diretamente para os planos superiores, ultrapassando os domínios astrais inferiores (que constituem o domicílio do xamanismo, da feitiçaria e da magia negra). Seu tubo de luz é sua proteção de dia e sua passagem à noite. É um direto inato. **Use-O**.

PROCEDIMENTO NOTURNO (Técnicas da Alquimia Interior para Proteção dos Vários Corpos)

Uma vez que você inicie as práticas de Luz, sua atividade nos estados fora do corpo aumentam. Isso se deve à sua intenção reforçada de se ligar ao eu superior, ao Eu Divino, e de conhecer e aplicar as Leis da Luz. À medida que aumenta essa atividade, você fica sujeito a energias maiores e, uma vez que sempre existe a polarização na matéria, quanto mais Luz você encarnar, mais escuridão será atraída para ela. Essa mesma Luz é o que atraiu suas criações errôneas passadas, para que você as transmutasse, requalificasse e reintegrasse.

Seu corpo físico é especialmente vulnerável, quando você está dormindo. As energias atmosféricas influenciam seus corpos físico e emocional, criando estimulação, depleção ou outras alterações. Essas energias incluem influências astrais de entidades desencarnadas ou projeções de pensamento emocional de pessoas em encarnação. Lembre-se de que "Os semelhantes se atraem" e que você está operando muito através de seus antigos hábitos e desejos inconscientes. Você pode ver, então, porque é importante proteger-se e invocar o auxílio que lhe é oferecido pela inteligência dos domínios da Luz.

A prática de constantemente se referir a toda realidade manifestada (tridimensional) em termos de alinhamento com o Eu Divino acima de você cria a mais importante conexão. Essa visualização cria o tubo protetor de substância-Luz eletrônica ao seu redor, o que é suficiente, na maioria dos casos, para protegê-lo durante o dia, onde sua atenção mantém uma atividade consciente à serviço da Luz. À noite, esse tubo serve como passagem para os níveis interdimensionais de realidade. Embora ainda esteja ao redor de sua forma física, métodos mais fortes de proteção são sugeridos para o período noturno.

Quando você se recolher à noite, deixe seu corpo físico envolto num pilar de chamas — tanto da Chama Violeta, quanto da Chama Azul Espiral ou da Chama de Sete Lâminas (da testa, expandida de modo a cobrir todo o seu corpo e sua aura) ou da Chama Tríplice (do coração, expandida como a anterior). Dirija-se para a Presença eletrônica de seu Eu Divino e determine-se a ir para o Cinto Eletrônico ao redor do sol físico.

A Chama Violeta produz a ação de purificação e a transmutação da substância. A visualização da Chama Azul Espiral cria um turbilhão poderoso de atividade do primeiro raio, que elimina a substância impura no nível etérico e é protetora. A Chama de Sete Lâminas, na área da pituitária (ou terceiro olho) reúne a atividade dos sete raios primários de Criação e representa a atividade dos Elohins ou construtores da forma. Expandir esse fenômeno cria uma força poderosa que serve como couraça. Finalmente, a Chama Tríplice dentro do coração estabelece o local da substância do Fogo Sagrado original, a centelha que representa o você real ao nível da décima segunda dimensão. Com esta visualização, você invoca a associação com a força Divina (você mesmo) no nível mais direto e mais elevado.

O Cinto Eletrônico ao redor do sol físico simboliza as freqüências vibratórias de seu Eu Divino da décima segunda dimensão. Nesse nível você pode se ligar às sementes divinas de tudo o que existe neste sistema solar, inclusive o local das forças físicas e das energias, tais como os templos de cura e de instrução mais elevada. Dessa perspectiva, também, você é guiado ou inspirado para o trabalho que lhe é mais adequado no presente momento. Sua influência como presença radiante sobre o próprio planeta é elevada pelo contato consciente como essa dimensão.

Antes de ir dormir, o próximo passo é pedir ao seu Eu Divino que envolva seus corpos físico e etérico numa armadura de luz. Esta se assemelha a uma armadura mesmo e inclui um capacete semelhante a cristal e uma brilhante cruz de cristal. Se você se lembrar, o símbolo da cruz, particularmente de luz, elimina todas as linhas de força e representa a mais completa e imediata técnica de proteção.

Se você acordar no meio da noite, esforce-se sempre para lembrar onde esteve e, como foi sugerido anteriormente, registre o que quer que traga de volta com você. Se você acordar porque algo o está perturbando, tal como um pesadelo, tenha coragem e tente procurar a causa da perturbação. Uma vez localizada, intelectual ou energiticamente, inunde-a com a Chama Violeta e, se quiser, peça aos Seres de Luz, particularmente aos Elohins, neste caso, para que aniquilem essa causa. Reafirme seu círculo de proteção e volte a dormir, sabendo que é assim.

Se isso não for suficiente, repita em voz alta qualquer afirmação que você precise para eliminar a influência da energia sobre você. Talvez queira vizualizar-se segurando aquela espada de Chama Azul, e fisicamente eliminando as linhas de energia etérica ao seu redor, enquanto declara repetidamente: "Através do poder e autoridade de meu Eu Divino, eu ordeno que vocês sejam consumidas pelos fogos da Luz e do

Amor!... Vocês não têm poder!". Deixe que essas sentenças cheguem pela voz de seu Eu Divino dentro de você e lembre-se: "A Luz de Deus Nunca Falha...!".

*PERMISSÃO PARA LEMBRAR-SE DOS SONHOS**

Daqui a momentos você começará a entrar numa outra realidade, uma realidade menos comum. Você começa a se sentir mais desperto ou alerta, embora seu corpo comece a relaxar profundamente. Você se sentirá mais presente e contudo sentirá seu corpo profundamente relaxado.

Apenas deixe que seu corpo relaxe, afundando suavemente, confortavelmente no colchão. Desligue-se de seu corpo agora. Desligue-se também de sua mente. Você não precisa ir a nenhum lugar. Não precisa fazer nada. Não precisa dirigir ou controlar o que quer que seja. Seu corpo e sua mente merecem um descanso. Qualquer coisa não resolvida, poderá ser terminada amanhã, se você ainda o quiser. Agora permita-se apenas relaxar. Permita-se confiar.

Pode-se dar permissão para começar a se lembrar de seus sonhos e de suas atividades em outros níveis de realidade. Com o passar do tempo, você se lembrará mais e mais de seus sonhos e das atividades em outros níveis de realidade. Com o passar do tempo, você se tornará capaz de seguir o fio de consciência através do sono, despertando cada vez mais facilmente. Logo começará a se lembrar mais e mais de sua participação em outros estados de realidade e se lembrará cada vez mais de seus sonhos, de modo a poder registrá-los, trazendo de volta consigo todas as informações, alcançando percepções mais claras em sua essência própria, em seu desabrochar e também em relação aos outros. Este é um processo que ocorre tão rapidamente quanto você o desejar. Assim, tenha coragem.

Lembre-se de seus sonhos... Lembre-se de seu Eu...

Mantenha o amor em seu coração. Envolva-se na Luz e permita que essa Luz o leve aonde precisa ir.

Descanse agora. Confie em seu Eu Divino.

---

* Texto em fita cassette ainda não editado no Brasil.

Confie.

Mova-se para a Verdade e para o Amor.

Lembre de seu Eu.

Lembre-se de que você pode se ajustar à sua própria Presença Divina, que é Luz e consciência o tempo todo.

Lembre-se de seu Eu!

Pela manhã, você despertará revigorado e alerta, lembrando-se de seus sonhos cada vez mais precisamente, lembrando-se de sua natureza e compreendendo mais e mais claramente a natureza da realidade... Você acordará descansado e ansioso para saudar a vida e o novo dia.

Você é amado.

Você é Amor.

Lembre-se... de seus sonhos. Lembre-se... de seu Eu!

*O AJUSTE PERFEITO DO CORPO DE SONHO**

Agora prepare-se para dormir e saiba que você viajará através de outras realidades e de outras dimensões de existência, onde você também tem seu Ser.

Deite-se. Desligue-se completamente do peso de seu corpo e tome consciência de seu corpo a partir do interior. Para onde quer que dirija sua atenção, saiba que o que está dirigindo é a Luz. Preencha seu corpo de Luz e saiba que toda tensão, toda escuridão, toda densidade serão dissolvidas pela Luz.

Conscientize-se das tensões, preocupações, medos e expectativas existentes na mente — qualquer coisa — e permita que os pensamentos, memórias e emoções deslizem... para fora da mente. Sinta a sua mente líquida agora. Veja-a como um riacho cristalino. Frio. Um regato correndo sem obstáculos.

Lembre-se agora de sua intenção de se tornar mais e mais atento, mais e mais consciente, mais e mais uma testemunha. Uma testemunha de seu corpo, de sua mente e de seu espírito.

Observe sua respiração. Deixe-a tornar-se mais e mais relaxada,

---

* Texto em fita cassette ainda não editada no Brasil

enquanto você se desliga de seu corpo e de sua mente. Eles não são necessários aonde você vai.

Sinta agora os campos de energia dentro e ao redor de seu corpo. Dentro de você há um oceano de energia. Ao seu redor há um oceano de energia. Dentro... Fora... Permita que o interior e o exterior se fundam na totalidade de si mesmo, neste momento. Pura energia... Um campo vibrante de energia...

Observe as vibrações pulsantes, palpitantes que compõem seu corpo e seu campo de energia. Observe-as e alegre-se nelas. Deixe que sejam agradáveis. Deixe que o elevem à Paz. Êxtase.

Envolva-se com as cores do Amor, no sentimento do Amor. Sinta um campo de um profundo, profundo azul... ou violeta... ou rosa...

Agora, imagine um anel dourado suficientemente largo para permitir a passagem de seu corpo e de seu campo de energia. Veja-o exatamente acima de sua cabeça e sinta-o descendo em sua direção. Puxe-o para você e deixe que escorregue sobre seu corpo: acima, abaixo e ao redor... Veja e sinta essa substância de ouro vivo, resplandecente envolvendo-o agora... Ouça seu som sibilante... Sinta como ela suavemente desliza sobre e sob e ao redor de seu corpo... Lentamente iluminando e acelerando todo o seu corpo de energia. Você se torna mais claro... mais claro... mais intensamente claro!

Enquanto isso, o anel desliza suavemente, constantemente, para baixo, para baixo, para baixo... para seus pés... e para além deles... um metro além. Mantenha o anel lá... e... libere-o. Veja-o desaparecer no Infinito abaixo de você.

E sinta um outro anel, como uma onda, retornar a você. Veja-o e sinta-o suavemente elevar-se ao seu redor, acima e abaixo de você... como se empurrando-o cada vez mais para cima... suavemente... constantemente subindo para a sua cabeça e, então, situando-se a um metro acima dela. Mantenha a sensação desse anel de energia dourada a um metro acima de sua cabeça... E, então, libere-o. Siga-o enquanto ele se dissolve no Infinito acima de você.

Deixe que um outro anel desça agora, exatamente como o primeiro... descendo ao seu redor... e indo para o Infinito abaixo de você.

E um outro anel subindo agora, envolvendo-o... suavemente, constantemente elevando-se através e ao redor de você... indo para o Infinito acima.

Espalhando-se para baixo... e para cima... Um fluxo contínuo de anéis pulsantes de energia através e para além de você... para o Infinito abaixo, acima e ao redor.

Continue sentindo esses anéis dourados de substância-Luz, como ondas, subindo e descendo, para cima e para baixo ao longo de seu corpo... Deixe que seu corpo se dissolva dentro deles... fluindo interminavelmente com Tudo O Que É!

Sinta sua consciência elevando-se cada vez mais, ampliando-se cada vez mais através dos anéis... dentro e através do túnel de Luz... indo para o Espírito Puro... onde os sonhos são reais e a realidade é apenas um sonho! Desperte para a eternidade que você é.

Conclusões

A CORAGEM DE FICAR SOZINHO

A vida tem uma maneira maravilhosa de cuidar de nós. O único equilíbrio que precisamos estabelecer é entre a atividade e a inatividade, entre a mente e não-mente, entre o dar e o permitir a nós mesmos receber. Se realmente acreditarmos e ousarmos testar as práticas da Alquimia Interior... perceberemos que nada é impossível. Pela aplicação e associação com as forças de Luz, tudo é possível.

Nessa associação está tudo o que precisamos, interior e exteriormente. Encontramos a totalidade ou a unidade com nossos eus nas dimensões verticais do ser e não horizontalmente, "lá fora". Quando você sentir essa plenitude, a presença de seu Eu... Quando se sentir sem igual.. Isso é MAESTRIA. Você agora está pronto a desempenhá-la... a aplicá-la à vida.

O equilíbrio entre a atividade no mundo, ou o dar, e o recolhimento aos domínios interiores, ou o receber do alimento divino, é o ritmo da Vida. Enquanto você vive deste modo, em harmonia com seu Eu, a Vida cuida de você. Isso significa que seu eu superior é capaz de agir através de você, é capaz de guiá-lo, de dirigi-lo e de usá-lo para atrair diretamente aquilo que você precisa. Automaticamente se cria um espaço... um espaço, por exemplo, para os relacionamentos... os relacionamentos certos.

Entrar no caminho da Alquimia Interior significa desidentificar-se conscientemente do ponto de vista material e incorporar o pensamento multidimensional. Questões como: "Quando você vai se casar?"

ou "Quando terá filhos?" ou "Como serei capaz de..." desaparecem. Compreendemos que nossos temores dão vida e forma a esses pensamentos e que a confiança associada à justiça, o pensamento criativo e a ação são o que realmente dão forma às nossas vidas.

À medida que o próprio planeta e toda a consciência existente sobre ele movem-se através da iniciação do coração, passamos a integrar freqüências vibratórias superiores e inferiores, filosofias ocidentais e orientais, influências cósmicas e planetárias. E à medida que o coração se expande dentro de nós, passamos não apenas a ver e compreender mais, como também a amar mais. E eis aqui algumas palavras de advertência.

Você será afetado pelas condições ao seu redor, particularmente o sofrimento. Sua atenção se tornará mais aguçada. Você verá e sentirá muito, muito mais. A escolha entre o humano e o divino será uma constante para você, em cada ato, pensamento e sentimento seus. Ou verá a escuridão ou verá a Luz.

Quando assistir ao sofrimento, estará sentindo aquela parte de si mesmo, a sua humanidade, que ainda se identifica com os antigos valores de um mundo agonizante — seja pelas cadeias orientais do karma ou pela ética de culpa judaico-cristã. E, assim, você vive essa qualificação. Por exemplo: quando você vê o sofrimento e o sente, uma parte de sua mente está qualificando essa energia com aflição, com peso. Você pensa: "Pobre ...(fulano ou coisa)!". Você está projetando esse peso sobre aquela pessoa, pela qual está sofrendo. Em vez de aliviar aquela carga, você a está aumentando.

Agora, se quando você olhar para essa pessoa, que, por alguma razão que você possivelmente não consegue compreender (pois isso pode envolver compensação de vidas passadas, lições kármicas ou simplesmente condições através das quais essa pessoa possa até aprender e ensinar outras ...), está num tal estado "infeliz", se em vez de encará-la assim, você enxergar o Ser de Luz que existe dentro dela... você realmente projetará essa Luz, cuja beleza serve para elevar a pessoa para quem está olhando. Você pode também fazer alguma coisa fisicamente, mas não por culpa ou medo — que constituem a motivação usual escondida por trás da caridade — mas por sua própria generosidade e positividade.

A VERDADEIRA ECOLOGIA

A verdadeira ecologia começa consigo mesmo. Enquanto treina

sua percepção e os mecanismos de sua mente e sentimento na afirmação da Luz, está qualificando positivamente a energia. Em vez de aumentar a poluição de nosso planeta, está ajudando a limpar sua atmosfera.

Temos de dar poder à Luz, dar poder à divindade dentro de nós. Isso não significa negar a fealdade e a injustiça, a pobreza e a doença. Isso não significa tornar-se insensível ou pretender que tais coisa não existam. Significa fornecer um elixir curativo. Não através da esperança cega, que cria mais expectativa, mais tensão e frustração, mas através da geração de substância-Luz, por meio da qual a transmutação pode começar a acontecer.

O que o mundo precisa neste momento é de compreensão. Reeducação. Precisa que se acabem as formas-pensamentos putrefatas, as crenças e idéias que estão enfraquecendo toda a ação e manifestação. As pessoas precisam saber como a mente funciona, o que são os pensamentos, o que fazem a si mesmas e o que fazem aos outros através de seu pensamento, seu sentimento, suas palavras e suas ações.

Se não acabarmos com nossa poluição interior, seremos como o cego que conduz outro cego, o miserável que se junta a outro miserável, pensando que um vai ajudar o outro. No final, teremos duas misérias, multiplicando não por dois, mas infinitamente a intensidade daquela miséria. Para realmente servir, é preciso começar consigo mesmo e com o lugar onde se vive.

A verdadeira ecologia começa com nossos próprios pensamentos e sentimentos. É isso o que eleva o nível vibratório do planeta. Quando tivermos assumido a responsabilidade individual por nosso próprio poder, aquele poder, unido aos outros, torna-se o Poder da Divindade em ação AGORA.

OBEDIÊNCIA À LEI

Quando tivermos compreendido que somos, de fato, Um naquele ponto-origem, saberemos que aquilo que fizermos a alguém estaremos fazendo a nós mesmos. Mas o que freqüentemente não chegamos a compreender é que o que fazemos a nós mesmos, estamos também fazendo aos outros. Consistentemente, através das eras, a autotortura tem sido de um modo ou de outro perdoada. Agora, a obediência à Lei deveria corrigir imediatamente esse erro de interpretação.

O que é a Lei? É a Lei da Luz. O supremo poder sobre tudo o que é da Luz. Não a luz física, que encontra seu oposto na escuridão, mas a Luz que é a fonte de tudo e que está além da dualidade. A Fonte fundamental da Vida. Honrá-la é obedecê-la.

É realmente bem simples. Quando você honra a Luz em você/outro, você honra a Luz no outro/você. Saber que você não é criador, mas do Criador, que vive e trabalha em associação com aquela força, permite-lhe viver em humildade e, contudo, com uma tremenda responsabilidade: a responsabilidade de usar os poderes e forças sabiamente, nobremente. Quando você honra a Luz... você não pode ajudar, pode apenas usar seus poderes sabiamente!

Uso a palavra honra quando quero indicar o amor num sentido ativo, pleno. O amor é a perfeita ação, é o sentimento básico de toda a Vida. É a força criadora. O amor atrai e também dá; é, ao mesmo tempo, magnético e radiante. Toma e cria. O amor é como o Sol: o poder criador de Tudo O Que É. É a força-motriz básica — o sentimento fundamental perfeito.

Quando personalizamos o amor, nós o contaminamos e passamos a dissecá-lo em mil e um pedaços, para criar uma realidade onde sentimos que possuímos coisas e pessoas. Quando o colorimos com densidade, torna-se possessividade. Como força perfeita, o amor é impulso ou sentimento básico, que estimula a Vida e a mantém. Torna-se energia em movimentos: uma força que pode ser dirigida.

Obediência à Lei é o uso correto da força do Amor.

Quando experimentarmos a iniciação planetária no nível do coração, estaremos explorando as diferentes expressões da força do Amor e experimentando o que talvez seja o período mais emocionalmente elevado na história do planeta.

Através de nossas repressões e expressões, estamos aprendendo a manejar, compreender, purificar e canalizar o amor. Em vez, de nos condenarmos por sermos emocionais, precisamos trazer o elemento espiritual ao nosso ser e ver o fenômeno à luz do Amor.

EMOTIVIDADE, SEXUALIDADE E ESPIRITUALIDADE

Devido à natureza do ensinamento com o qual estou envolvida, talvez o maior número de clientes que chega a mim seja o daqueles que têm sofrido alguma exposição à espiritualidade. A maioria deles já aceitou os conceitos do amor, da inocência, da fraternidade e da iluminação. Alguns têm tido profundas experiências em práticas religiosas. Por essa razão, muitos têm sérios problemas com a integração da sexualidade em seu sistema de crença espiritual.

Muitas pessoas que "entram no caminho" não sabem o que fazer com sua sexualidade. Preferem reprimi-la, escondê-la (de si mesmas e dos outros) ou viver uma dualidade (onde o espírito e o corpo se revezam na auto-satisfação). Felizmente, alguns conseguem ver e viver além da dualidade, captando a energia primordial alegre e criativamente.

Para a maioria que não consegue integrar essas duas forças, é importante esclarecer alguns pontos. Quando nos abrimos para o desabrochar espiritual, precisamos lidar com o corpo emocional e seus hábitos. É através do desejo do corpo emocional, pela suprema realização como espírito, que temos o impulso espiritual para começar. O objetivo mais profundo de nossas vidas é alcançar a iluminação espiritual. Mas, devido ao fato de o desejo estar enraizado no corpo emocional e este corpo estar sublimando um impulso físico, que pode ser embaraçante, frustrante ou qualquer outro envolvimento doloroso com a vida, precisamos, em algum momento, encará-lo, uma vez que a espiritualidade não pode ser nunca uma fuga da Vida.

As energias sexuais intensifican a emotividade. É por isso que as mulheres se sentem muito irracionais durante o ciclo menstrual e também nos períodos de elevada atividade sexual ou ligados a relacionamentos intensamente sexuais. Os excessos produzidos freqüentemente levam a pessoa com tendências espirituais a dizer: "Está bem, esqueça!" É muito perturbador!" e foi esse raciocínio que levou os religiosos a abolir ou a condenar o sexo. Contudo, você não pode ir morar no deserto nem no topo de uma montanha sem que o sexo o siga dentro de você mesmo. Ele o fará mais cedo ou mais tarde.

Você encontrará uma outra pessoa, uma situação (real ou imaginária). A Vida, no final, lhe fornecerá um parceiro para resolver isso. Geralmente é alguém que também está no caminho espiritual e que tem também as mesmas angústias. As energias sexuais se casam e um incita no outro um despertar e uma resolução.

Enquanto isso, você não pode nunca anular o trabalho espiritual. O medo decorrente lhe é incutido pela mente, para evitar que você resolva o problema. Se você não conseguir controlar a espiritualidade e a sexualidade simultaneamente, você terá de controlá-las isoladamente

— individual e intensamente. Seu ser buscará o equilíbrio de um modo ou de outro, até que a espiritualidade esteja encarnada nas células no nível do orgasmo.

O orgasmo é apenas o início, e não o fim, de um êxtase que ondula através do universo. É matéria ecoando as contradições e expansões da Criação. Fugir dele é fugir da religiosidade. Mas isso não significa que viciar-se nele seja encarnar a religiosidade. Compreender realmente a natureza dessa força é curvar-se em reverência diante dela. Em resumo, é honrá-la.

As lições relativas à sexualidade constituem uma outra faceta das lições de amor no nível planetário: um outro espelho, através do qual podemos observar como nos tratamos e aos outros e quão bem estamos aplicando a Lei da Luz. É uma lição pela qual todos precisamos passar — física, emocional e mentalmente.

Nosso planeta está sofrendo pelo mau uso do poder feito no passado. Em nossas mãos foi colocado o cuidado e a administração do maior poder possível, para que o coloquemos, agora, a serviço do Amor, para que possamos refiná-lo em e através do poder da Luz. Se falharmos no uso sábio desse poder, a própria energia reverberará de volta a nós, com as mesmas qualidades com que a enviamos e se manifestará como doença e desespero.

A única maneira de fazer as pazes com alguma coisa ou alguém é viver através dela(e). Sem mentiras ou fingimentos. O sexo é o verdadeiro epítome da força do Amor em ação no nível da matéria. E através dele e além dele estão os êxtases do espírito... infinitamente mais intensos!

Posfácio

O NOVO CICLO

A evolução é essencialmente espiritual e se move em ciclos de atividade. Cada ciclo é anunciado por um salto para a frente (mesmo que não pareça ser assim). A atividade dentro de cada ciclo é representada por uma localização geográfica, que ilustra as realizações da era ou ciclo.

O planeta que chamamos de Terra evolui como evoluem os seus indivíduos. A consciência dos indivíduos hoje está se movendo, através das lições de amor, para um ponto além das dualidade e dos paradigmas do ciclo passado. O novo ciclo, a Nova Era como tem sido chamada, encarna não apenas um salto quantitativo, mas representa também os conceitos e valores que são qualitativamente novos. A América, e com esse termo quero dizer as três Américas, representa essa nova consciência.

Há ainda controvérsias no que se refere ao local onde se encontrava a sede original do poder espiritual e da atividade mundial do planeta: se na África ou na América do Norte ou na Central ou na do Sul, se na Ásia... Há alusões a muitas grandes civilizações, em particular a amazônica e a grande civilização que floresceu onde hoje se encontra os Estados Unidos da América do Norte, das quais se diz que precederam as civilizações atlante e lemuriana. Então, compreendemos que a sede atlante situava-se no que é hoje o Oceano Atlântico, enquanto que a atividade espiritual da Lemúria envolvia o Pacífico.

O grande centro seguinte do avanço espiritual foi o Egito. Coincidente a ele, desabrocharam as civilizações do Oriente, que pareciam ter atingido um apogeu nos tempos anteriores à Grande Guerra dos Mundos, denominada Mahabarata (embora as escrituras védicas indiquem um tempo muito anterior a este). Cada uma dessas grandes civilizações desenvolveu um certo aspecto de expressão da semente-divina e utilizou uma certa metodologia ou ideologia.

Cada civilização contribuiu para um certo equilíbrio ou integração entre a personalidade e o espírito. As civilizações mais remotas viveram uma vida de puro espírito, com pouca densidade para obstruir suas ações ou percepções. Com o tempo, atingimos o estágio lemuriano, onde a consciência estava encarnando os chakras mais inferiores e lutando com a espiritualização da substância. A tradição atlante desenvolveu o poder da mente e da vontade, e a egípcia esforçou-se para, uma vez mais, sedimentar ou enraizar a consciência na própria Terra.

Para ter acesso à energia da fonte ou quantidade de movimento da Divindade, é necessário um certo nível de maestria espiritual. O desenvolvimento da consciência dentro de cada tradição, passada ou presente, exige a reavaliação das necessidades do tempo. Nossos tempos pedem uma resposta às questões relativas ao uso do poder — nosso poder pessoal, coletivo e espiritual — e ao nosso uso da individualidade e personalidade.

SUBMISSÃO *VERSUS* ATIVAÇÃO

O desenvolvimento espiritual e o progresso material andam de mãos dadas. O sucesso é construído sobre uma base de espiritualização subjacente ou foco de Poder da Luz. Como rumamos para a Idade do Ouro, precisamos nos olhar de uma nova perspectiva. No que se refere ao desenvolvimento espiritual, ainda estamos muito sob o efeito da influência do ciclo anterior.

No ciclo anterior de evolução, que chamo de Consciência Búdica, a expressão defendida pelo ensinamento espiritual daquela época era a contemplação e o método era o da submissão. A perfeição era alcançada através da purificação e da submissão à vontade superior. O processo visava trazer aos corpos inferiores — o físico, o emocional e o mental — a taxa vibratória do plexo solar. O indivíduo esvaziava-se da violência dos corpos inferiores e se entregava à consciência mais elevada refletida externamente a ele, no mestre ou na doutrina. O propósito era alcançar um estado de êxtase e abertura: Nirvana.

O Nirvana, o estado de samadhi, consistiu no não-ego ou senso de separação da vida, que era percebido em toda parte com tremendo amor e suavidade. "*Ahimsa*" significava inocência e era a mais elevada lição ensinada por Buddha. O indivíduo dissolvia-se num estado verdadeiramente elevado de consciência, que o fazia passar pelos chakras ou faculdades superiores sem ativá-los numa identidade individual. A pessoa mergulhava num estado de submissão à vontade divina — ou (*shunnya*) — o Vazio ou Nada primordial.

No Ocidente, a Consciência Búdica em nossa era foi representada pelas várias práticas religiosas, das quais a tradição sufi é talvez a mais representativa. Nela o ego do eu inferior é assassinado pelo coração. Em vez de aspirar ao vazio primordial, o objetivo é a plenitude de tudo. Deus torna-se o Tudo.

No nível da Consciência Búdica, dissolvemos todas as fronteiras que nos separam dos outros, ou daquilo que nos mantém numa pseudosuperioridade, e nos ligamos à força da fraternidade, à unidade da vida na preparação para o próximo passo. Muito pouca energia foi dada à individualidade ou materialidade, e esta ênfase se refletia nas atividades culturais e políticas do passado mais recente.

Estamos agora experimentando uma urgência coletiva voltada para a atividade, a expressão individual e o avanço material e tecnológico, que são a marca registrada da Nova Era. Por isso, o novo ciclo, ao qual me referi no início como Consciência de Cristo, requer a formação de uma certa vontade individualizada de Deus. O Cristo Ocidental, através da figura de Jesus, diferentemente do Cristo Oriental, representado por Buddha, possuía *uma identidade*. Ele sabia quem era e o que tinha de fazer.

A Consciência de Cristo é ação — ação no nível das faculdades e chakras superiores ativados, em oposição à submissão do ciclo anterior. Em vez de um ego, o Cristo Ocidental possui uma identidade pessoal, um foco de individuação, não isolado da fonte, porém distintamente individual. Ele não se dissolve no Todo, no sentido búdico. Ele mantém uma união verdadeiramente consciente com o Todo e dentro dela o controle, uma atividade-vontade determinada.

AS TRÊS AMÉRICAS

A sede do novo ciclo abrange a prosperidade, as faculdades e atributos inerentes às raças das três Américas. O novo ciclo marca um retorno a conceitos iniciais, mas num nível mais elevado na espiral da evolução espiritual.

No momento, os Estados Unidos parecem elevar-se sobre os poderes do terceiro mundo dos governos da América Central e do Sul, como de fato o faz, no sentido econômico e político. A riqueza das Américas Central e do Sul encontra-se no fundo do solo e da alma de seus povos, suas tradições, sua freqüência ou nota individual dentro do oceano de infinitas variáveis.

A América Latina está sofrendo uma purificação pelo fogo, um despertar e uma reestimulação que levarão muitos anos. Através disso, virá uma força e uma claridade além de nossas mais amplas expectativas. Neste exato momento, a América do Sul está sendo preparada para hospedar o cetro do poder da Nova Era. Suas antigas irmãs, África e Austrália, estão do mesmo modo surgindo com um novo domínio e um antigo poder, que alterará significativamente nossos pequenos e limitados pontos de vista. Estamos testemunhando, finalmente, o término da era de trevas da alma. A escuridão que deu à luz o Filho de Cristo dentro de todos nós.

Dentro das revoltas traumáticas deste grande nascimento, a Alquimia Interior oferece um método, uma advertência e uma compreensão sustentadora para nos conduzir através do Segundo Nascimento.

O próximo estágio da obra da Alquimia Interior, que espelha a obra da humanidade como um todo, é chamada de CRIAÇÃO e será assunto de um próximo livro. As práticas neste nível têm a ver com a redescoberta das antigas leis cósmicas energéticas aplicadas à substância. Esses ensinamentos constituem o fundamento das práticas antidiluvianas, guardadas por nossas próprias tradições nativas americanas, particularmente a maia, a hopi e a inca.

As chaves para a transcendência nesta era — a Nova Era — repousa na união do poder com as capacidades encarnadas pela terra e pelos povos das três Américas, onde o som da Divindade é o som do trovão, e o Fogo Sagrado é a essência sobre a qual a Criação gira.

SÍMBOLO DA "CO-CRIAÇÃO" DA ALQUIMIA INTERIOR

ÍNDICE GERAL

ÍNDICE ESPECÍFICO DE MEDITAÇÕES E VISUALIZAÇÕES

ÍNDICE DAS ILUSTRAÇÕES

Livro do Do-In, O, *Michio Kushi*
Maravilhas Curativas ao Alcance de suas Mãos, *Marco Ribeiro*
Medicina Natural - 1ºs. Socorros, *J. Bernard*
Meditação, o Caminho Interior, *N. Humphrey*
Meditação para Crianças, *Deborah Rozman, Prelo*
Minha Medicina Natural, A, *Rika Zaraï*
Mistérios dos Crânios de Cristal Revelados, Os, *Bowen /Nocerino/ Shapiro*
Mundo sem Aids, Um, *Leon Chaitow e Simon Martin*
Musicoterapia, *Andrew Watson e Nevill Drury*
Natação para Bebês, *Marília M. Fontanelli - José A. Fontanelli*
Oitenta Exercícios Respiratórios de Svásthya Yoga, *Ana Maria M. Castro*
Olho Revela, O, *Denny Johnson*
Pães Naturais, *Romélia Meyer*
Parto Ativo, *Janet Balaskas*
Psicoterapia Prânica, *Choa Kok Sui*
Que Você Precisa Saber Sobre Nutrição, O, *Alcides Bontempo*
Receitas Macrobióticas, *Alcides Bontempo*
Remédios Caseiros, *Barbara Graig*
Sal Assassino, O, *Marietta Whittlesey*
Segredos da Religião-Ciência Maia, *Hunbatz Men*
Shantala (Massagem para Bebês), *F. Leboyer*
Shiatsu dos Pés Descalços, *Shizuko Yamamoto*
Síndrome Pré-Menstrual, *Carlson Wade*
Sobremesas Naturais, *Alcides Bontempo*
Sugar Blues, *William Dufty*
Tarô Egípcio, *Prelo*
Terapia Floral, A (Escritos Selec. de Edward Bach)
Tratado de Saúde Holística, *Marcos Mundim - M. Oliveira - Marcelo Mundim*
Você e sua Aura, *Joseph Ostrom*
Voz do Silêncio, A, *Helena P. Blavatsky (Tradução de Fernando Pessoa)*
Yogaterapia, *Nilda Fernandes*
Yoga para Criança Especial, *Sivakami Sônia Sumar*
